D0569227

COLLECTION FOLIO

Henri Bosco

Le mas
Théotime

Gallimard

à ma mère

I

En août, dans nos pays, un peu avant le soir, une puissante chaleur embrase les champs. Il n'y a rien de mieux à faire que de rester chez soi, au fond de la pénombre, en attendant l'heure du dîner. Ces métairies, que tourmentent les vents d'hiver et que l'été accable, ont été bâties en refuges et, sous leurs murailles massives, on s'abrite tant bien que mal de la fureur des saisons.

Depuis dix ans j'habite le mas Théotime. Je le tiens d'un grand-oncle qui portait ce nom. Comme il est situé en pleine campagne, la chaleur l'enveloppe et, du moment que juillet monte, on n'y peut respirer avec plaisir qu'aux premières heures du jour ou bien la nuit. Encore faut-il qu'il passe un peu de brise. Alors on peut se tenir près de la source, sous le buis, car c'est là qu'on rencontre un air doux, qui sent l'eau vive et la feuille.

J'étais seul et je jouissais de cette solitude qu'exaltait la chaleur environnante.

Tous les volets mi-clos, dans la maison, il faisait assez frais. A peine si parfois on entendait le frémissement d'une mouche enivrée par un rai de lumière qui filtrait d'une fente.

Dehors l'air flambait en colonnes de feu et, du côté

de l'aire, entre les meules, montait une odeur de blé et de fournaise. La chaux dont on avait badigeonné le sol battu rayonnait contre le mur bas de la bergerie abandonnée où fermentait la paille chaude. (Les moutons sont depuis deux mois dans les Alpes.) De là ne venait aucun bruit, pas plus que de la basse-cour où sommeillaient les bêtes.

Le cœur de la maison cependant demeurait frais. Du cellier qui sentait le bois et la futaille émanaient des coulées d'air. Il restait dans cette retraite des réserves d'ombre et de fraîcheur qui s'alimentaient à la nuit et qui, pendant les heures chaudes, m'étaient d'un grand secours.

J'estimais à son prix ma solitude, quoique ce fût dimanche ; et je la devais aux vertus de ce jour que je n'aime point. Mais elle couvrait tant d'espace que j'en oubliais la qualité de mélancolie inféconde que donne aux plus belles journées le repos dominical.

Tous mes voisins étaient partis, les uns pour aller au village, et quelques autres jusqu'à la ville.

Les Alibert, qui habitent à quatre cents mètres d'ici, avaient pris la route avant l'aube. Ce sont mes fermiers. Rien ne remuait à Farfaille et Clodius lui-même semblait absent. Pourtant Clodius ne sortait guère de chez lui. Sans même un chien de compagnie, depuis longtemps il vivait tout seul à La Jassine, pour mieux entretenir sans doute cette haine du voisinage qui, chez nous, tient de famille. Car Clodius est mon cousin et, bien qu'on m'ait élevé à la ville avec une réelle douceur, je n'en ai pas moins reçu en partage cette sauvagerie.

Et cependant nous ne nous aimions pas. Si nos humeurs avaient une commune source, qui était notre sang, la mienne me portait à fuir la plupart de mes semblables pour rester à l'abri de leur indiscrétion. Mais la sienne, qui l'inquiétait sans cesse d'un désir de rapacité, ne le poussait pas à la fuite. Il ne se retirait pas loin des autres, mais il cherchait à les éloigner de ces lieux dont il était le maître. Pour y réussir, il acquérait (et cela depuis des années) tous les lopins tombés en infortune sur le bord de ses terres, de façon à créer autour de lui une étendue inhabitée où il fût seul.

Il me haïssait. Je ne lui rendais pas toute sa haine, plus par faiblesse, je l'avoue, que par bon naturel. Mais je ne laissais pas de le détester un peu plus que je n'eusse fait, sans doute, s'il se fût agi d'un autre homme, chargé d'identiques défauts, mais qui n'eût pas été de ma maison.

Nos terres étant mitoyennes, nous en étions venus depuis deux ans, à la suite de fiers débats, jusqu'au point de ne plus nous adresser la parole. Je n'avais apporté dans ces contestations nulle âpreté. Car c'est à peine si je suis de la campagne, moi, en dépit de l'amour que je lui porte et qui, après la mort de mon père, m'y a ramené. Ce retour irrita Clodius. Sans doute avait-il déjà dirigé ses vues sur mon bien. Je ne m'étais pas montré depuis quatre ans. De mauvais fermiers avaient laissé tomber en friche la moitié de ce petit domaine. Une visite que j'y fis me serra le cœur. Je chassais les fermiers. Pendant trois mois les terres furent abandonnées. Clodius affermit ses espoirs. Mais je trouvai les Alibert qui sont honnêtes et travailleurs. Je les installai dans une vieille métairie qui porte leur nom. Leur famille, jadis fort à son aise, l'avait possédée autrefois, et près de là ils ont encore leur tombeau.

En un an les Alibert réveillèrent les terres : le blé poussa, les vignes furent dégagées, il y eut de l'orge, un peu de luzerne et quelques fruits. C'est alors que je vins habiter le mas Théotime.

Mon arrivée déplut à Clodius. L'installation des

Alibert, leur succès et notre bonne entente l'avaient irrité. J'allai le voir. Il me reçut fort mal, se plaignit de mes métayers et au bout de huit jours me coupa l'arrosage.

Il avait quinze ans de plus que moi ; il en prétexta pour le prendre de haut quand j'allai me plaindre, et il devint tellement désagréable que je ne remis plus les pieds à La Jassine. Débouté sans recours sur la question de l'eau, il en conçut un sourd dépit qui le poussa à m'intenter un procès de bornage. À dater de ce jour, ma vie se déroula de contestations en chicanes. Clodius espérait ainsi me dégoûter du bien et m'inspirer le désir de retourner à la ville. Selon lui, je n'aurais jamais dû en sortir. J'étais un intrus. Mais, soutenu par les Alibert qui ont beaucoup de patience, je sentis s'éveiller en moi une ténacité si paysanne que je fis tête assez bravement. J'attendis les procès. Clodius m'en suscita trois, que je gagnai l'un après l'autre, sans effort, par le simple fait de ma bonne cause.

Après cela le feu prit à l'une de mes meules. Je ne voulus point entamer d'enquête, en dépit des Alibert qui, naturellement, m'y poussaient. Ce sont des gens qui ont beaucoup d'amour-propre. Cependant je sus résister à leurs instances. Sans doute Clodius avait-il prévu que je me mettrais en campagne et m'attendait-il à quelque embûche où, par bonheur, ma nonchalance m'empêcha de tomber.

Cette inaction dut lui paraître inexplicable et elle le mit en défiance. Il se tint coi pendant un an. Non seulement les chicanes cessèrent, mais tout à coup je ne le vis plus.

Jusque-là il apparaissait régulièrement, chaque soir, à peu près vers cinq heures, le long du canal d'arrosage qui sépare nos terres. Arrêté sur sa rive, il passait un bon moment à contempler ma vigne de chasselas. Puis il allait s'asseoir sous un saule et il y restait jusqu'à la nuit.

Ces apparitions m'étaient forcément désagréables. Le fait qu'elles cessèrent me soulagea. Je n'allais jamais de ce côté ; mais Alibert le père ne manquait pas de s'y rendre dès qu'on voyait Clodius poindre et, en rentrant de son travail, cet homme honnête, d'un ton paisible, me disait toujours : « A propos, monsieur Pascal, j'ai vu le garde. »

Le garde, c'était Clodius.

Les deux hommes ne se parlaient pas. La présence de Clodius ne troublait nullement Alibert le père. Il faisait sa tâche sans rien dire, cependant qu'à dix pas de lui, de l'autre côté du canal, large trois fois comme la main, Clodius d'un air assez sombre, le regardait émonder la vigne.

Clodius souffrait. Mais malgré l'horreur que lui inspirait la vue d'Alibert père, il ne pouvait pas s'empêcher de venir à la limite de mon bien. C'était sa façon de se montrer sociable.

Il voulait qu'on n'ignorât point qu'il était notre seul voisinage.

Au moment de la chasse il apportait toujours son fusil. Il ne tirait pas. Assis sous le saule, son arme entre les jambes, il semblait surveiller un prisonnier.

— Quand on nous aperçoit d'un peu loin, me disait le vieil Alibert, j'ai l'air de travailler pour lui, et on me croirait penché sur sa terre. Il se fait peut-être des idées...

Je crois qu'il s'en faisait. Il aimait trop mon bien pour manquer d'imagination à son propos. Ce bien, je le tenais d'un oncle de ma mère, car je ne suis pas un Clodius de Puyloubiers, mais un Dérivat de Sancergues. Mon père en vient, et les gens de Sancergues passent pour ne pas aimer ceux de Puyloubiers. J'ignore pourquoi. Mais quelle que fût la raison de cette inimitié villageoise, Clodius en tirait un surcroît de haine à mon adresse ; et mon origine, à ses yeux, légitimait ses sentiments farouches.

Toutefois, les gens du village ne le suivaient pas sur ce chemin et, somme toute, ils me considéraient comme un des leurs, ce qui exaspérait encore l'inimitié de Clodius. Elle l'aveuglait à tel point qu'il allait quelquefois jusqu'à oublier l'honneur de son propre sang. Alors il m'appelait : « le petit bâtard de Sancergues ». Mais je n'en étais pas humilié.

Je ne saurais dire comment ces propos et bien d'autres aussi désagréables arrivèrent à mes oreilles. Les Alibert ont une sorte de culte du silence qui les rend à peu près muets, sauf sur les questions de labour, de dépiquage et de vendange, dont ils parlent sobrement, quand la nécessité les y oblige. Les Alibert entendent tout et ne répètent rien. Or je ne voyais guère que leurs quatre figures taciturnes : le mari, la femme, le fils, la fille, tous unis par le lien d'une discrétion irréprochable. Mais les médisances ont une telle force qu'elles remonteraient le fil du vent. Sans doute peuplaient-elles les airs, où je les respirais sans le vouloir.

La disparition de Clodius délivra l'horizon d'une silhouette menaçante ; mais sa présence quelquefois encore se faisait sentir. Tout à coup un feu d'herbe s'allumait, quand le vent soufflait de façon à nous en apporter la fumée âcre. Ou bien, sans raison, l'eau baissait au canal d'arrosage, jusqu'à ne fournir qu'un petit filet. C'étaient là de modestes persécutions. Nous les supportions avec cette patience qu'on oppose dans les campagnes à la malignité des éléments.

Elles me paraissaient si anodines, en comparaison des chicanes où mon goût de la paix avait eu tellement à souffrir, que j'en étais venu à souhaiter que

Clodius ne se dégoûtât point de ces deux inventions. Et quand le feu tardait à s'allumer, j'en concevais quelque inquiétude. Je nourrissais l'espoir que Clodius s'en tiendrait à ces actes de malfaisance et que, dorénavant, on pourrait vivre, chacun chez soi, sans se causer de plus grands dommages. Au demeurant il arrivait que le vent tournât brusquement au nord et alors Clodius avalait sa fumée. Ces jours-là, les quatre Alibert, attentifs aux moindres variations de l'air, levaient le nez de leur travail et regardaient du côté de La Jassine. Ils paraissaient contents, mais naturellement ils n'en disaient rien.

Cette situation eût peut-être porté les fruits que j'en attendais, si un événement, qui me prit à l'improviste, n'eût rallumé sa flamme.

Il se produisit le lendemain de Pâques, qui, cette année-là, tombait le 25 avril, et, par conséquent, trois mois, jour pour jour, avant l'aventure qui fait le sujet de ce récit.

Je reçus une lettre. Elle m'était adressée de Port-Vendres et m'annonçait, pour le soir même, l'arrivée de Geneviève Métidieu, ma cousine et la filleule de mon père.

Cette lettre me mit d'abord de mauvaise humeur. Mon premier mouvement fut d'écrire. Mais où? Et comment dire non? D'ailleurs Geneviève était en route. Je prévoyais que sa visite ne pouvait rien nous apporter de bon, ni à moi ni à elle ; et pourtant j'ignorais encore les préparatifs du destin.

Geneviève et moi n'avions jamais fait très bon ménage. Jusqu'à l'âge de dix ans on nous avait élevés de compagnie. Nos maisons se touchaient et, par-derrière, un grand jardin unissait affectueusement les deux familles. Car les Dérivat et les Métidieu s'aimaient beaucoup. Entre les deux maisons il y avait bien une grosse haie d'aubépine, mais l'amour qui joignait leurs hôtes depuis deux ou trois siècles était si fort qu'on avait pratiqué dans les arbustes quatre ou cinq ouvertures. Nous les appelions nos « commodités ». Chez d'autres gens elles eussent fatalement engendré à la longue de ces dissentiments dont la haine de Clodius à mon endroit peut donner quelque idée.

Mais les Métidieu pas plus que les Dérivat n'avaient leur bile dans le sang. Ils s'aimaient sans se rendre compte de la singularité d'un tel amour entre deux familles si proches. Les uns et les autres étaient vifs, gentiment querelleurs, serviables, légers, sauf sur le point de leur affection mutuelle. On comptait plus de vingt mariages entre les deux maisons, et qui tous avaient bien tourné. Je fus le premier sauvage du nom. Mais je le fus bien. Toute l'âpreté des Clodius apparut en moi vers ma huitième année et je consternai à moi seul les deux familles.

Geneviève, qui avait à peu près mon âge, en conçut une telle frayeur qu'elle disparut de mes yeux, mais les Clodius, quand ils jouent — et cela arrive — savent jouer seuls.

Geneviève était Métidieu jusqu'à la racine des ongles. Elle ne vivait pas, elle dansait. Sa vivacité me déchirait le cœur. Car mon amour est lent à se poser ; il lui faut des objets un peu lourds et qui longtemps restent en place. Pour aimer j'ai besoin d'abord de m'attendrir et non pas d'admirer. Mais d'ailleurs comment admirer (du moins sans jalousie) une âme qui rit en plein vol quand on ne peut soi-même s'élever que faiblement au-dessus de la terre ?

Métidieu et Dérivat adoraient Geneviève. L'anti-pathie que tout à coup je manifestai à cet objet d'adoration faillit bien amener des nuages ; mais l'étrange amour qui, sauf moi, enveloppait tous les êtres des deux familles triompha une fois de plus.

Je restai seul. On s'habitua peu à peu à mon hostilité ; et, après huit jours de répit, Geneviève elle-même parut s'accommoder de mon humeur.

Elle était déjà grande, leste, un peu rousse, hardie et offrait alors quelque image d'une créature du vent, s'il en est. Ces créatures-là on peut bien les aimer, je pense, mais on ne les retient pas longtemps à la portée de son amour.

Ainsi Geneviève joua toute seule, de l'autre côté de la haie, dont sournoisement je bouchai les trous avec des ronces, sauf un, que je laissai libre et qui, tout au bout du jardin, n'était connu que de moi seul.

J'ignore pour quelle raison je ne l'obstruai pas comme les autres, car jamais je ne m'en servis pour passer chez les Métidieu. Chez les Métidieu, je n'y allais plus guère qu'en visite, mais sans entrer dans le jardin. Je ne rencontrais plus Geneviève, sauf dans sa maison, et alors j'évitais de la regarder. Pourtant elle ne me boudait pas. Quelquefois même, emportée par son élan naturel, elle courait vers moi et, me prenant les mains avec violence, elle m'attirait dans un coin de la pièce. Furieux et ravi, je baissais la tête, mais je n'osais pas lui résister. Dérivat et Métidieu nous tournaient ostensiblement le dos ; mais j'entendais leurs rires étouffés. Alors je devenais méchant. Geneviève pleurait sans me quitter la main. On voyait ses beaux yeux s'emplir de larmes, et pendant un moment j'étais heureux.

Quelquefois, tapi sous la haie d'aubépine, je l'épiais, surtout le matin, à l'heure où les enfants sont le plus légers. J'étais ému de la voir courir çà et là, sans but apparent. Jamais elle ne regardait de mon côté. Quelquefois, essoufflée par l'ardeur de sa course, elle s'arrêtait, haletante, à deux pas de ma cachette. Et alors je la voyais bien, car je pouvais la regarder à loisir. Elle avait de grandes jambes nues, griffées par les ronces, deux yeux verts très foncés, et quelques taches de rousseur sur les bras, au cou. Je la trouvais laide et effrontée. Pourtant dans ces moments où je la touchais presque, il émanait de tout son corps une telle chaleur que je sentais mon cœur battre violemment contre la terre. Je crois bien que si elle m'avait découvert j'en serais mort de honte. Mais j'étais sourdement dépité qu'elle ne me vît pas.

Depuis que nos jeux s'étaient séparés, nous avions dû, chacun, de part et d'autre de la haie, suppléer l'absence de notre compagnon habituel. Il nous fallut créer un être imaginaire qui se pliât avec docilité aux conventions de ces petits drames.

Malheureusement pour ma part je n'y réussissais guère et, à peine avais-je inventé un ami fictif, que son image s'évanouissait. Pourtant j'avais trouvé pour le mieux retenir de lui donner un nom ; car les noms imposent une forme, et même une âme, à tant d'essences invisibles que je pensais par cette vertu efficace disposer d'un fantôme plus facile à évoquer et à saisir. Mais le fantôme n'en fuyait pas moins hors de ma prise, ne laissant après lui que le bruit de ce nom, désormais inutile à mon désir.

Par contre, au-delà de la haie, Geneviève, abandonnée à elle-même, semblait vivre au milieu d'un monde réel d'amitiés invisibles. Partout un être l'attendait.

A son approche ils sortaient de l'herbe, des arbres, des fleurs, des murs ; et elle leur parlait tantôt avec douceur, tantôt avec un rire provocant, quelquefois même avec une pointe d'irritation. Quand elle était passée ils se retiraient dans leurs caches ; mais certains jours, quelques-uns, plus hardis ou plus fous, la poursuivaient. On le devinait à la frayeur qui soudain bouleversait son visage ; elle se retournait brusquement, poussait un cri et prenait la fuite, ses cheveux dans le vent, plus légère que jamais. Mais en vain. Malgré ses bonds, ses feintes et la rapidité de sa course, toujours ils l'atteignaient. Ils finissaient par la pousser vers ce coin obscur du jardin où se dressait la charmille. Elle disparaissait sous son berceau ; et alors on l'entendait doucement gémir et demander grâce.

J'aurais voulu voler à son secours, car je souffrais d'une jalousie dévorante ; mais mon orgueil était plus fort que ma douleur et j'attendais. Bientôt les cris cessaient et il régnait un long silence. Puis Geneviève sortait de la charmille, pâle, ses cheveux roux ébouriffés et elle s'avançait en titubant. Alors je pleurais.

Ces spectacles me troublèrent si profondément qu'il m'arrivait, la nuit, de ne pouvoir dormir et alors je m'échappais de ma chambre pour descendre au jardin. Je n'ai jamais eu peur de l'ombre et, même enfant, je me plaisais à me perdre sous le couvert des arbres, au cœur de l'obscurité.

Le plus souvent j'allais jusqu'à la haie et là, me glissant dans ma cachette habituelle, je regardais le jardin Métidieu. Plus rien n'y bougeait. J'attendais longtemps. Les yeux fixés sur la fenêtre close de Geneviève, j'espérais qu'elle descendrait à son tour et qu'elle inventerait un jeu nocturne pour détacher ses démons familiers de leur repos. Mais jamais elle ne vint. J'en étais réduit à jouir, tout seul, et bien amèrement, de l'odeur lunaire des arbres et quelquefois, au moment du coucher de la vieille planète, j'entendais le souffle d'une brise qui se déplaçait dans le doux monde des feuilles.

Geneviève avait établi dans son jardin trois haltes, où, quand cessaient ses ébats vifs, elle venait s'entretenir avec des esprits plus calmes.

Ces lieux de rendez-vous s'abritaient sous trois grands ormes. Elle y plaçait soit une pierre carrée, soit un petit banc de bois. Sur ces autels puérils, qu'elle ornait de feuilles et de fleurs, on voyait de minuscules cruches de verre et des bols. Parfois elle appuyait son oreille contre le tronc de l'arbre ; puis elle parlait. Elle se tenait trop loin de moi pour que j'eusse le sens de ses paroles. Mais je me rappelle qu'elles étaient douces et aussi qu'elle les chantait.

Plus d'une fois une envie violente me prit de détruire ces petites chapelles ; mais au moment de franchir la haie d'aubépine, une frayeur m'en empêchait. De loin j'aurais pu à coups de cailloux en briser les verres fragiles, et peut-être Geneviève avait-elle espéré sournoisement que je commettrais ce sacrilège. Car je la soupçonnais de vivre, à l'insu des exquis Métidieu et des bons Dérivat, dans un monde animé d'étranges arrière-pensées. Ils l'aimaient trop pour qu'elle ne les jugeât pas négligeables. Leur amour lui était devenu si naturel qu'elle avait fini par ne plus le sentir. Peut-être, moi, qui lui montrais une si vive antipathie, étais-je le plus favorisé, et nourrissait-elle en secret, à mon endroit, sous son dépit, le désir de m'intéresser aux légères inventions de ses jeux. Car elle devait me soupçonner d'épier ses ébats à travers cette haie dont, peut-être, je n'avais obstrué les ouvertures que pour susciter dans son cœur le désir de se faire admirer d'un enfant sauvage.

Je ne sais pas encore si cette admiration naquit vraiment, mais ma sauvagerie ne s'en manifesta qu'avec plus de puissance. Longtemps elle fut contenue par une timidité passionnée, et, si je ne commis alors aucun acte de violence, j'en découvre la cause dans le souci de cette imperfection qui me faisait redouter le ridicule. Ainsi, me tenant à l'écart de Geneviève, l'occasion ne s'était pas offerte encore de lui montrer cette bizarre animosité autrement que par mon mutisme, mes reculs et une absence dont j'espérais qu'elle pourrait souffrir.

Mais un incident changea le cours de nos relations.

On célébra entre les deux familles, chez des cousins (nous en avions une trentaine), une de ces noces rituelles qui permettaient périodiquement aux Métidieu et aux Dérivat, réunis par un nouveau lien, de se donner toutes les marques quasiment publiques d'une affection toujours ardente à se manifester.

Un mois avant les noces les cœurs s'épanouissaient. On voyait Dérivat courir chez Métidieu et Métidieu chez Dérivat. Partout on cousait sans relâche ; toutes les aiguilles, tous les crochets s'activaient, au secret des maisons. On rivalisait d'ingéniosité et d'ardeur pour créer des œuvres de fil admirables. Une émulation vive, pour quelques jours, mettait aux prises les femmes des deux tribus alliées. Les filles Dérivat montraient quelques jolis travaux aux filles Métidieu, et celles-ci de petits bouts de leurs ouvrages aux filles Dérivat. Mais ce n'étaient là que des politesses. Dans le plus grand mystère, les unes et les autres inventaient et cousaient la pièce capitale. Cette merveille, toujours attendue avec un peu de jalousie de part et d'autre, on ne la révélait qu'au jour solennel des cadeaux. Alors les Métidieu se récriaient d'admiration sur le génie des Dérivat et les Dérivat sur le génie des Métidieu. Les mariés riaient de bonheur devant tout le monde et, une fois de plus, nos deux familles s'embrassaient.

Cependant, en signe d'union, ces deux familles s'entendaient aussi pour offrir aux époux un ouvrage fait en commun et qui fût naturellement le plus beau de tous. C'était toujours un dessus-de-lit, bleu de roi, piqué, et recouvert d'un réseau de dentelles au point d'Angleterre. Dans ce réseau on brodait deux colombes qui se caressaient du bec ; chacune d'elles perchait sur une énorme initiale. La colombe de gauche était brodée par une Métidieu, et celle de droite par une Dérivat. On les voulait exactement pareilles. Il existait ainsi une centaine de colombes, pour le moins, dans les armoires ou sur les lits de nos maisons. Et à chaque baptême, on les étalait toutes, ou on les suspendait aux murs, chez les parents du baptisé, ce qui donnait lieu à des évocations émues et à des commentaires : « Voilà le point de grand-mère Angélique! disait-on. Qu'il est léger! » Quelques-uns avaient connu grand-mère Angélique et pendant un moment ils parlaient d'elle avec douceur. Mais d'autres broderies qu'avait jaunies le temps restaient presque anonymes, car même les plus vieux n'avaient jamais vu cette aïeule qui avait donné tant de soin à son travail.

Parmi ces couvre-lits il y en avait un cependant qu'on plaçait toujours au cœur de cette exposition baptismale. Il était étrange ; car, au-dessus des deux colombes traditionnelles, il offrait un dessin qu'aucun des autres ne comportait. Ce dessin représentait un arbre, un palmier ; et sur l'arbre on voyait une petite croix inscrite au milieu d'un cœur ou d'une rose, car on pouvait s'y tromper. Les uns tenaient pour la rose, les autres pour le cœur. Mais tout le monde savait que cet emblème avait été brodé, il y avait quelque deux siècles, par Madeleine Dérivat, qui avait fini en religion. Comme elle avait été, je crois, vers la fin de sa vie, supérieure d'un petit couvent de Visitandines, on l'appelait « la Mère ». Et elle était morte à Nazareth.

Ces colombes représentaient le trésor commun à nos familles, et notre blason. Elles symbolisaient une douceur héréditaire et une gentillesse à vivre qui, même à Sancergues, où les gens ne manquent point de bienveillance, passait pour un miracle dont la communauté montrait quelque orgueil.

Car les gens de Sancergues nous aimaient. Nous étions, Métidieu et Dérivat, en quelque sorte l'aristocratie de ce bourg parfumé de lauriers et d'eaux vives ; et cependant nous ne tirions notre noblesse que de la bonhomie du cœur.

Pour moi j'en sentais la douceur et j'en admirais la vertu mais sans pouvoir partager les plaisirs que procurait à tous cet amour familial, ni le pratiquer. Car mon cœur me semblait souvent prêt à déborder de tendresse ; et cependant, sous l'afflux de ces émotions d'une violence quelquefois extraordinaire, rien ne cédait en moi qui pût les exprimer.

Tous mes élans se brisaient quelque part, à mi-hauteur peut-être entre mon amour et ma bouche ; et même mes yeux, que je baissais d'un air maussade quand je les sentais sur le point de me trahir, ne traduisaient pas ce tourment d'aimer et de ne pouvoir le dire.

Car c'était un tourment. En moi l'effusion familiale insatisfaite tournait à la passion, et alors le sang Clodius s'échauffant dans mes veines, mon âme me brûlait. J'en sentais la flamme sombre chauffer les parois intérieures de mon corps ; et j'endurais, sans même pouvoir exhaler un soupir de détresse, le martyre de ce bûcher intime.

Le feu couvait.

Il éclata à l'improviste à ces noces où Sylvestre Dérivat épousa Anne-Marie Métidieu.

A l'occasion de nos fêtes nuptiales tous les enfants étaient appareillés par couples, chaque garçon ayant sa fille et chaque fille son garçon. Les uns ni les autres ne se devaient quitter de tout le jour. Dans la rue ils marchaient toujours côte à côte, la fille à droite, le garçon à gauche. Et tout le monde se mettait sur le pas des portes pour les voir passer.

Il arriva ce que, depuis l'annonce des fiançailles, je redoutais par-dessus tout au monde, et que je désirais. On me donna Geneviève comme compagne de noces.

Or, Geneviève relevait d'une maladie qui l'avait obligée à garder la chambre pendant deux mois. Vers la fin de sa convalescence on l'avait installée dans un fauteuil d'osier, au jardin. Et là je l'apercevais mal, car elle se tenait loin des aubépines sous une tonnelle de chèvrefeuille qui me la cachait. C'était alors le mois de juin ; il faisait si doux, sous les arbres, que j'aurais peut-être franchi la haie si Geneviève avait fait quelques pas vers ma cache. Mais elle ne quitta jamais son fauteuil de convalescence d'où elle disparut, un jour, pour aller achever sa guérison, dans une ville d'eaux.

Je ne la revis que le jour des noces.

Elle avait grandi ; sa figure était pâle. Sa vivacité coutumière semblait avoir fait place à une gaucherie un peu touchante. Point de timidité encore, mais une étrange maladresse. Ses cheveux, qui d'abord tiraient sur le roux, avaient perdu leur éclat ; et on les avait noués sur la nuque, d'un court ruban. Le visage amaigri montrait un air de lassitude, mais très tendre ; et dans les grands yeux verts qui s'étaient éclaircis comme de l'eau, quelquefois passait, en éclair, une expression d'égarement aussitôt effacée, puis de langueur.

J'étais troublé.

Elle m'accueillit avec douceur et osa à peine me prendre le bout des doitgs quand je lui tendis la main. Mon émoi m'empêcha de lui manifester la moindre gratitude ; et je me montrai taciturne et désagréable, comme toujours.

Elle parut peinée, mais se tut. Comme le cortège se formait pour aller à l'église, elle se plaça à côté de moi, et nous marchions sans rien nous dire. Mais dans l'église, au moment de l'élévation, quand déjà tout le monde baissait pieusement la tête, elle tourna vers moi son visage et, me regardant en dessous, elle me dit : « Tu sais, Pascal, j'ai failli mourir... » Sa voix, pourtant très basse, me parut retentir dans toute l'église, et je crus que l'assistance entière avait entendu avec étonnement les paroles que Geneviève venait de m'adresser. Je rougis et me pinçai les lèvres pour ne pas crier de honte devant ce sacrilège ; une onde de colère m'envahit.

Elle avait repris sa position ; et maintenant elle regardait les dalles devant elle. Mais tout à coup je sentis qu'on me saisissait doucement le coude et qu'on le pressait. Puis la main se retira. Je n'osais relever les yeux de mon missel, où je lisais et relisais obstinément ces paroles que l'on prononce à l'*Introït* pour la messe de mariage :

> *Deus Israël conjugat vos :*
> *et ipsa sit vobiscum*
> *qui misertus est duobus unicis...*

> *Que le Dieu d'Israël vous unisse*
> *et qu'il soit lui-même avec vous,*
> *lui qui a eu pitié de deux enfants uniques...*

Et plus je relisais ces mots, plus j'avais l'esprit égaré. J'étais pris de panique. Je voulais fuir, quitter cette église, ne plus jamais revoir les yeux pâles de Geneviève, ni sentir sa main le long de mon bras.

Je serais sorti comme un fou si, serré dans les rangs de l'assistance, j'avais pu gagner l'allée centrale de la nef. Mais à ma gauche, quatre chaises étaient occupées par d'autres enfants ; et, sur ma droite, se plaçait Geneviève.

Bloqué, éperdu au centre du scandale, j'avais lâché le fil de la messe ; et, sans doute depuis long-temps, l'élévation finie, je me tenais debout, seul, dans l'église, car j'entendis la voix de l'oncle Méti-dieu qui, derrière moi, me disait : « Pascal, mon petit, assieds-toi. Aujourd'hui tu as la tête dans les nuages. » Cet avertissement affectueux acheva de m'égarer. Je fondis en larmes ; mais personne ne s'en aperçut, pas même Geneviève, et, quand tout le monde sortit de l'église, j'avais les yeux secs.

Je me conduisis à peu près convenablement, pen-dant cette journée où ne cessèrent visites, congratu-lations, transports de cadeaux et de vœux, jeux d'en-fants, cris de plaisir et dons de friandises.

Je ne suis pas joueur ; pourtant je me mêlai un peu, par honte de rester à l'écart, aux divertissements des enfants de mon âge. Geneviève n'y montra qu'un faible intérêt. Parfois elle allait s'asseoir sous un arbre, comme si la fatigue l'eût accablée soudain. Quand mes regards tombaient sur elle, elle me sou-riait tristement ; et j'étais malheureux. Il me sem-blait que je la haïssais encore et pourtant j'aurais souffert les tourments de ne la point voir. Peut-être avait-elle deviné mes sentiments et souffrait-elle aussi de mon impuissance à l'aimer, ou du moins à le lui dire.

Le scandale éclata, le soir même, au banquet.

Ce banquet qui de tradition réunissait les deux familles (à l'exclusion de toute personne étrangère) se tenait dans une grange des Dérivat. Tout le repas embaumait la paille et le blé. On accrochait aux poutres des ballons de papier peint et on plaçait devant les assiettes tous les chandeliers d'argent et de cuivre des deux races. Il y avait là plus de cent personnes, et les enfants, à part, mais surveillés paternellement par le grand-oncle Émilien, formaient une table bruyante et joyeuse. Nous étions assis, deux à deux, chaque garçon près de sa fille.

L'on me mit à côté de Geneviève, au centre de la table, parce que nous étions alors les plus âgés. D'abord personne ne remarqua notre gêne. Nous nous taisions et nous mangions du bout des lèvres, sans jamais nous regarder. Mais comme nous occupions la place d'honneur, au bout d'un moment, le cousin Barthélémy (qui était hardi) nous demanda si on nous avait gelés avant de venir. Toute la table éclata de rire. Devant un tel succès le cousin Barthélémy levait déjà le nez pour lancer un autre bon mot, mais je saisis mon verre et il le vit. Étonné de tant de violence, il resta bouche bée. Malgré sa hardiesse, en bon Métidieu qu'il était, il aimait tout le monde, y compris moi, probablement ; et ma méchanceté lui fit perdre tout son aplomb, d'un coup. Il pleura. Toutefois, il eut le bon goût de pleurer sans bruit. Mais un tel étonnement saisit tous les enfants qu'ils se turent ensemble ; et le grand-oncle Émilien, levant les yeux de dessus son assiette, découvrit l'étendue du drame. Il ne gronda personne, mais il quitta sa place et alla embrasser Barthélémy. Jamais je n'avais subi pareille humiliation.

Il fallut un bon moment pour rendre son entrain à tout le cousinage. La gaîté revint, mais je ne pouvais pas y participer. On ne me parlait plus ; j'étais au banc de mes compagnons d'âge, et Geneviève, qui pourtant n'avait rien fait de mal, à côté de moi, restait elle aussi à l'écart et ne disait rien.

Une animosité croissante s'élevait peu à peu en

moi contre petits et grands ; et plus le bruit de l'allé-
gresse s'exaltait, plus s'agitait ce démon secret qui
tourmente quelquefois le cœur des enfants et leur
donne, avec le dépit du plaisir qui emporte les autres,
l'envie sournoise de le détruire en provoquant un
cataclysme épouvantable ; et puis de mourir dans
cet écroulement.

Bientôt la joie devint si vive (car on approchait
des grands toasts et il était fort tard dans la nuit),
que Geneviève elle-même, entraînée par l'ardeur
générale, s'anima, but un peu et se mit à rire.

Alors tout le monde se dressa et on leva les verres.
A la plus haute période du banquet, il était de rigueur,
chez nous, de brinder en faisant un vœu, puis d'échanger les coupes et de s'embrasser, garçons et filles.

Je me levai. Geneviève me regarda. Tous les
enfants avaient les yeux fixés sur nous. Geneviève
me tendit son verre, mais je ne le pris point.

Elle me dit :

— Pascal, pourquoi fais-tu cela ? Tu ne m'aimes
donc plus ?

Pourtant elle approcha sa bouche de ma joue pour
m'embrasser.

Quand je vis son visage près du mien, je perdis
la tête et je la souffletai deux fois.

Ce geste qui, aujourd'hui encore, me semble
inexplicable, eut sur les destinées de nos familles
un effet funeste.

De là date, je pense, le relâchement de ces liens
qui avaient fait notre bonheur et notre force ; quant
à moi, j'y retrouve l'origine de tous mes malheurs.

Qu'un Dérivat eût souffleté une Métidieu, cela,
de mémoire humaine, ne s'était jamais vu. Pourtant
il en résulta plus d'ébahissement que de rancune ;
car il restait, dans le sang de ces races amies, assez
de mutuel amour pour effacer tout ressentiment.

Mais entre les deux clans subsista, dès lors, une crainte que rien, pas même deux noces successives, ne parvint jamais plus à dissiper. On s'embrassa moins tendrement et le génie de la race tourna vers son déclin. Car ces embrassements l'alimentaient d'effluves ; et, de l'un à l'autre, passaient par ce moyen ces vifs courants d'amour qui nous reliaient cœur à cœur depuis tant d'années. Maintenant la moindre réticence suffisait à les interrompre ; et si tout le monde en souffrait, personne ne put cependant ressouder la cassure. Que l'on fût Métidieu ou Dérivat, tout le monde jugeait de la même façon la cause de cet acte inconcevable : *le sang des Clodius avait parlé*. Mais nul n'en soufflait mot, car la communauté désirait avant tout plonger ce crime dans un oubli définitif, de manière à pouvoir reprendre les habitudes douces de la famille.

Par malheur ma mère (envers qui l'on redoubla de gentillesse), blessée dans son orgueil et pénétrant la pensée secrète de tous, résolut de réparer le dommage d'une façon éclatante ; et c'est de là que vint tout le mal.

Confusément elle se sentait seule ; car mon père lui-même (sans en rien laisser voir, naturellement) avait pris parti contre moi et les Clodius. Les autres Dérivat, qui avaient deviné sa réprobation tacite, l'avaient, à leur insu, ramené à eux ; et l'attrait de ce sang était encore si puissant que mon père nous devint tout à coup étranger. Il resta bon, affectueux, expansif ; mais, à des riens, il laissait percer une sorte de méfiance triste.

Ma mère exigea qu'on m'envoyât dans un collège ; et pendant cinq ans, sauf quelques jours de vacances, je ne vécus plus à Sancergues.

Quand j'y venais je ne rencontrais jamais Geneviève. Peu de temps après moi, elle aussi, on l'avait confiée à un pensionnat où, disait-on à mots couverts, les bonnes sœurs n'avaient pas toujours à se louer d'elle. Bien qu'on n'en parlât guère en ma présence, il m'arrivait d'apprendre sur son compte de menus faits qui la montraient sous un jour bien différent de la féerique clarté qui l'avait jusqu'alors éclairée à mes yeux.

Son pensionnat se trouvait près d'Aix, dans la campagne. Un jour, à la fin de mes études, je me rendis dans cette ville pour un examen. J'y réussis assez brillamment et, tout heureux, avec quelques camarades nous allâmes à une guinguette, dans les champs. C'était un vendredi soir ; il n'y avait pas un seul client dans la salle. Pourtant on entendait un orgue qui jouait une danse, quelque part derrière la maison.

La servante nous dit qu'il existait une terrasse et un jardin réservés aux habitués, mais elle fit de grandes difficultés à nous y conduire.

Nous étions quatre et de bonne humeur. Il fallut bien qu'elle nous y menât.

Sur la terrasse nous trouvâmes cinq jeunes filles de quinze à seize ans. Toutes les cinq, elles étaient vêtues d'une même robe de toile à carreaux bleus et blancs, comme si elles eussent porté un uniforme. Deux dansaient et elles étaient jolies. Les trois autres, assises devant une table où il y avait de la bière, nous tournaient le dos.

Mes trois camarades, ravis de l'aubaine, s'avancèrent pour inviter. Moi, non. Je ne danse pas. J'entendis des rires étouffés, mais elles acceptèrent facilement l'invite.

J'allai m'asseoir à une autre table et je commandai moi aussi de la bière, car il faisait chaud.

Les trois couples évoluaient avec lenteur sur la terrasse. Tout à coup éclata un petit cri d'effroi, et l'un des couples s'arrêta brusquement. Une fille courut vers moi.

C'était Geneviève. Sa figure était un peu pâle d'émotion ; mais elle riait.

— Mon Dieu, Pascal, que tu as grandi! Mais tu es toujours aussi noir.

Mon camarade, éberlué, restait planté au milieu de la terrasse et les deux autres couples s'étaient arrêtés de danser.

Je n'avais plus une goutte de sang sur le visage, et mes jambes tremblaient sous moi ; mais Geneviève ne s'aperçut de rien. Elle riait toujours, puis, se tournant vers ses compagnes, elle cria :

— Venez! C'est mon cousin! Quelle rencontre! Il y a cinq ans qu'on ne s'est pas vus.

Les autres s'approchèrent.

— Ta cousine! Ta cousine! murmuraient mes camarades ; c'est en effet une drôle de rencontre!

J'étais au comble de l'humiliation, de la gêne ; je n'osais regarder ni les filles ni les garçons qui, eux aussi, paraissaient embarrassés.

Les filles chuchotaient entre elles.

Enfin, je pus dire :

— Comment se fait-il que tu sois ici?

A peine avais-je posé cette sotte question, qu'il me sembla qu'elle me rendait ridicule.

Mais Geneviève ne me répondit pas ; elle haussa les épaules. Sa figure avait pris une expression sournoise. Grande, jolie, son être exhalait maintenant une ardeur violente ; elle avait effacé cette vivacité incomparable qui donnait tant de charme à son enfance.

— On ne fait rien de mal, hasarda une petite brune, à la moue insolente. Le pensionnat est au bout du pré. On saute le mur. Voilà tout. D'ailleurs ça n'arrive pas tous les jours.

Mes camarades riaient bêtement.

Geneviève, elle, souriait en dessous, d'un air félin.

De ses yeux verts filtrait une ruse latente. Toutefois, elle savait qu'elle était prise et qu'elle ne pouvait plus s'échapper.

Je lui dis :

— Je vais t'accompagner jusqu'au pensionnat.

Mes camarades étaient consternés.

Je me dirigeai vers la porte. Geneviève me suivit docilement. Arrivés sur la route, je lui demandai où était le pensionnat.

Elle me le montra de la main, derrière un grand mur, au milieu des arbres.

Nous nous y dirigeâmes.

A la porte du couvent, je sonnai.

Geneviève releva la tête.

La grille du judas glissa avec précaution, et j'entendis une exclamation de surprise, des pas, puis un va-et-vient affairé. Au bout d'un moment, la porte s'ouvrit. Un peu en retrait, une grosse sœur apparut, figée sur place d'étonnement.

Comme Geneviève ne bougeait pas, je la pris par l'épaule pour la pousser.

Alors renversant brusquement la tête, elle me donna un baiser sauvage.

Puis elle bouscula la sœur et disparut.

Le portail se referma ; et je me retrouvai seul sur la route.

J'étais très malheureux.

Il ne faudrait point croire que l'impression produite immédiatement en moi par ce geste inattendu ait été la cause de ma douleur. Autant que je m'en souvienne, j'éprouvai une vive honte en présence de la grosse sœur ; et j'ignore à quoi j'aurais pu me porter si celle-ci n'avait pas eu le bon esprit de refermer la porte et, par conséquent, de disparaître à son tour.

Je me jurai aussitôt de ne plus jamais revoir Geneviève. Abandonnant mes trois camarades à leur sort, je regagnai en hâte la ville, que je quittai une heure après, par le premier train.

Certes l'acte de Geneviève m'avait surpris, mais un peu moins qu'on ne pourrait croire. Tout le long du chemin, cependant que nous nous taisions, je ne cessai d'éprouver une confuse inquiétude et de me demander comment Geneviève, fertile en inventions, méditait de sortir de cette situation difficile où sa malchance et ma sotte rigueur venaient de la contraindre.

J'eusse été furieux et gêné de la voir pleurer ; mais si les Dérivat et les Métidieu s'attendrissent facilement, ils ne cèdent guère qu'aux larmes de plaisir. Pas davantage ils n'usent de la fuite. Comme tant de gens, qui couramment passent pour faibles, ils restent dans le fond fiers de leur sang et incapables d'une lâcheté.

De ce sang, il n'était pas inconcevable qu'un baiser vînt, pour dénouer, entre une Métidieu et ce Dérivat, même sot, une crise dramatique. Que Geneviève s'y fût abandonnée, cela entrait dans l'ordre naturel des choses. Mais une Métidieu du modèle ordinaire m'eût pris les mains et embrassé affectueusement sur les joues, comme on le fait quand on se quitte sur le quai d'une gare. Peut-être eût-elle mis dans cet adieu une nuance de reproche, et le regret d'avoir constaté en moi trop de dureté.

La part d'inattendu, le coup de surprise, fut moins dans le baiser que dans le mouvement. Geneviève

33

ne se retourna pas ; elle jeta impétueusement sa tête en arrière, et c'est de bas en haut qu'elle atteignit ma bouche avec une violence que je n'ai pas pu oublier.

J'en augurai mal, par la suite, des puissances de vie et de séduction qui habitaient en elle ; mais, sur le coup, je fus pris d'une sorte d'égarement ; car je voyais qu'elle avait les yeux clos, battus, la figure pâle, crispée de passion, et ses cheveux, qui sentaient le foin, m'inondaient le cou et la figure.

Elle n'était plus une Métidieu, mais une créature à part, issue de quelque ardeur charnelle de la terre, et aussi étrange, dans cette famille facile, que moi, qui avais apporté la sauvagerie des Clodius chez les Dérivat. Peut-être étions-nous faits l'un pour l'autre, et notre union eût-elle marqué l'apogée de l'amour au sommet des deux races alliées ; mais sans doute des liens si forts ne se nouent-ils pas en ce monde ; car, en ce monde, nous n'avons cessé de nous tourmenter mutuellement.

Je parvins cependant à m'éloigner assez de Geneviève pour que son obsession n'arrêtât pas l'élan un peu sombre de mon adolescence.

Je fis de bonnes études. Comme tous les jeunes gens d'un caractère renfermé j'aimais le travail. J'y allais par goût et aussi parce qu'il crée une solitude bien personnelle.

Mes parents, qui voulaient me retenir aux champs, eurent le bon esprit de m'engager dans des disciplines solides qui, tout en me fournissant des connaissances supérieures à celles qu'on possède communément dans les familles agricoles, me laissât l'amour de la terre. J'ai conservé ainsi un peu de cette sagesse paysanne sans quoi le blé pousse de travers et le meilleur raisin de vendange s'aigrit dans les tonneaux.

Je connais et j'aime les travaux des champs et j'y ai une compétence que les Alibert eux-mêmes reconnaissent, tacitement.

Mais à cette expérience positive et à ces œuvres réelles de la terre, j'ai ajouté l'amour des plantes. Qu'elles soient cultivées à des usages domestiques ou qu'elles croissent librement, je les aime toutes. Certes j'ai une préférence (que je cache tant bien que mal aux Alibert) pour les herbes sauvages ; et je crois que mes seuls attendrissements, je les éprouve devant un plant de grande chélidoine ou de véronique d'eau. Dans le Clodius que je porte, c'est la part Dérivat qui apparaît ; et l'une me console de l'autre. Car j'ai un cœur comme tout le monde ; et si personne ne s'en préoccupe, ici, où je vis seul, il faut pourtant que j'aime, moi aussi, malgré ma solitude, et que je trouve au moins quelques fleurs des champs inutiles pour calmer, peu ou prou, ce besoin d'aimer.

J'ai constitué un herbier, à quoi j'ai réservé tout un grenier bien clos où je me retire, à l'insu des Alibert. J'y ai fait bâtir une bonne cheminée, afin de pouvoir y passer, même par les grands froids, toutes ces soirées d'hiver, si douces sous la lampe, qui me permettent de classer mes plantes, et de les regarder, aussi longtemps que j'y prends du plaisir. Ainsi je peux bien les voir et bien en respirer l'odeur fragile ; et je dis leur nom pour moi seul qui les ai cueillies pendant l'été. Je les dis à haute voix sans crainte qu'on m'écoute. Car je n'ai pas d'autre bonheur que de vivre, caché de tout le monde, dans ce grenier, parmi les plantes et les fleurs des champs.

Je ne fais ici qu'obéir à un penchant naturel. Je le tiens de naissance. Je ne pense pas qu'il ait apparu dans ma vie pour se substituer à quelque amour humain qui m'ait déçu. Car Geneviève ne m'a pas déçu. J'ai connu tout d'abord sa vraie nature. Et si je n'ai point retenu son corps, à défaut de son âme insaisissable, c'est moins du fait qu'elle m'ait échappé d'elle-même que par l'effet, sans doute malheureux, de cette répulsion qui me fait rejeter, malgré mon cœur, les créatures aériennes. L'air n'est pas mon élément, mais la terre ; et j'aime les plantes parce qu'elles vivent et meurent là où elles sont nées.

Geneviève ne tarda pas à donner des preuves inquiétantes de cette mobilité qui devait la porter par la suite aux plus douloureuses erreurs.

Je les appelle ainsi uniquement parce que (je l'avoue) elles m'ont fait souffrir. Car je ne saurais juger Geneviève. Quand je parle de ses erreurs, je ne veux point lui infliger le blâme d'une vertu jalouse, mais indiquer par là combien je déplore, pour elle, qu'elle ait souffert d'avoir erré en quête du bonheur, loin de la seule voie qui y mène sur cette terre, et qui est celle, ce me semble, de la fidélité au premier amour.

Si je ne la revis plus, du moins il m'arriva des bruits de son existence, chaque jour un peu plus agitée. Quand ma mère m'écrivait, elle le faisait assez longuement pour me donner toujours des nouvelles des deux familles. Chaque Dérivat et chaque Métidieu était évoqué en deux lignes, l'une pour son âme, l'autre pour son corps. « Grand-oncle Émile va toujours communier le dimanche ; mais sa douleur à la cuisse lui fait passer de mauvais moments ; il se plaint un peu. »

Geneviève n'était pas nommée. On m'écrivait : « Les cousins Bernard Métidieu, tous les trois se portent bien. » Ce qui était faux. Car des trois, deux au moins, le cousin Bernard et sa femme, donnaient déjà des signes de cette étrange maladie qui allait ruiner les deux familles.

Frappés d'une langueur sans cause apparente, Métidieu et Dérivat commencèrent à dépérir. En quelques années ils perdirent cette vitalité et cette puissance de joie qui devaient être leur profonde raison de vivre, puisque dès lors les plus robustes de la race déclinèrent et un à un s'acheminèrent vers le tombeau.

Quoiqu'on m'ait inculqué de fortes disciplines qui se fondent sur le réel, je n'ai jamais pu m'expliquer les origines de ce mal qui resta insensible à toutes les médications. Il parut dès l'abord s'élever au-dessus des plus efficaces remèdes. Dérivat et Métidieu se montraient sains de corps. Puis un jour ils s'affaiblissaient, sans qu'on sût pourquoi. On les soignait. Car on aime soigner dans nos familles. Ils n'en mouraient pas moins les uns après les autres au bout de quelques mois d'une langueur croissante, en dépit de la médecine qui les voyait glisser entre ses mains jusqu'à la mort. Comme elle ne comprit jamais rien à cette lente perte de vie, on finit par se passer d'elle.

Quand tout à coup on voyait un Métidieu ou un Dérivat donner des marques de cette langueur fatale, on savait à quoi s'en tenir et on ne pensait plus qu'à lui procurer une fin paisible. Au reste ils mouraient tous doucement. On eût dit qu'ils renonçaient d'eux-mêmes à une vie où peut-être leurs deux races aimables avaient achevé leur destinée, qui avait été, pendant un ou deux siècles, de donner, dans un humble village, le spectacle du bonheur humain. Parmi eux, il n'y eut jamais d'agonisants. Ils s'endormaient. Un beau matin on les retrouvait morts sous leurs couvre-lits bleu de roi et leurs deux colombes.

L'apparition de ce mal inexplicable et sa propagation dans nos seules familles n'eurent pas les effets dramatiques qu'ils eussent certainement provoqués chez d'autres gens. Car sa singularité et sa marche implacable auraient dû engendrer, chez Dérivat et Métidieu, une affreuse appréhension et bientôt la terreur. Tous restaient désarmés sous la menace et, en fait, bien peu d'entre nous furent épargnés. Mais ces hommes et ces femmes, qui s'aimaient si délicieusement et qui aimaient la vie, demeurèrent calmes. Ils avaient naturellement (et sans qu'on s'en doutât jusqu'à ces années d'épreuves) la faculté de s'accorder eux-mêmes aux exigences du destin. Leur douceur héréditaire les avait préparés à cette sagesse. Ils acceptaient. Il y avait dans leur façon de s'en aller de ce monde un je ne sais quoi d'honnête et de rassurant. On eût dit qu'ils avaient donné leur parole et qu'ils trouvaient juste de la tenir.

C'est pourquoi leur déchéance resta noble. Leurs noms s'effaçaient un à un sans provoquer jamais un seul mouvement de désespoir. Mais les vivants regrettaient les morts et parlaient d'eux...

Je n'assistai que d'assez loin à cette lente destruction. Toutes les fois que je retournais à Sancergues, je constatais bien qu'un vieil oncle ou un jeune cousin était parti pour toujours. Mais mon destin semblait me tenir à l'écart de ces malheurs. Je sentais en moi une force inattaquable, comme si le sang Clodius, si âpre, m'eût valu une situation privilégiée au milieu des miens.

Je n'en éprouvais pas moins une peine toujours accrue à voir s'effriter ces maisons où j'avais entendu tant de rires dans mon enfance. Mais je ne disais rien de cette peine, de crainte de troubler, par quelque parole maladroite, ce monde encore aimable où les vivants et les ombres se mêlaient avec une telle familiarité.

Pas plus que moi, Geneviève ne fut le témoin de ces calamités.

On ne me parlait guère d'elle ; toutefois on ne put me cacher que son mariage s'était conclu un peu trop vite au gré des sages de la famille. Elle épousa un officier de marine ; mais les noces n'eurent pas lieu à Sancergues ; et, sauf les parents (cousin Bernard et sa femme) aucun de nous n'y fut invité. Il paraît qu'il valait mieux. Comme jamais personne ne se plaignait de rien, je n'entendis pas de commentaires ; mais j'eus l'impression que tout le monde considérait que Geneviève était perdue pour la communauté. On ne l'en aima pas moins, mais on la traita un peu en absente, ce qui me parut grave dans une famille où même les morts étaient toujours là.

Je pense qu'on me l'avait de tout temps destinée, si j'en juge par la discrétion que l'on mit à m'annoncer l'événement. On ne me plaignait pas, mais on me traita comme si j'avais eu du chagrin. Et j'en avais. Je compris d'ailleurs qu'on envisageait les suites de ce mariage non sans de vives inquiétudes. Elles furent justifiées. Un an plus tard Geneviève quittait son mari, sous un prétexte qui de loin parut futile. Sans doute ne l'était-il pas, puisque cet homme demanda le divorce et l'obtint. Un divorce chez les Métidieu était un malheur encore inconnu. Une vaste consternation abattit les deux familles. Mais on ne fit pas un reproche à Geneviève ; car chez nous on n'accable pas les absents. On prie pour eux et on attend leur retour.

Quant à moi je n'attendais rien. Je fis passer dans le néant, le corps, l'âme, l'esprit et le désir de Geneviève. Toutefois, les échos répètent, malgré nous, ce que les mauvaises langues leur confient, et les échos ne m'apportaient rien de bon. Je ne suivis pas la carrière aventureuse de ma cousine, au jour le jour, tout au long de ces dix années où nous avons vécu séparés l'un de l'autre. Mais il m'en arriva assez de nouvelles, par bribes, pour me donner une vue douloureuse de sa conduite. J'en vins (chose étrange dans mon état) à souhaiter qu'elle conçût un véritable attachement et qu'une fois au moins elle offrît les apparences de la fidélité. Car, loin de me consoler à la connaissance de ses caprices, je déplorais d'y découvrir le signe d'une inconstance irrémédiable, chez un cœur que j'aurais voulu pur et ferme, parce que j'en avais, dans mon enfance, désiré follement la possession.

Certes, je ne subis pas la hantise de ce regret. J'ai un tempérament assez viril pour savoir écarter des séductions aussi vaines et j'en connais la malfaisance. C'est pourquoi je m'engageai plus droit que jamais dans mes études ; et, délivré des soucis matériels par quelque argent, je pus m'adonner à mon goût des plantes. J'eus dans cette discipline de bons maîtres, et avec eux j'herborisai pendant plusieurs années, aussi bien en France qu'ailleurs. Je parcourus l'Italie du Sud, l'Espagne et le Nord de l'Afrique. J'ai beaucoup penché mon corps sur la terre au cours de ces explorations qui m'ont appris des noms d'herbes et d'arbustes. C'est la raison, peut-être, qui fait qu'en présence de qui me parle, je me tiens gauchement ; car je baisse les yeux comme si je n'osais regarder mon interlocuteur. Cependant je l'écoute et je n'oublie pas.

Je n'oubliai pas davantage Geneviève, mais gauchement aussi, je baissais les yeux devant son souvenir. J'en avais, il me semble, détaché mon esprit au moment où, lassé un peu de courir les pays lointains, en quête de plantes exotiques, je vins, repris par l'attrait de ma terre natale, m'établir d'abord à Sancergues, puis dans la maison Théotime, à Puyloubiers.

Car je ne pus m'habituer à Sancergues.

La disparition de mon père m'y avait laissé des biens et la grande habitation du village, mitoyenne du jardin de Bernard Métidieu. Mais Bernard était mort, ainsi que sa femme ; et leur maison avait été vendue à un agriculteur qui, finalement, n'avait pas pu y vivre. Il y dépérissait. Aussi restait-elle close, depuis deux ans, et dans le jardin abandonné on ne voyait que des ronces.

Ma demeure, vide elle aussi, m'accablait de sa grandeur et j'en souffrais difficilement le silence.

Dans le village, il ne restait qu'une demi-douzaine de Dérivat assez éloignés, et à peu près autant de Métidieu. Malgré leur bonté, je n'arrivais point avec eux à renouer ces liens vitaux qui jadis nous unissaient si délicatement.

Mon absence (et sans doute la force du sang Clodius) m'avait détaché de leur vie devenue précaire ; et je faisais figure d'étranger dans ce pays où tout le monde m'avait tant aimé.

Je ne trouvais un peu de compagnie qu'avec ce cousin Barthélémy Métidieu qui m'avait gentiment plaisanté, le soir de ces noces fatales où j'avais frappé Geneviève. Lui seul conservait une ardeur assez drue, et il restait d'une nature très affectueuse. J'en recevais de petits services, et il se montrait attentif à ne pas éveiller ma susceptibilité. Sans doute se souvenait-il avec peine de ma violence. Il vit encore et quelquefois nous nous écrivons.

C'est par une lettre qu'il m'envoya, six mois environ avant l'arrivée de Geneviève, ici, à Puyloubiers, que j'appris le principal de l'aventure malheureuse où elle s'était engagée et d'où, me sembla-t-il alors, elle ne pouvait plus sortir que par un éclat.

J'ai répugnance à parler de ce dernier égarement; et j'emploie à dessein ce mot parce qu'il laisse à Geneviève au moins l'excuse d'un trouble irrésistible de l'âme.

Mais si par là j'ai le désir de lui témoigner mon indulgence, il m'est difficile pourtant de ne pas marquer de la douleur à l'endroit d'un acte qui eut des effets aussi tragiques.

Barthélémy, gêné par l'importance de la nouvelle et par notre amitié, ne m'en parlait qu'à mots couverts. Mais ils ne l'étaient pas assez pour me voiler la vraie figure de ce drame. Car la passion y brûlait si vivement que ses flammes passaient à travers les paroles bonnes et maladroites de Barthélémy.

Non point que cette passion la dévorât, elle, Geneviève si, autant que j'en pus juger, elle sut préserver l'intégrité d'un cœur, qui peut-être ne s'était donné qu'une seule fois. Car elle se montra finalement cruelle aux ardeurs qu'elle avait attisées. Ardeurs d'autant plus dangereuses qu'elles avaient embrasé un homme rude, plein de bonne foi et d'un tempérament téméraire. Pour elle, il avait abandonné femme, enfants, et il entendait être payé de cet abandon. Je dis : payé. Car il m'apparut aussitôt comme un de ces esprits positifs, entiers, exigeants, qui ne vont pas sans quelque vulgarité de caractère. J'étais étonné que Geneviève se fût abandonnée jusque-là de se laisser aimer, approcher (et surprendre peut-être) par un homme d'une telle nature.

Il dut l'effrayer assez vite, après s'être imposé un moment à son caprice; et dès lors, elle n'eut de cesse qu'elle n'échappât à cette prise brutale. Mais plus elle essayait de s'en délivrer, plus la main devenait dure et menaçante et plus cet amant redoutable cédait au feu qui le dévorait.

Telle que je connaissais Geneviève, cette volonté dominatrice, loin de la dompter, devait exaspérer en elle ses puissances de libération ; et je la voyais opposant, à une insistance passionnelle si basse, l'audace du refus et toutes les feintes du ressentiment.

La lettre du cousin Barthélémy ne relatait que les débuts de l'ascension de ce malentendu qui atteignait déjà une violence extraordinaire. Mais Barthélémy s'en tenait là, sans doute faute de renseignements. Du reste ce récit coûtait beaucoup à ce Métidieu en qui survivait toute la bonté héréditaire.

Il m'écrivait :

« Elle aurait dû rester ici où tout le monde l'aimait ; et elle y aurait trouvé certainement un bon mari ; pas moi à qui elle a toujours fait un peu peur ; mais il n'en manquait pas d'autres ; et elle n'aurait pas été malheureuse comme elle l'est, je crois, depuis plus de dix ans. »

Le cousin Barthélémy m'envoya encore deux lettres, dans les six mois qui suivirent ces nouvelles, mais il ne me parla plus de Geneviève, sauf une fois, où il se borna à me dire qu'il ne savait plus ce qu'elle était devenue.

C'est alors qu'à l'improviste Geneviève m'annonça son arrivée.

J'avais depuis deux ans établi ma vie sur des lieux dont j'éprouvais la bienfaisance. Cette terre est forte et nourricière d'âme. Mon être s'y alimentait à des sources calmes ; et j'arrivais parfois, sous l'afflux de cette fraîcheur qui s'épandait dans tout mon corps, à mêler mes deux sangs ennemis.

Pour les êtres qui m'entouraient, ils m'apportaient des satisfactions et des soucis pareils à ceux qui me venaient de la terre. Les soucis qu'elle donne sont mâles et d'une progressive pénétration. Car elle satisfait à ce besoin inné de lenteur solennelle et d'éternel retour que seuls la croissance du blé ou le verdissement des vignes offrent à l'homme qui est aux prises avec la grandeur et les servitudes agricoles.

Les Alibert étaient modelés aux exigences de la terre.

Les formes de leur âme familiale ne se distinguaient pas de ses aspects ni de ses variations. Ils étaient quatre qui reflétaient les saisons successives ; et, suivant les travaux qu'elles réclament, ils passaient insensiblement de l'obstination au courage, comme de l'hiver on passe à l'été.

Quant à moi, qui veillais, en leur compagnie, à la fécondité modeste de ce territoire de céréales, de vignes et d'arbres fruitiers, j'avais, pour mes loisirs, introduit dans cette existence déjà calme, ce goût des plantes et des herbes qui réclame des soins et une discipline, elle aussi, en accord avec les saisons. Il n'y avait pas alors jusqu'à Clodius qui n'eût réglé sa vie sur la mienne. La périodicité de ses persécutions, ses stations quotidiennes le long du canal d'arrosage, et la constance de son ressentiment, entraient dans la composition de ce monde des champs, comme un élément naturel, au même titre que la pluie, la grêle ou la gelée du matin.

Ainsi, autant qu'on puisse l'être, je vivais heureux, parce que la terre et les hommes, même dans leur hostilité, ne faisaient peser sur moi leur puissance, ou n'en fortifiaient mon être, que suivant des lois naturelles ; et j'avais tout au moins la paix du cœur.

Je connaissais assez Geneviève pour craindre que son irruption dans ce monde bien équilibré n'y apportât un dérèglement dont nous aurions bientôt tous à souffrir.

Ces craintes se portèrent plus vivement sur l'opinion des Alibert. J'en tenais le plus grand compte ; au point que (sagement, il me semble) j'avais mis d'abord tous mes soins à me la rendre favorable.

Elle l'était. Nous vivions côte à côte, échangeant peu de mots, parce que nous pensions en commun, des choses de la terre, ce qu'il faut en penser quand on s'y applique sérieusement. Et nous jouissions de notre tranquillité.

Geneviève risquait de déranger cet échange d'estime réciproque, et de troubler par sa seule présence des lois si nécessaires à la paix des champs.

L'austérité des Alibert, qui n'était guère souriante, me semblait ne pouvoir s'accommoder d'une figure dangereusement expressive où rien ne voilait l'impétuosité des passions.

Du côté de Clodius je me trouvais, à tort, un peu plus rassuré.

Quant à moi, j'étais calme.

Je savais que l'humeur où me plongeait l'arrivée inopinée de Geneviève ne tenait pas à mon appréhension de la revoir et d'en être troublé, mais à mon égoïsme de campagnard solitaire.

J'aurais dû, pour la noblesse de mon cœur, déplorer ce sentiment.

Mais j'avais acquis, sur les faits du cœur, une sagesse assez rustique qui en reconnaissait surtout la malfaisance. Cependant, quelquefois, j'avais des regrets.

Je compris aussitôt que l'apparition de Geneviève, chez moi, était le recours du désespoir. Je la jugeais à peu près à bout de souffle, et je rattachais sa venue à la crise qui avait dû briser, dans quelque désastre, les liens de sa dernière aventure, celle dont m'avait parlé Barthélémy.

Je n'en éprouvais ni joie ni pitié.

Je savais qu'à Sancergues, Geneviève, qui, à l'indignation de tous, avait vendu la maison paternelle, ne pouvait plus trouver qu'un accueil sans chaleur ; sauf auprès de Barthélémy, mais Barthélémy est marié et a des enfants.

Elle s'était adressée à moi, en désespoir de cause, et sans doute pour reprendre haleine.

Car elle était encore jeune et devait obéir à son destin.

J'espérais donc que son passage serait court et qu'elle-même se lasserait assez vite de ce pays peu peuplé et de ces gens, dont la passion, n'ayant pour objet que la terre, trouvait sa récompense dans les dons qu'elle leur rendait, et dans le repos, après le travail.

C'est pourquoi j'étais calme.

II

J'avais reçu la lettre de Geneviève le lundi matin.
Il n'y avait qu'un train, le soir, et la gare de Puyloubiers se trouve à quatre kilomètres d'ici. Je fis avertir
Alibert père. Il vint après le déjeuner. Je lui dis qu'il
faudrait atteler vers cinq heures pour aller à la gare.

Il me répondit qu'on prendrait le mulet, parce
que le cheval boitait un peu, du sabot de devant,
à gauche.

Et il ajouta :

— Jean vous amènera la voiture.

Je lui dis :

— J'aimerais autant que ça soit vous.

Le vieil Alibert me regarda.

Mais, comme je réfléchissais, il garda le silence.

Je réfléchissais parce que, tout à coup, je trouvais
gênant de lui annoncer l'arrivée de Geneviève.

Et en effet c'était gênant. Je finis pourtant par
m'y décider.

— J'attends ma cousine Métidieu. C'est vous
qui irez la prendre à la gare...

S'il s'étonna de cette commission imprévue,
comme cela est probable, il n'en laissa rien paraître.
Il devait intérieurement se demander pour quelle
raison je n'y allais pas, moi, chercher ma cousine.
Rien qu'à sa façon de se taire, il était évident qu'il

47

se posait la question. D'ailleurs tout le monde aurait
fait comme lui. Je n'attendais pas qu'il me fît part
de son étonnement. Je savais qu'il continuerait à
se taire. C'est pourquoi je me sentais de plus en
plus gêné.

Je lui dis :

— Moi, j'ai du travail, ici, et au poste à feu...

Le poste à feu est une petite bastide qu'on appelle
aussi Micolombe, et qui m'appartient. Elle se tient
à quinze cents mètres d'ici, sur un bout de plateau
où pousse une pinède. Il y a là deux chambres en
assez bon état. J'y ai une table, un lit, quelque vaisselle ; car souvent je m'y arrête, en herborisant, et
j'y conserve un petit dépôt de plantes. C'est un lieu
agréable où je passe quelquefois la soirée, surtout
l'été, quand les nuits sont chaudes.

Le vieil Alibert n'aime pas le poste à feu, qui lui
semble sans doute un luxe inutile, du moment que
je ne chasse pas. Il n'y monte jamais. Quand il faut
couper du bois, il envoie son fils dans la pinède avec
le mulet.

L'annonce d'un travail à faire, là-haut, où il ne
pousse que de l'aspic et des plants de thym calcinés,
dans les cailloux, dut lui sembler une mauvaise
plaisanterie. Mais il se garda bien de montrer, en
aucune manière, son sentiment à ce sujet.

Il se contenta de me répondre :

— Du moment que c'est moi qui vais à la gare,
et pas vous, je prendrai tout de même le cheval. Il
me connaît.

Cette réponse me parut (ce qu'elle était probablement) un reproche voilé. Car je connais les Alibert.
Leurs propos ne vous livrent jamais l'expression
claire de leur sentiment. S'ils ont quelque chose à
vous dire, ils prennent soin de s'adresser à quelqu'un,
que vous ne voyez pas, à côté de vous, et à qui cepen-

dant ils parlent toujours avec beaucoup de réticence. Ainsi ils ne vous heurtent pas, mais ils vous arrêtent.

Le vieil Alibert venait de m'arrêter. Sa réponse rendait toute explication inutile.

Je ne pus cacher un peu d'humeur. Il se leva, mais, une fois devant la porte, il crut bon d'ajouter :

— Nous descendrons la côte doucement, à cause des cahots. On n'a pas comblé les fondrières.

Après quoi il sortit. Et dehors il parla au chien.

Au début de l'après-midi je montai à Micolombe.

Même aujourd'hui, à plusieurs années de distance, je me demande encore à quel motif j'ai obéi en agissant de la sorte. Car ma conduite n'a pas résulté d'un calcul, et j'ai plutôt cédé à un besoin que préparé une abstention significative.

Peut-être ai-je suivi un sentiment étrange. Obscurément (je m'en souviens), j'avais l'intention de ne rentrer à Théotime qu'après y avoir vu arriver Geneviève. Je comptais quitter Micolombe seulement quand la carriole se serait arrêtée devant le mas. Ainsi je n'accueillerais pas, moi-même, Geneviève, mais serais accueilli par elle, dans ma propre maison.

L'après-midi ne me parut pas long. J'arrivai vers deux heures à Micolombe. Comme il y faisait chaud, j'ouvris la fenêtre du nord, puis le placard, où j'avais déposé, huit jours avant, quelques plantes cueillies sur le plateau.

Je constatai avec chagrin que ces plantes s'étaient séchées. Leurs feuilles recroquevillées craquaient sous les doigts et tombaient en poussière. Toutefois je pus sauver un spécimen de cette sauge (*Salvia verbenaca*) qu'on appelle chez nous : « herbe au prud'homme », deux plants de grande centaurée, quelques busseroles et de l'arnica.

Je les étalai à nouveau, avec soin, dans leurs chemises de papier gris foncé ; j'inscrivis leur nom sur des étiquettes, sans penser à rien d'autre.

A quatre heures, le soleil ayant tourné, je fermai les volets du nord et ouvris ceux qui donnent au Midi. Ainsi je pouvais surveiller le chemin qui, un peu plus bas, dans les fonds réunit les terres agricoles à Puyloubiers. Je découvrais les toits bruns du village et son clocher trapu ; une faible éminence sépare Puyloubiers du quartier où j'habite. D'en bas, il disparaît complètement, mais, quand le vent vient de ce côté-là, on sent quelquefois, de très bon matin, la fumée de la boulangerie et l'odeur du pain chaud.

De temps à autre je levais les yeux et, par la fenêtre, je regardais vers Puyloubiers. Le train arrivant à cinq heures, il faudrait au vieil Alibert plus de vingt minutes de marche pour gravir la côte qui mène du village au sommet de la crête, d'où le chemin descend droit vers les terres.

J'avais calculé juste, car, à cinq heures et demie, la carriole parut sur le col. J'étais trop loin pour y distinguer autre chose que deux petites formes assises côte à côte sur le devant de la carriole. Mais je savais que le vieil Alibert, pour conduire, se tient toujours à droite, à cause du frein. J'en conclus que la forme assise à sa gauche était celle de Geneviève.

On ne voyait personne dans les champs, sauf un homme qui se hâtait vers la route à travers la propriété de Clodius. Il me sembla que c'était lui.

La carriole atteignit l'entrée des terres, tourna en grinçant, et se dirigea vers Théotime. De Micolombe on aperçoit Théotime au milieu des blés, comme un îlot entouré de grands arbres, où rien ne bouge, mais qui, le soir, fume doucement.

Le mas Théotime fumait.

Marthe Alibert et sa fille devaient préparer le repas pour moi et pour Geneviève. Sans doute avaient-elles déjà arrangé la petite chambre qui donne, du côté de la source, sur les buis. J'ai réuni, dans cette chambre, les meilleurs meubles de l'oncle Théotime : une commode dont les tiroirs exhalent un parfum de sauge fanée, l'armoire aux draps de fil qui embaume le savon sec, et ce lit à bateau qui sent la paille fraîche de maïs et le vieux bois de chêne. Là Geneviève dormirait bien, car la pièce a des avantages et, quoique la fenêtre ne soit pas bien grande, il en vient, la nuit, un air frais, celui de la source, et l'odeur amère du buis que, pour ma part, je trouve agréable à respirer.

J'arrivai au mas, entre chien et loup, et avant d'entrer je déposai ma boîte d'herboriste, dans le hangar.

De la cour, par la porte ouverte, on voyait, à travers le rideau de cordes, la lampe à pétrole posée sur la table servie, et on entendait parler Marthe Alibert.

Elle disait, entre autres choses, que l'eau de la source était potable, et qu'on n'avait pas d'autre lait que celui de la chèvre, pour le déjeuner du matin.

— Les premiers jours, on le trouve un peu fort, affirmait-elle, mais après on s'y habitue bien : c'est du lait...

J'attendis encore un moment ; mais personne ne parlant plus dans la maison, je soulevai le rideau et j'entrai.

Au bruit de mon pas, Geneviève, qui se tenait debout devant la cheminée, retourna la tête et me sourit.

Je m'arrêtai, saisi d'étonnement. Elle n'avait pas changé.

Je ne m'attendais point à cela ; et quoiqu'elle fût devant moi, pareille à celle que j'avais connue, je n'en croyais pas mes yeux. Elle avait même retrouvé quelque chose de cet air grave et convaincu qu'elle avait naturellement quand elle parlait aux arbres du jardin, dans son enfance. Et cependant elle se dressait, grande, mince, d'un seul jet ; non pas femme, mais jeune fille, tant il restait encore de fraîcheur dans ses yeux, qui s'étaient attendris en me regardant.

Elle ne bougeait pas, mais elle continuait à me sourire.

Les deux femmes Alibert, arrêtées de l'autre côté de la table, se tenaient l'une près de l'autre, et nous regardaient avec une sorte de stupeur.

Je ne pus m'empêcher, moi aussi, de sourire.

Geneviève me dit :

— Tu es beau, Pascal, maintenant. L'air de la campagne t'a fait du bien.

— Vous avez bien raison, Mademoiselle, fit alors remarquer Marthe Alibert. M. Pascal a une bonne santé. Ça se voit à la mine.

Je croyais rêver. La lampe, éclairant par le bas le visage de Geneviève, faisait luire doucement ses yeux. Comme elle restait toujours immobile, je m'avançai et lui tendis la main.

Elle continuait à regarder doucement ma figure et semblait éprouver un plaisir innocent, comme quand on retrouve après quelques années un objet usuel, que l'on croyait perdu, et qui, sans offrir la moindre valeur, nous paraissait alors indispensable, parce qu'il nous était familier depuis longtemps.

Elle me dit :

— Maintenant, j'ai faim, Pascal ; le voyage m'a fatiguée.

Dehors, on entendait le char à foin qui revenait à la remise.

— Nous sommes en retard, déclara Marthe Alibert. Il faut rentrer.

Françoise à son tour souriait, sans bouger de place ; mais sa mère lui prit le bras, et toutes deux sortirent.

Dans la cour, le vieil Alibert gourmandait le cheval ; et son fils, qui revenait de l'abreuvoir, en passant, lui dit quelques mots. Puis les deux hommes s'éloignèrent, et, sauf le piaffement d'une bête dans l'écurie et le doux frottement des chaînes qui raclaient de temps en temps le bord du râtelier de bois, il n'y avait plus un seul bruit autour du mas Théotime.

Je me suis toujours demandé comment la figure de Geneviève s'incorpora si naturellement à ce monde composé d'êtres et de choses qui paraissaient incompatibles avec sa présence. J'avais craint que les Alibert ne la pussent souffrir. Or les Alibert l'avaient admise sur les terres avec une familiarité dont jamais jusqu'alors, à ma connaissance, ils n'avaient donné d'exemple. Il est vrai qu'elle était entrée dans ce groupement si fermé de vies nobles et dures avec une telle aisance que rien, à son passage, n'avait été dérangé par les mouvements, toujours un peu vifs, qui la portaient vers les objets de son désir. Et quoique ce désir lui fût resté de plaire (on le devinait à ses gestes, à ses regards impétueux), elle lui imposait une volonté délicate qui le retenait un peu en deçà du plaisir de séduire. Elle ne faisait plus de conquêtes, mais elle attirait.

Pour les Alibert, d'un accès si difficile, elle usait d'un art du silence qui leur inspirait une calme envie de parler, sobrement. Elle réussissait ainsi à tirer de leur bouche quelques paroles sensées, et peut-être émues. Elle ne leur parlait ni du blé, ni de la vigne, grands sujets cependant de leur souci, mais des arbres improductifs, comme le peuplier et le platane, et aussi des oiseaux. A leurs réponses, on comprenait (ce que je n'aurais jamais cru) qu'ils en avaient observé la croissance et qu'ils n'étaient point insensibles à leur beauté.

Ils l'appelaient tous Mademoiselle.

Le jeune Alibert me disait :

— Mlle Geneviève ne veut pas qu'on touche à l'ormeau. Il faudrait pourtant l'émonder un peu. Mais après tout ça peut attendre...

J'étais bien étonné. Le jeune Alibert finissait par m'avouer timidement :

— Il y a un nid. Oh! pas grand-chose : des pouillots, quoi!

Il haussait les épaules ; puis il repartait avec sa hache au bout du bras, sans me demander mon opinion au sujet de cet émondage. Pas une branche ne tombait de l'arbre.

Les femmes Alibert, dès le deuxième jour, n'étaient plus sur leurs gardes.

Marthe Alibert qui avait de l'âge, du sens et un certain esprit de domination, abandonna sans s'en apercevoir ses positions habituelles de défense ; et comme Geneviève ne parlait guère c'est elle qui rompait la première la glace, mais rarement sur des sujets domestiques. Après quelques détours, elle disait :

— Avant mon mariage j'ai porté moi aussi une robe à carreaux qui ressemblait un peu à la vôtre. Seulement les carreaux étaient gris. C'est moins salissant.

Mais Françoise Alibert surtout s'attacha à Geneviève.

Françoise était belle et n'en savait rien. Elle avait un corps calme, un peu gauche, mais la tête puissante, très douce ; et de grandes épaules brunes qui remuaient lentement quand elle marchait. Quelquefois, oubliant sa fourche de bois au milieu de la paille, elle s'arrêtait de remuer le chaume pour regarder Geneviève, qui arrivait sur l'aire. Quand Geneviève était devant elle, sans rien lui dire, elle reprenait tranquillement son travail, et leurs deux jeunes figures se souriaient.

Quant au vieil Alibert, il ne parlait jamais de Geneviève.

Sur leur rencontre à la gare de Puyloubiers, je ne sus rien. Je le revis le lendemain dans le potager. Il m'entretint des chenilles et de la sécheresse, dont les salades et les haricots souffraient beaucoup. Son visage était calme, défiant, comme d'habitude.

Il me dit cependant :

— J'ai couvert le fumier, ce matin, à cinq heures. Il est bien sec maintenant. Et puis, quand le vent vient de ce côté, ça sent un peu fort, chez vous, je crois, dans la maison...

De mémoire d'homme, jamais un Alibert n'avait tenu compte des émanations du fumier.

Il ajouta, en manière d'excuse :

— Du reste ça le rend bon. Quand on le couvre, il se renforce.

Si tout s'était passé sous l'empire des lois habituelles de ce monde exigeant et réservé, la position de Geneviève auprès de moi, dès le premier jour, eût semblé équivoque. La gravité des Alibert l'eût, par contraste, exposée sous un tel aspect de frivolité que, malgré notre cousinage, elle et moi, nous n'aurions pas pu, sans glisser au scandale, habiter familièrement ensemble avec un plaisir aussi vif. Mais ces lois, dont j'avais éprouvé la force, ne jouaient plus ; ou bien je n'en avais alors qu'une connaissance imparfaite. Tout en réglant aussi utilement que de coutume le cours des travaux et l'ordre des pensées, elles admettaient maintenant ce léger attendrissement des cœurs.

Il suffit pour créer entre les Alibert et moi une confiance plus profonde que celle qui déjà nous unissait, et à quoi ne manquait peut-être qu'une nuance affectueuse.

Geneviève l'avait fait naître et dès lors notre petit monde, si laborieux et si sensé, prit quelque idée de la douceur qui pouvait se cacher sous cette vie de solitude agricole et de travaux utiles.

Le vieil Alibert lui-même, à la fin de sa journée, s'asseyait un moment sous la vigne de sa maison, et il regardait les champs sur lesquels il venait de laisser sa peine. Quoiqu'il fût las, il mesurait la grandeur de la terre soumise et il était satisfait de sa force.

Il restait là jusqu'à l'heure de la soupe, qu'il aime épaisse, et, quand il la trouvait bien à son goût, il disait à Marthe Alibert :

— Il faudra inviter, un soir, M. Pascal et sa cousine.

Cela, je l'ai su plus tard par Françoise ; mais ni Marthe ni lui n'osèrent jamais nous inviter.

Cette discrétion un peu fière, si elle retint les Alibert de manifester par un geste tellement insolite l'apparition d'un nouveau sentiment dans leurs rudes cœurs, n'en rendit que plus pénétrante cette racine qui venait de naître.

On ne constata guère de changement dans le va-et-vient paisible qui continuait à réunir la métairie au mas Théotime ; mais alors que par le passé, malgré notre bonne entente, les deux maisons vivaient chacune à part sur deux points séparés des terres, maintenant, en dépit de la distance, les âmes s'étaient secrètement rapprochées.

On voyait quelquefois de loin Françoise, arrêtée devant l'écurie ou près de la grange et qui, une main sur les yeux, regardait dans la direction de Théotime.

Et il m'arrivait de dire, le soir, en faisant mes comptes :

— Tiens, aujourd'hui, je n'ai pas vu Alibert. Il faudra que demain j'aille à la métairie.

Ainsi, au lieu de troubler la paix des champs, comme je l'avais craint, Geneviève en avait seulement adouci la rudesse.

Les Alibert lui savaient gré de sa retenue. Elle ne leur offrait pas avec étourderie de ces services indiscrets comme les citadins ne manquent point d'en proposer aux gens de la campagne quand, par hasard, ils passent chez eux quelques jours de vacances ; ce qui crée fatalement un grand embarras. Car le paysan n'aime pas le jeu, surtout quand il s'agit de la terre, qui a elle-même tant de peine à fournir, parmi ces servitudes que l'homme et la nature lui imposent, ce peu de blé, ce peu de vin qu'on lui arrache.

Cela Geneviève le savait, et sans rien offrir à l'avance, elle était souvent là (mais point toujours, car elle avait de la prudence), pour aider à quelque tâche facile ; et on l'admirait de la voir travailler en se jouant.

— Je t'aime, Françoise, disait-elle, car au fond je te ressemble. Mais tu manies la fourche mieux que moi.

Elle se taisait un moment, pour donner à Françoise le temps d'être contente, puis elle ajoutait, presque à voix basse :

— Toi, tu es forte.

Et Françoise rougissait de plaisir.

Je ne voyais guère Geneviève, au cours de la journée ; mais je n'éprouvais pas le besoin de la rencontrer plus souvent. Car nous avions tous deux le sentiment d'habiter ensemble depuis des années. Nous étant établis, chacun pour notre propre compte, dans de vieilles et douces habitudes, il nous suffisait de savoir que nous vivions réellement l'un près de l'autre.

Dès le soir de son arrivée, elle avait traité la maison comme une vieille mère, chez qui l'on revient s'installer après quelques années d'absence, et de qui rien pourtant ne nous est devenu étranger.

Elle lui parlait affectueusement, et en obtenait des réponses, car elle avait le don d'animer les objets en apparence les plus insensibles et de tirer des pierres elles-mêmes plus d'une confidence.

— Pascal, me disait-elle, cette nuit, la chambre a parlé. Tu ne t'étonnes pas ?

Moi, je faisais signe que non.

Elle souriait avec malice :

— Elle m'a dit : « Regarde au fond de mon armoire et tu y trouveras quelques vieilles reliques des Dérivat et des Métidieu. Elles sont presque toutes là. Car Pascal a de l'ordre. »

Comme je détournais la tête, elle ajoutait vivement et d'un air un peu effrayé :

— Ne te fâche pas, Pascal ; donne-moi la clef de l'armoire.

Je la lui donnai.

Jamais alors je n'ai touché ses mains ni approché de sa figure ; et jamais je n'ai repensé au seul baiser qu'elle m'eût donné de sa vie, lorsque je la rencontrai dans la campagne d'Aix et que je souffris tant sans le lui montrer.

Le soir, il arrivait que nous nous promenions ensemble, après le dîner, sous l'allée de platanes qui borde le chemin du mas.

Elle me disait :

— Pascal, ici, il n'y a pas de haies d'aubépines, comme à Sancergues. Tu te rappelles ?

Je me rappelais.

— Tu n'étais pas méchant, Pascal, ajoutait-elle. Car tu n'avais bouché que cinq trous, sur les six de notre haie. On aurait pu passer ; mais ni toi ni moi nous n'osions le faire.

Elle se taisait. Nous marchions côte à côte sous les arbres. L'air sentait bon, car on était près de la grange ; et il y restait un peu de paille et de foin de l'année précédente, dans les râteliers.

Elle aimait la maison. Souvent elle se tenait dans sa chambre, car la saison était devenue chaude et déjà, sur les aires, le soleil brûlait. Pourtant elle ne descendait que rarement vers la source ; elle prétendait que les eaux, même limpides, ne sont pas toujours amicales. Il est vrai qu'on ne sait jamais d'où elles viennent, quand elles jaillissent ainsi de la terre ; et peut-être y a-t-il, non loin de leur résurgence, un abîme, où des rivières souterraines alimentent de leur courant silencieux des profondeurs liquides, que nul n'a jamais explorées, et qui dorment à notre insu, noires et lourdes de menace, dans quelque caverne de la montagne. « Près des sources, disait Geneviève, on perd la raison. »

Sans doute parlait-elle en connaissance de cause ; car la seule fois où je découvris un peu d'égarement sur sa figure, ce fut, sous le couvert des buis, près de cette vasque d'argile, où le surgeon de l'eau la plus innocente coule régulièrement et presque sans bruit, pour nourrir de vieilles racines et une douzaine de carpes.

Une nuit qu'il faisait très chaud et qu'il lunait doucement, j'entraînai, sans le vouloir, Geneviève à la source. Elle ne parut pas tout d'abord s'émouvoir de ce voisinage ; et déjà elle me montrait avec ravissement les écailles luisantes des carpes qui passaient dans l'eau illuminée de lune. Mais, tout à coup, elle se tut et je fus frappé de son silence. Étonné, je levai les yeux vers elle. Son visage était très blanc. De la main gauche, elle se retenait à une branche et, tout son corps suspendu sur la vasque, elle regardait, avec une singulière frayeur, dans l'eau calme de la source, le paysage de cristal que la lumière avait fait surgir des fonds sombres et au travers duquel les bêtes nageaient mystérieusement. Elle avait les yeux égarés, et je crus qu'elle allait tomber dans l'eau. Pourtant je n'osai pas la toucher. Mais elle se reprit. Son bras se crispa sur la branche et ramena son corps en arrière. Elle resta un moment immobile, puis vint vers moi.

Elle avait le visage encore très pâle ; et elle me fixait de ses yeux verts, tout à coup si étranges, qui laissaient filtrer un regard aigu que je ne lui connaissais pas.

— Tu as bien fait de ne pas me toucher, murmura-t-elle. Rentrons.

J'étais moi-même assez troublé pour ne pouvoir répondre. En arrivant à la maison, elle me dit :

— Ici, Pascal, je suis heureuse ; je ne veux rien de plus. Mais, tu le vois, l'eau trouble les filles...

Maintenant elle souriait un peu, d'un sourire encore nocturne, mais tout de même assez apaisé, qui me fit du bien.

Elle rentra, calmée, dans la maison.

Cette nuit-là, je me couchai tard. J'allai m'asseoir sur l'aire. Tout y était tranquille et rassurant.

Ce fut la seule fois que Geneviève donna des signes d'une agitation inquiétante. Cette agitation ne laissa aucune trace. Le lendemain, je la retrouvai telle que je l'aimais depuis son retour.

Elle préparait le petit déjeuner du matin dans la grande salle ; et elle souriait toute seule tandis qu'elle coupait le pain, qui craquait en se brisant sous la lame. Déjà une jatte de lait reposait sur la table et des cerises noires trempaient, avec toutes leurs feuilles, dans une terrine d'eau. Par la porte ouverte sur la campagne entraient la lumière et la fraîcheur du matin.

On entendait caqueter les poules et, au loin, chez Alibert, le chien aboyait légèrement.

Il faisait beau.

Geneviève avait laissé tomber ses cheveux fauves jusqu'à la pointe de ses épaules, qui paraissaient fermes et douces sous le tissu de son corsage de toile ; et ses mains, qui touchaient le pain de ménage, animaient paisiblement la table où fumaient les bols de lait.

Ce matin-là, elle était vraiment ma compagne ; et son génie, sensible à l'influence des objets, s'accordait à l'esprit de recueillement et de paix qui donne au mas Théotime tant de charme, en dépit de la grandeur et de la sévérité de sa masse.

Elle ne me voyait point, arrêté sur le pas de la porte, encore chargé de mes plantes, celles que je venais de cueillir sur le plateau, et qui embaumaient. Mais je la surprenais en train de se plaire à sa tâche et d'aimer la maison.

D'où venait-elle? Elle n'avait rien dit et moi je ne l'avais pas interrogée. Il lui avait semblé naturel d'arriver d'un autre monde. Les jours vécus étaient vécus et avaient disparu de sa vie. Moi-même, si zélé à me tourmenter, je n'avais pu la recevoir que dans sa nouvelle innocence ; et je retirais de son âme, dont l'ardeur cependant m'avait tant fait souffrir, cet apaisement que ni les travaux de la terre, ni même l'amitié des plantes, n'avaient pu jusqu'alors apporter à mon cœur solitaire.

Elle se tourna et m'aperçut.

— Pascal, me dit-elle, tu dois avoir faim. Assieds-toi. Pose tes plantes au bout de la table. Tu viens de loin?

— Je viens de Micolombe.

— Ah! murmura-t-elle, je ne connais pas encore Micolombe.

Je m'assis en face d'elle.

— Tu aimes la maison? lui demandai-je.

Elle réfléchit un moment puis me répondit :

— J'aime tout ce qui me protège, Pascal.

Le lait était bon, le pain chaud et nous sentions sur nous la puissance du refuge.

C'est elle qui me révéla cette puissance et aussi cette qualité d'abri moral qui émane des murs du mas Théotime. La douceur m'en était depuis long-temps perceptible, mais je ne savais pas en définir la nature. Geneviève trouva le sens de la maison dont le signe s'était perdu depuis tant d'années. Loin d'y apporter le désordre, elle y venait chercher l'apaisement. Car elle avait imaginé sans doute que nous ne bâtissons jamais pour nous abriter seulement des fureurs de l'hiver, mais aussi pour nous mettre à couvert des mauvaises saisons de l'âme.

De là cette piété quasiment filiale, chez elle, pour cette masse paternelle qui nous abritait tous les deux.

Elle en connaissait les moindres retraites et particulièrement les plus difficiles à atteindre. Des celliers aux mansardes, elle avait exploré, pièce par pièce, les profondeurs de la vieille demeure ; et, même dans les chambres basses, où l'on met les provisions de bois et les vieux tonneaux, elle avait trouvé du plaisir à s'aventurer.

Jamais cependant elle n'avait pénétré dans le grenier où je tiens mes plantes.

Elle en avait découvert l'existence, le lendemain de son arrivée.

J'étais avec elle et nous nous promenions à travers la maison. Je lui expliquais : « Ici, tu vois, c'est la soupente où l'on fait sécher les raisins pour l'hiver. » Ou bien : « Voici la chambre d'Anne-Clémence Clodius. Elle est un peu délabrée. »

Mais, en passant devant le grenier, je ne dis rien. Comme elle attendait une explication, elle me regarda. J'étais gêné. Je murmurai, l'air bougon : « C'est le cœur de la maison. On n'y entre pas. »

Elle détourna la tête et sourit. Je compris aussitôt que j'avais eu tort. Un vif désir venait de s'allumer en elle, si vif que je craignis qu'elle ne pût le contenir.

Mécontent et bourru, je l'entraînai plus loin. Elle continuait de sourire, en dessous, avec une expression soumise, où pointait la ruse. Je l'avais piquée, je le voyais bien. Mais au bout d'un moment elle parut penser à autre chose.

Nous allâmes ainsi jusque sous les combles. En redescendant il fallait que nous repassions devant le grenier. Je m'aperçus alors que la clef était sur la porte. Geneviève surprit mon regard. Je n'osai, devant elle, enlever la clef et la mettre dans ma poche ; mais mon hésitation ne lui échappa point ; elle devina certainement ma méfiance. Nous continuâmes notre visite ; et nous passâmes une soirée agréable jusqu'à dix heures.

Quand Geneviève se fut retirée dans sa chambre, je montai au grenier comme tous les soirs.

A peine eus-je refermé la porte, que je fus saisi d'un pressentiment étrange : il ne fallait à aucun prix que jamais Geneviève pénétrât dans le grenier.

Ce pressentiment me frappa d'autant plus vivement qu'il parut se former devant moi, dans la pièce, tel un être surgi de l'ombre qui tout à coup m'eût parlé à voix basse. Je crus sentir le souffle. Mon émotion fut si forte que je me hâtai d'allumer la lampe ; j'examinai, autour de moi, toute l'étendue du grenier.

Il était vaste et les recoins en restaient sombres. J'y allais, la lampe à la main, comme si j'avais cru vraiment que quelqu'un s'y trouvât encore, dont la bouche invisible m'eût chuchoté cet avertissement.

Pourtant la pièce restait accueillante et, sauf l'inévitable bruit d'un insecte qui taraudait une poutre au-dessus de ma tête, tout se taisait sous les tuiles, encore chaudes de la journée, au travers desquelles pourtant commençait à passer la fraîcheur de la nuit.

Sur la grande table de chêne, qui occupe le centre de la pièce, il y avait deux livres, dont l'un, encore ouvert, montrait le dessin d'une branche d'armoise (*Artemisia vulgaris*) avec ses fleurs. A côté, se trouvaient, épars, quelques cahiers où j'inscris chaque jour mes observations. (Mais là je note aussi le temps qu'il fait, l'état de la terre, le souvenir d'une lecture et quelquefois même un petit événement. Il est vrai que les événements dignes de remarque sont ici bien rares.)

Le long des murs, je voyais les armoires et les vitrines où dorment les plantes. Au plafond, pendaient, sur des fils, quelques plants d'arnica et de pariétaire, que j'y avais mis à sécher, parce que ce sont des herbes médicinales dont on a quelquefois besoin à la campagne.

Tout m'était familier et très amical dans cette studieuse retraite où j'avais abrité, depuis plusieurs années, la part la plus secrète de ma vie. J'y reconnaissais le visage du moindre objet et je n'y voyais rien qui ne m'inclinât à la confiance. Confiance si naturelle que je dors quelquefois dans le grenier, surtout l'hiver. Alors j'allume un grand feu dès six heures du soir, et il y fait très bon.

J'ai donc installé dans le fond, où s'ouvre une sorte d'alcôve, un vieux lit de bois. Je le dissimule pendant le jour derrière un rideau glissant sur une tringle.

C'est là que je dors le mieux. Personne ne s'en doute, car j'aime pour dormir les lieux ignorés ; et nul ici ne connaît l'existence de ce lit de repos dont j'assure moi-même l'entretien.

Afin de le rendre plus agréable, j'ai suspendu au mur ce vieux couvre-lit de famille brodé jadis par Madeleine Dérivat, et où l'on voit, en plus des deux colombes, cette petite croix inscrite dans un cœur, ou dans une rose, je ne sais.

Cœur ou rose jadis ont eu un sens, que nous avons perdu par négligence. Pour qu'elle l'eût brodé sur les deux colombes, il avait dû être bien cher à cette sainte fille disparue.

Ce couvre-lit dissimule une porte condamnée qui donne sur d'autres greniers, inutilisés aujourd'hui, de telle sorte que je suis bien seul dans les hauts de la maison.

Jamais rien n'est venu y troubler mon travail, ni les quelques rêveries que parfois je m'accorde. Car je n'appelle pas un trouble, l'apparition, dans mon sommeil ou dans ma veille, des rares figures que j'ai aimées et dont le souvenir, ou peut-être les ombres, me visitent ici plus familièrement qu'ailleurs.

Ce sont les Dérivat et les Métidieu les plus tendres de la famille, ceux que je voyais à Sancergues dans mon enfance, et quelques autres plus anciens que je n'ai point connus, mais qui viennent pourtant autour de moi. Nul d'entre eux ne me parle, mais souvent leur présence se manifeste à des signes certains qui se forment en moi, dès que ces Ombres touchent à mon âme ; et peut-être, à propos de Geneviève, est-ce l'une d'elles qui m'a, cette nuit-là, averti si doucement de ne pas lui ouvrir la porte du grenier.

Ces considérations peuvent paraître étranges partant d'un homme, comme moi, élevé dans de graves disciplines et quotidiennement aux prises avec la matière même de la terre. Cependant ce modeste savoir et ces combats obscurs forment des âmes simples ; les âmes simples reposent sur le sang. Or le sang traîne les puissances des vies antérieures, d'où le moindre désir, le moindre appel de notre bouche, dégage ces figures voilées qui viennent se ranger silencieusement autour de nous. Devant les Alibert, en présence des champs et sous les saisons agricoles, je pense et travaille en Clodius qui s'attache au réel et n'élève jamais les yeux au-dessus de l'horizon de la terre. Mais, ma tâche accomplie honnêtement, j'ai réservé ici l'étendue d'une petite retraite où je peux composer avec le parfum des herbes sauvages et quelques âmes amicales un monde clos qui m'appartient.

L'un ne nuit pas à l'autre, car les messages que j'entends des invisibles qui hantent ma solitude s'accordent aux conseils de la terre. Mais ce que l'une me dit avec rudesse, de l'aube au soir, les autres, dans la nuit, m'en entretiennent avec la douceur persuasive que savent prendre les ombres familiarisées.

Je défends ce lieu de rencontre. J'ai peur que la moindre intrusion y dérange le secret de ces habitudes. Toutefois, si j'en ai toujours interdit l'accès à Geneviève, ce fut autant pour elle que pour moi. Je savais qu'il était prudent d'arrêter, une fois au moins, son désir, inlassable à tout pénétrer, à tout saisir et à tout perdre. Pour calme qu'elle me parût, je craignais que ce feu ne revînt la surprendre. Je pensais donc que le meilleur moyen de lui conserver les avantages de ce nouvel état, d'où lui venait quelque bonheur, était d'abord de ne pas lui livrer le cœur même de la maison, car il n'est sans doute que mon propre cœur, trop sauvage et mal défendu.

Geneviève ne me dit rien, mais n'oublia pas la défense.

Là se dressait une porte fermée, tandis qu'ailleurs, à travers champs, elle s'ébattait sans contrainte, en dépit des frontières. Mais ces frontières, la plupart du temps, restent fictives et rien ne marque le moment où l'on passe d'un bien dans l'autre bien.

Geneviève allait, sans le savoir, de l'un à l'autre, ce qui désolait en secret le vieil Alibert.

Car le vieil Alibert croit à la sainteté des bornes agricoles. Un champ ne devient tel, pour sa raison, que s'il a des limites bien établies. Il faut qu'on puisse les tracer sur la terre, d'un sillon creusé au cordeau. Il a horreur des empiètements, même s'ils tournent à son avantage ; et il n'est point, pour lui, de culture possible si l'on ne sait au juste où doit s'arrêter le labour et le jet des semailles. Une poignée de grains jetée à l'étourdie, et qui tombe chez le voisin, est une impiété grave, et si le voisin, par mégarde, vous gratifie de sa semence, le vieil Alibert en arrache les épis dès qu'ils poussent en herbe, car il prétend les reconnaître parmi les siens. Il va ainsi jusqu'à vous dire que le blé ne pousse bien que chez soi, car chaque blé aime sa terre et méprise la terre du voisin.

Pour éviter la confusion et le sacrilège des sols, il a eu soin de planter autour du domaine, de grandes pierres qui, de distance en distance, même quand les moissons sont hautes, dépassent les épis et affirment les droits de cette terre que les Alibert ont cultivée.

— On travaille mal, déclare le vieil Alibert, quand on ne sait pas où s'arrêter.

Savoir s'arrêter est pour lui la loi sur quoi se fonde la solidité de la vie.

Geneviève, à son grand regret, ne savait pas où s'arrêtait la propriété Théotime.

Il avait une fois ou deux essayé de lui en montrer les bornes : ici finissait Clodius, là commençait Farfaille et plus loin Genevet.

Elle l'écoutait gravement et l'admirait beaucoup d'avoir enfoncé dans le sol tant de pierres très lourdes ; puis elle lui disait :

— Je vois bien, monsieur Alibert ; mais enfin il n'y a pas de vraie clôture ; et alors qui peut m'empêcher, moi, quand cela me plaît, d'entrer dans le champ du voisin, du moment que je n'y fais pas de mal?...

Le vieil Alibert baissait la tête et s'en allait.

Elle voyait bien qu'elle avait chagriné le vieil homme, et s'en attristait ; mais elle ne comprenait pas pourquoi il prenait tant de peine à lui indiquer des limites imaginaires. Car le sol arrivait du bout de l'horizon, à travers Genevet, Farfaille, Clodius, Théotime, sans rencontrer l'obstacle d'une haie, et il s'étendait d'un seul tenant jusqu'à la racine des montagnes. Cette vaste étendue en pente, à ses yeux, existait réellement ; mais le reste, non pas, qui n'offrait au regard que de chimériques barrières, à travers lesquelles, avec toute la fougue du vent, elle passait.

Car elle aimait parcourir la campagne. Contre mon attente, elle la parcourut méthodiquement. Au lieu de partir au hasard de ces champs dont, une fois pour toutes, elle avait anéanti les limites conventionnelles, elle s'orienta vivement vers le sud et explora Farfaille.

Farfaille n'est pas grand et elle eut vite fait d'en accomplir le tour. J'entretiens d'excellentes relations avec Farfaille. On se rend des services à l'époque du battage et pour les vendanges. Cela est de courtoisie dans nos quartiers. Mais, à part ces moments de bon voisinage, on se fréquente peu.

J'imagine donc sans peine la stupéfaction de Farfaille lorsqu'il vit arriver cette fille du vent.

Je sais qu'elle le découvrit près de sa noria, en train de réparer une rigole. Elle sortit à l'improviste d'un bouquet de roseaux.

Farfaille, qui est vieux comme Alibert, et qui lui ressemble un peu, a conservé de bonnes manières.

Il lui dit :

— Mademoiselle, sautez, si vous voulez, mais n'abîmez pas ma rigole.

Geneviève sauta et n'abîma rien.

Il lui dit encore :

— Peut-être vous venez de loin ; peut-être non. Ici c'est Farfaille.

Elle s'assit au bord de la noria et lui répondit :

— Moi, je suis Théotime.

Le vieux se mit à rire :

— Je m'en doutais.

Il appela sa femme. Sa femme vint. Elle est un peu grosse, mais bonne. On fit en quelque sorte des présentations. Mais Geneviève était curieuse de savoir comment Farfaille avait compris qu'elle venait de Théotime.

Il répondit :

— Ma foi, je n'en sais rien. Ça se voit. Vous n'êtes pas tout à fait comme les autres.

Et tout le monde se mit à rire. Farfaille était conquis.

Encouragée par cet accueil, Geneviève passa chez Genevet.

« Genevet » comporte une petite ferme, une source et la treille. La maison s'est mise à l'abri dans un creux, où poussent de grands saules. C'est un lieu humide et ombragé. Mais le beau de la terre, on le trouve dans le verger. Au printemps il se couvre d'une neige de fleurs et il embaume toute la campagne. On ne le voit pas. Il se cache derrière une haie de roseaux vivaces qui s'élèvent au-dessus de la tête des arbres. Il n'est pas grand, mais clos avec soin, et fleure le fruit mûr et le miel d'abeille. Genevet le tient très propre ; l'eau d'arrosage y est canalisée jusqu'au pied de chaque arbre. Pas d'herbes folles sur le sol, où pousse cependant un carré d'orge ; mais dans l'air on entend toujours un sécateur qui élague discrètement les branches inutiles. C'est plaisir que d'y pénétrer en avril, quand commencent les cerises, ou bien, à la fin de septembre, quand les dernières pêches, riches de sucre et de parfum, semblent sur le point de tomber de la branche et attirent un tourbillon de guêpes ivres.

Malheureusement l'accès n'en est pas toujours facile, à cause des deux Genevet, le mari et la femme, qui ne se montrent pas aussi accueillants que Farfaille. Ce sont de braves gens ; mais noirs et maigres, l'un et l'autre, et qui tremblent pour leurs fruits. De mémoire d'homme, on n'a pas vu un maraudeur dans la région et jamais il n'a manqué une prune au jardin Genevet. N'empêche que les Genevet, dès que leurs abricots se dorent un peu, deviennent extraordinairement taciturnes. Ils se méfient. Même Alibert, tout à coup, paraît suspect ; et je sais que, la nuit, ils se lèvent à tour de rôle, pour faire une guette sous leurs arbres. Jean Alibert les a vus, en rentrant de la fête.

Ils ont bien pris un chien ; mais toujours ce chien les déçoit. Vingt fois ils ont changé de poil et de race ; et fatalement le gardien qu'ils choisissent est une de ces bêtes frétillantes qui gambadent et même qui rampent devant le premier visiteur venu. Genevet a beau les mal nourrir, pour les rendre un peu féroces, ses chiens restent tout juste bons à aboyer faiblement à la lune, quand ils s'ennuient de se trouver seuls dans l'obscurité, tellement ils aiment la compagnie. Cela désole Genevet qui change de chien tous les six mois. Mais le chien a toujours le même caractère. Genevet n'ose s'en plaindre, de peur d'attirer l'attention sur son jardin, si mal gardé. Quand par malice (car tout le monde connaît sa faiblesse), on lui en demande des nouvelles, il dit : « Maintenant, ils peuvent venir. J'en ai trouvé un bon. Il mord. » Tout le monde se met à rire et Genevet quitte la compagnie presque aussi mécontent de lui que de son chien.

Tel est Genevet.

A part ce petit ridicule, ce n'est pas un homme inabordable, pour qui le connaît. Mais on l'atteint très difficilement. Car le moindre bruit le met sur ses gardes. Alors il se cache, aux aguets, derrière un buisson qu'il a aménagé pour cet usage. Mais il a beau s'y embusquer pendant des heures, jamais personne n'apparaît. Et il est déçu.

J'imagine donc aisément quelle fut sa crainte (et sa joie), ce bel après-midi de juin, quand il s'aperçut tout à coup qu'un pas léger glissait avec précaution dans les feuilles, derrière la grande haie de roseaux, comme si quelqu'un y cherchait une brèche pour pénétrer dans le jardin. Il se retira aussitôt dans sa cachette ; et au bout d'un moment il vit une jeune femme sous les arbres. Le chien la suivait, très heureux de l'aubaine. La jeune femme, qui portait un grand panier à son bras, s'assit sous le plus feuillu des abricotiers ; puis, renversant la tête, elle regarda les beaux fruits avec ravissement. Le chien vint s'allonger près d'elle. Le corps abandonné dans l'orge, la jeune femme paraissait heureuse, si bien que Genevet, tout étonné dans sa guérite, se demandait, sans savoir que répondre, d'où elle tirait une si vive satisfaction. Mais Geneviève, qui l'avait surpris, à travers les roseaux, alors qu'il se retirait dans sa cache, trouvant qu'il faisait bon, que le lieu était beau, et l'odeur des abricots agréable, ne donnait aucun signe de vouloir partir. Genevet, accroupi dans ce lieu incommode, ne savait plus comment sortir de son trou, pour apparaître. Il était quatre heures.

Vers cinq heures, Geneviève eut pitié de lui. Elle se leva, siffla le chien, tourna le dos, et s'éloigna de quelques pas dans la direction de la haie. Aussitôt Genevet sortit de sa cachette, et furtivement s'esquiva du jardin, trop heureux qu'on ne l'eût pas aperçu. Malheureusement, en passant le long des roseaux, il en froissa un, et le chien, pris d'un zèle étrange, se mit à aboyer contre lui avec fureur. Alors il se hâta vers la maison. On l'entendit qui appelait sa femme ; sans doute lui conseilla-t-il de ne pas se montrer, car, en passant devant la porte, Geneviève trouva tout barricadé. Personne ne répondit à ses appels.

Elle rentra à Théotime, avec le souvenir d'un vrai paradis de campagne qu'elle avait pu voir une fois par une chance inexplicable, mais où jamais, à sa grande désolation, elle n'oserait revenir.

Moi qui connais bien Genevet, je pense qu'il a attendu le retour de Geneviève et qu'il ne s'est pas consolé, dans le fond de son cœur timide, qu'elle n'eût point voulu arracher sous ses yeux, fruits et feuilles, la plus belle branche du jardin.

III

Ces courses de Geneviève vers le sud, à Farfaille et à Genevet, ne furent sans doute que des tentatives préalables à une connaissance plus profonde du pays. D'instinct Geneviève descendit vers les lieux faciles. Elle y prit confiance. Dès lors elle porta les yeux sur les collines.

Au nord, commencent les premières pentes qui, par mamelonnements successifs, conduisent aux plateaux. A mi-hauteur, sur une croupe, on aperçoit le cube blanc de Micolombe.

En ouvrant sa fenêtre, dès le premier matin, Geneviève le découvrit. Elle est très matinale. Aussi le vit-elle à cette heure où il est dans toute sa grâce. Les murs laiteux, le petit toit à quatre pentes baignent alors dans la lumière. Contre les premières falaises, le bois de pins flotte déjà dans le soleil. L'air qui en vient, tout frais encore de la nuit, apporte jusqu'à Théotime l'odeur des genévriers et des sources. Il procure un plaisir à quoi rien ne saurait se comparer. On s'y exalte et s'y apaise, les feux du jour n'étant encore sur le roc qu'une lumière tendre où commencent à chanter les premières alouettes.

Car l'alouette aime à nicher à Micolombe.

Ce nom, évidemment si doux à une fille, enchanta Geneviève, presque autant que la vue du site. Elle en oublia l'accueil de Farfaille et l'invisible Genevet. Car, s'ils habitent en des lieux amènes, sur un cœur vif, plus que l'aménité des beaux jardins, l'attrait des hauteurs est puissant.

Or, Micolombe est déjà un haut lieu ; et la nature de son territoire inculte diffère beaucoup des terrains, encore labourables, de Théotime. Micolombe a peu d'eau. Sauf l'ermitage de Saint-Jean, qu'on aperçoit un peu plus loin, et plus haut, à main droite, il n'y a pas dans tout le pays de bâtisse plus dominante. De là cet air à part de solitude et de petite montagne qui plaît tant. A Micolombe on se trouve déjà en Hautes-Terres.

Pour y atteindre, en partant de Théotime, il faut faire un grand détour. Car Théotime est séparé par Clodius de Micolombe ; et Clodius s'étend largement et profondément. Le chemin passe loin, à gauche, et s'élève en serpentant à travers les arbustes nains et les cailloux. Il est assez long ; tandis qu'en coupant tout droit dans les terres, par Clodius, en un rien de temps on arrive à Micolombe. Mais il faut traverser Clodius dans toute sa profondeur et personne ne s'y risque. Les uns, comme le vieil Alibert, s'en abstiennent, par devoir et respect des bornes ; les autres par crainte d'un éclat et de chicanes consécutives, voire de représailles. Car Clodius veille, on le sait. De notoriété publique, ses terres ne sont pas un lieu de passage, même pour les chasseurs. Et cependant il n'y a pas grand-chose à abîmer, car il les tient mal. Son mauvais caractère et son avarice le laissent la plupart du temps sans métayer ; comme la propriété est vaste, à lui seul, il ne peut y suffire. Aussi découvre-t-on de grandes étendues incultes où bleuit le chardon et foisonne la ronce. Peu de blé, une maigre vigne, et peut-être çà et là quelques amandiers. Cependant il faut reconnaître, à la décharge de Clodius, que son territoire, placé entre le quartier des cultures et le roc des collines, ne lui fournit qu'un sol ingrat qui mange la semaille. Par contre, sur une ligne de deux ou trois cents mètres, et au beau milieu de ces pauvres terres, s'élève une masse de grands arbres, platanes, chênes et peupliers. Ils croissent là, sans doute à la faveur d'une nappe d'eau souterraine qui n'a pu remonter à travers le calcaire jusqu'à l'humus, mais que les racines profondes, toujours en quête d'un peu de fraîcheur, ont dû atteindre après un siècle ou deux de pénétration. Et maintenant elles mordent l'eau.

Ces arbres, dont quelques-uns sont de dimensions colossales, ensevelissent la maison de Clodius sous leurs frondaisons. On ne la voit plus. Ainsi Clodius vit dans l'ombre, et rien n'indiquerait qu'un homme habite là si, le soir, un peu de fumée ne s'élevait à travers le feuillage, quand il allume son maigre feu.

Cette fumée, naturellement, attira l'attention de Geneviève. Moi-même je m'oublie quelquefois à la regarder.

Je surpris, un soir, Geneviève en contemplation devant elle.

Quatre cents mètres au moins nous séparent de la maison de Clodius. L'espace nu, qui s'étend des bornes plantées au nord de Théotime jusqu'à ces noirs ombrages où La Jassine se tapit, donne, par contraste, à ce bois, un attrait puissant qui peut agiter l'imagination.

La fumée, l'étendue, le bois me semblaient des tentations propres à troubler Geneviève. J'aurais voulu provoquer ses confidences ; mais, soit par maladresse de ma part, soit dissimulation en elle, jamais je n'obtins qu'elle m'en parlât. Elle m'avait, peu ou prou, éclairé de ses descentes à Genevet ou à Farfaille ; mais sur le fait de ces terres silencieuses, et de ce bois d'où ne sortait qu'un fil de fumée vers le soir, elle garda le silence.

Cependant la passion couvait en elle ; à des riens, tout à coup, on le devinait. Mais elle devait soupçonner qu'une aventure sur ces terres nouvelles comportait probablement plus de risques, et surtout qu'elle me serait désagréable. Elle ignorait pour quelles raisons. Pourtant je savais, par les Alibert, qu'elle avait posé des questions prudentes à Françoise sur ce domaine qui touchait de si près Théotime et où jamais personne ne se montrait.

Car Clodius continuait à se terrer chez lui. S'il coupait encore l'arrosage, de temps à autre, il avait cessé d'allumer, même par vent favorable, ces feux de broussailles qui nous enfumaient si bien. Ce calme, il va de soi, ne me disait rien de bon ; et le vieil Alibert lui-même, qui n'en soufflait mot, n'était pas sans en tirer quelque souci, comme Françoise me le confia.

Pour comble, le temps se mit à l'orage. L'air d'abord s'alourdit, des nuées montèrent lentement à l'ouest ; mais elles s'arrêtaient au-dessus des plateaux et là elles s'immobilisaient. Le ciel devenait chaque jour un peu plus bas, mais l'orage n'éclatait point.

Cet alourdissement de l'air augmenta le malaise. Geneviève errait dans les champs, sans but ; et le vieil Alibert, dont la méfiance augmentait d'heure en heure, surveillait avec plus d'inquiétude le bois de Clodius, encore assombri par la descente des nuages.

Ce fut justement dans la vigne que Geneviève le rencontra. Je crois qu'elle le cherchait.

Il l'entendit venir, mais il ne leva pas la tête. Elle s'arrêta derrière lui et attendit un moment. Elle le connaissait mal ; il ne broncha pas.

En face, Clodius, enfoui dans les arbres, ne fumait même plus ; depuis deux jours il paraissait mort.

Geneviève dit :

— Il pleuvra, peut-être, cette nuit...

— Peut-être, bougonna le vieil Alibert sans se retourner.

Geneviève attendit encore un moment, mais le vieil Alibert paraissait encore moins liant que d'habitude.

— Il fait bien sombre, finit par dire Geneviève. Les gens qui habitent en face, dans ce bois, ne doivent plus y voir à cette heure. Ils ne vont pas tarder à allumer.

— Je ne crois pas qu'ils allument, remarqua le vieil Alibert.

— Pourquoi ? demanda Geneviève. Vous les connaissez ?...

Le vieil Alibert ne répondit pas, mais il releva un peu la tête et jetant un regard sur les arbres mystérieux de Clodius, il se borna à dire :

— C'est par là que le temps menace. Il faut rentrer.

Puis il s'en alla.

Geneviève resta seule dans la vigne. De la fenêtre du grenier, je la voyais encore. Elle fit quelques pas vers Clodius, hésita, s'avança un peu.

En face rien ne remuait. La nuit tomba rapidement et je la perdis de vue.

Elle rentra un quart d'heure après. Elle se montra aussitôt vive, tendre, comme toujours. Mais elle dépassait (bien que ce fût à peine d'une pointe) son habituelle vivacité. Bientôt cette vivacité s'atténua et nous prîmes notre repas à peu près en silence.

Il faisait nuit noire. A cause de la chaleur, j'avais laissé la porte ouverte ; elle donne sur la cour d'où l'on découvre la source et le bois. Mais il n'en venait pas d'air. La terre et les arbres élevaient seulement une odeur puissante, amère, et comme pas un souffle ne l'agitait, nous restions pris sous le poids de cette amertume.

Rien ne bougeait dans la maison ni dehors. Sous les voûtes basses de la salle, on étouffait. Je me levai et allai jusqu'à la porte pour respirer un peu ; mais Geneviève me pria de ne pas sortir. Elle m'avoua tout à coup qu'elle éprouvait une appréhension inexplicable.

Je lui dis :

— C'est le temps.

Pendant un moment elle se tut.

Je lui proposai de venir avec moi dans l'allée, où l'on trouverait peut-être un peu de fraîcheur. Mais elle refusa.

Je la grondai ; puis je déclarai que j'avais envie d'aller sous les arbres, tout seul, puisqu'elle refusait d'y venir avec moi ; et je m'éloignai, en lui recommandant de monter dans sa chambre, si elle se sentait lasse.

Elle ne répondit rien.

Je fis quelques pas dans la direction des marronniers. Aussitôt je sortis de la faible zone de lumière qui dépassait à peine le seuil de la porte, et je fus saisi par les ténèbres. Leur épaisseur était si dense que j'avançais à l'aveuglette, lentement de crainte de heurter contre un arbre. J'atteignis cependant les marronniers, dont on n'entrevoyait que confusément les masses sombres. Au bout de l'allée s'ouvraient les champs. Mais ils étaient noirs, muets. J'avoue que j'éprouvai, moi aussi, un léger malaise. Pas une étoile. Un ciel sourd, fermé. Aucun frémissement d'insecte. Tous devaient brûler à feu clos sous le toit de la terre.

Au milieu de l'allée, de distance en distance, on sentait un parfum brûlant d'écorce végétale, qui tombait, comme une colonne étroite, de la profondeur étouffante des feuillages.

Il était si fort que je m'arrêtai. Et aussitôt un être tiède me toucha la poitrine ; un être doux, dont je reconnus l'odeur, le sang ; et qui m'avait pris doucement les deux bras, qui les serrait.

— Ne me laisse pas toute seule, Pascal, murmura Geneviève...

Elle s'écarta un peu.

— Pourquoi es-tu parti ?... Il faut rentrer, tous les deux, maintenant... Il n'y a personne à la maison...

Je la pris par le bras pour la guider.

Elle ne parlait plus.

Quand nous fûmes arrivés dans la cour, je lui dis :

— Entre la première. Je veux voir si tu es brave...

Elle m'obéit.

J'entrai derrière elle et refermai la porte.

Elle souriait avec un peu d'effort, de gêne.

— Tu vois, me dit-elle, je suis assez brave...

Elle réfléchit un moment, puis elle ajouta, avec un accent de regret :

— Assez brave pour aller toute seule dans la montagne...

Nous étions appuyés contre la table, côte à côte, et nos épaules se touchaient ; mais nous regardions devant nous, par timidité sans doute.

Je demandai :

— Pour monter jusqu'à Micolombe ?

— Non, ailleurs. Je ne connais pas le chemin de Micolombe.

Je feignis de ne pas entendre et je lui dis :

— Va dans la montagne, si tu le veux, mais ne coupe pas à travers les terres. Prends le sentier. Il est bon.

A son tour elle eut l'air de ne pas entendre.

— Tu as envie, lui dis-je doucement, de passer chez notre voisin.

Elle ne broncha pas.

— Je t'ai vue ; je le sais, tu en as envie. Mais si tu veux me faire plaisir, n'y passe pas.

J'avais trop parlé, je le sentis ; mais dans ce cas on parle encore. J'hésitai un peu, puis je finis par avouer :

— Mon voisin ne m'aime pas beaucoup, je crois.

La tête basse, elle se taisait toujours ; et j'étais irrité contre moi-même d'avoir, même sans prononcer son nom, évoqué Clodius.

Elle me dit :

— Je ne connais pas ton voisin. Est-ce qu'il vit seul ?

Je cédai malgré moi à un mouvement d'humeur, vite réprimé.

— Oui, seul. Mais moi aussi, je vis seul.

Elle m'interrompit :

— Non, Pascal, tu ne vis pas seul. Je suis là.

J'eus un peu honte de ma mauvaise humeur, et je détournai la tête ; Geneviève posa la main sur mon épaule, légèrement, et murmura :

— Il est tard, Pascal, va dormir. Tu sais bien que je t'aime...

Elle prononça ces mots d'un ton très naturel, puis elle prit la lampe et se retira.

Je montai au grenier aux plantes et je veillai très tard.

Dans mon sommeil, j'entendis comme un pas descendant l'escalier. En bas, la porte grinça un peu. On sortit dans la cour. Le pas fit crisser le gravier, puis s'éloigna vers la montagne. Sans doute je rêvais. Cependant, j'entendis la pluie qui tomba vers quatre heures du matin. Une fraîcheur subite pénétra dans le grenier. Longtemps j'en goûtai la saveur avant de m'éveiller. Quand j'ouvris les yeux, un jour pur commençait à peine à toucher les crêtes des collines. Les nuages étaient partis. En passant ils avaient oublié cette petite pluie qui avait rendu sa limpidité à l'air matinal. Pas une vapeur ne flottait sur les flancs des collines brillantes d'eau. Et je me dis que c'était là un beau matin pour Micolombe.

Au-dessous du grenier, on entendait claquer le pas de Geneviève dans sa chambre. Une bonne pensée me vint. Je lui écrivis un billet qu'en passant j'épinglai à sa porte. « Rejoins-moi là-haut, lui disais-je. Et nous déjeunerons près de la source. »

Après quoi je partis, heureux de ma pensée, et aussi que l'air fût si bon, le jour si beau. Et je chantonnais en marchant à travers mes terres.

Ce matin-là, tout s'offrait avec une sorte d'innocence. Les alouettes s'envolaient à peine, à mon approche, pour se poser un peu plus loin au milieu des clairières ; et de petites compagnies de perdreaux, déjà très affairés, traversaient le sentier sans méfiance.

Il faisait trop bon pour herboriser. Dès que je me penchais vers une fleur, le parfum qui en émanait (et qui avait filtré à travers l'eau de pluie dont les corolles regorgeaient encore), me rafraîchissait le visage ; il laissait ainsi sur mes lèvres ce goût de miel et d'amertume que contient toujours le suc des plantes sauvages.

Geneviève arriva vers dix heures à Micolombe. Je la vis monter, avec un grand panier au bras et un chapeau de paille bleue sur la tête. Elle n'avait pas pris par les terres, mais suivi mes indications concernant le sentier. Elle aussi paraissait émerveillée de tous les pas qu'elle faisait sur ces pentes fleuries de fraxinelles et de grandes digitales.

J'avais ouvert les volets de Micolombe et déjà établi une petite table sous les pins dont les rames étincelaient de gouttes d'eau.

Dès qu'elle m'aperçut, elle sourit. Sa figure, un peu animée par la course et l'air du matin, exprimait une grande confiance.

Et de la voir ainsi, j'éprouvai une extraordinaire émotion.

Micolombe la mit aux anges. Elle voulut tout voir. Je ne lui cachai rien. Les placards furent explorés. On feuilleta les livres et les plantes. Elle en tira des joies si vives que je finis par me prendre moi-même à l'élan gracieux de son plaisir ; et mon cœur réticent s'attendrissait à découvrir, à côté d'elle, les fragiles merveilles de ce lieu.

Nous courûmes partout : sous les pins, à la source, et le filet d'eau nous parut si pur, que nous y bûmes à même l'argile.

De temps à autre un couple familier de palombes bleues, qui a son nid dans la pinède voisine, venait se poser sur les tuiles de Micolombe.

Tout portait Geneviève au ravissement. Les lézards étaient beaux, peints de vert et de jaune, apprivoisés, prétendait-elle, et déjà l'écureuil, saisi d'étonnement, était descendu de deux ou trois branches.

Elle ne riait pas, mais par moments l'ivresse du bonheur la secouait. Alors elle agitait vigoureusement ses cheveux fauves.

Elle avait le bonheur si communicatif que, moi-même, si rebelle aux premiers emportements et rétif à la séduction, ce jour-là, touché droit au cœur, et ébranlé par cette fougue, je cédai au plaisir de m'abandonner tout entier à une sorte de délire pur. La candeur de la matinée, l'odeur de la pluie et cette jeunesse de sol, qui s'épanouit délicieusement après l'orage, s'accordaient peut-être à porter quelque amollissement au plus dur de mon âme rétive. Par ce chemin, Geneviève s'était jetée, avec violence, pour atteindre du premier coup jusqu'à mon cœur, plus sensible sans doute que je ne crois.

Nous restâmes à Micolombe jusqu'à la tombée de la nuit.

Nous attendîmes que son ombre enveloppât le toit et les feuillages noirs de Théotime. Nous savions quel repos nous y accueillerait et que les femmes Alibert y préparaient notre repas. Maintenant tout nous appelait dans le quartier des terres. A notre lassitude d'avoir tant joui du grand air, le recueillement et la paix de la campagne brune, qui commençait à s'endormir, offraient le refuge du soir. Pourtant nous demeurions devant la porte tiède de Micolombe. Nous voulions, aussi longuement qu'il se pourrait, retarder, pour jouir de notre cœur, le moment de descendre vers ce pays calme où, depuis l'aube, rien n'avait bougé. Notre jeunesse et notre force animaient notre sang encore chaud, et malgré l'influence apaisante de l'ombre, cette chaleur brûlait encore nos visages. Comme Geneviève se taisait, je lui dis :

— Je te donne Micolombe.

Malgré les douloureuses conséquences qui devaient en résulter, je considère encore que le don de Micolombe à Geneviève a été la meilleure action de ma vie. Je ne la regrette pas. Car je ne me reconnais pas responsable des filiations du destin.

Si d'avoir écouté mon cœur, au moment de sa plus haute innocence, me devait procurer quelques remords, à qui donc désormais pourrais-je confier le soin de corriger cette sauvagerie native dont la rigueur ne m'a laissé qu'inutiles souffrances, en éloignant de moi les quelques âmes qui pouvaient m'aimer, et dont l'absence aujourd'hui même me rend, je ne le sais que trop, la solitude dure ?

Les moments les plus heureux de ma vie, c'est alors que je les ai vécus ; et si, malgré les douleurs qui s'ensuivirent, j'aime encore à me les rappeler pour me consoler de ma solitude, n'est-ce pas le signe qu'en fin de compte je dois rendre quelques grâces à la Providence de me les avoir accordés ?

Ils ont marqué si fort que rien ne s'en est effacé de ma mémoire et que, parmi tant de souvenirs qu'elle recueille et dont ensuite elle se désintéresse jusqu'à les perdre, ceux-ci vivent toujours et gardent l'éclat d'une brillante fraîcheur.

Certes le mouvement irréfléchi qui me fit donner Micolombe ne laissa pas, à la réflexion, de m'inquiéter.

J'appréhendai que Geneviève prît pour un geste de faiblesse ce qui n'avait été qu'un irrésistible besoin d'accroître son bonheur par ce don, qui n'était autre que le don de moi-même. Mais loin de marquer ma faiblesse, il s'en élevait cette force que le moindre mouvement de générosité dégage du cœur le plus réticent ; et cette force, à n'en point douter, j'en avais senti la présence, en moi.

Heureuse certitude qui m'empêcha de montrer quelque maussaderie à Geneviève. Car, je l'avoue, dès notre retour à Théotime, j'eus des pointes d'humeur qu'il me fallut réprimer.

Mais la vertu de cette journée, où avait soufflé la bonne fortune, était si efficace qu'elle dissipa mon malaise et s'étendit, pour les éclairer de la plus pénétrante lumière, sur les jours qui nous revirent ensemble à Micolombe.

Quelquefois Geneviève y montait seule, dès le matin, car je lui en avais donné la clef.

Je l'entendais qui se levait tôt ; et, ces jours-là, son pas était encore plus vif que d'habitude.

Si je n'allais pas avec elle, je trouvais cependant mon déjeuner tout prêt, dans la grand-salle : le pain tendre, le sucrier de verre, et les petits toupins du lait et du café, qui cuisaient côte à côte, sur la braise de la cheminée recouverte de cendres tièdes.

Avant de partir, elle cueillait toujours, dans un champ délaissé derrière la maison, deux ou trois chardons bleus, ou des narcisses, qui trempaient dans un verre d'eau limpide, devant mon bol.

Je ne sais ce qu'elle faisait si tôt à Micolombe. Mais que peut-on y faire, seul, que d'y boire à plaisir l'air du matin, et, ce qui est délice, d'y écouter le chant, rare mais pur, d'une grive au début de juin qui s'apprête à chauffer sa seconde couvée, dans le plus gros chêne du lieu. Je la connais bien cette grive. Elle passe l'hiver avec nous, et se nourrit aux genévriers bleus et aux baies rouges de nos aubépines. C'est un bel oiseau courageux qui ne craint ni le vent ni les averses de l'automne.

Quand je montais, un peu plus tard (car il fallait d'abord s'occuper de la ferme), nous herborisions.

J'avais entrepris, depuis deux ans, une « Flore des collines de Puyreloubes ». On appelle ainsi les petits monts qui dominent au nord le village de Puyloubiers, et le quartier des terres. Cette chaîne modeste et doucement mamelonnée porte des bois de petite futaie, beaucoup de taillis de genévriers et de myrtes, et çà et là, une pinède ou un groupe de chênes. L'été, grillée par le soleil, elle flambe et embaume l'air à dix lieues à la ronde ; en automne, elle se couvre d'un manteau rouge sombre ; au printemps, c'est la plus riante et la plus odorante des collines. Mico-lombe s'y abrite, à mi-hauteur. Les petites clairières de son voisinage offrent quelques ressources au botaniste.

Je conserve encore des plantes cueillies par Gene-viève : quelques ancolies des Alpes, deux ou trois valérianelles, et un plant de cette calaminthe odorante qu'on appelle chez nous le grand basilic sauvage.

Geneviève a beaucoup contribué à la « Flore de Puyreloubes » ; mais je n'ai pu garder un souvenir écrit de tous les spécimens de plantes qui me viennent de sa main. Ceux que j'ai nommés ci-dessus me parurent si remarquables que j'ai inscrit le nom de Geneviève sur le papier poreux, où se conserve leur fragilité. C'est là qu'il repose maintenant parmi les herbes de montagne.

Quelquefois nos explorations nous conduisaient jusqu'à la chapelle de Saint-Jean. On n'y monte plus guère de Puyloubiers et l'ermitage qu'elle abrite tombe, depuis quelques années, en ruine.

La chapelle a mieux résisté. Quelque âme pieuse en a cloué la porte, peut-être par crainte de la vio-lence du vent qui là-haut souffle dur en hiver. Pour entrer il faut découvrir une fenêtre qui se trouve près de l'abside. On pousse le volet et l'on est dedans.

Les murs peints à la chaux n'ont d'autre ornement qu'un chemin de croix colorié et une statuette en plâtre de saint Jean l'Apôtre, celui qu'on appelait jadis l'Ami de Dieu.

Il reste trois bancs dans la nef et, sur le sol, près du bénitier, un vieux bouquet de fleurs en papier peint. Il est tombé là je ne sais d'où et jamais personne ne s'est donné la peine de le ramasser. Le maître-autel est en bois, peint de bleu et de rose, et, sur le tabernacle, se dresse une modeste croix de plomb doré. Il n'y aurait donc rien de bien remarquable dans cette pauvre chapelle, qui ressemble à tant d'autres sanctuaires campagnards, si, par-dessus le maître-autel, on ne voyait, contre le mur où se creuse l'abside, une grande croix peinte au milieu d'une rose. La croix n'est pas latine mais grecque, et la rose (car c'en est une, à n'en point douter) est fendue cependant en haut comme un cœur symbolique.

Quatre lettres mystérieuses H. L. R. M. entourent cet emblème ; et l'on peut déchiffrer encore deux mots, à demi effacés, l'un en dessous et l'autre au-dessus de la rose. On lit PAX en dessous, GLORIA en dessus. Personne, pas même le curé de Puyloubiers, n'a pu m'expliquer le sens des quatre lettres ni me donner des éclaircissements qui m'aient satisfait, sur la croix, le cœur, et la rose. Et pourtant j'y étais intéressé ; car, je retrouvais là exactement les mêmes signes qui ornent cette courtepointe brodée par Madeleine Dérivat, ma très lointaine parente, morte Visitandine à Nazareth, il y a deux siècles...

Je me rappelle quel effet extraordinaire produisit cette croix sur Geneviève, quand je l'amenai à Saint-Jean pour la première fois.

Elle était déjà très émue de notre escalade par la fenêtre. Notre présence dans la petite église avait un air d'intrusion clandestine, qui, tout en la ravissant, la troublait beaucoup.

Comme le soir tombait, l'air confiné entre ces vieux murs exhalait une odeur de plâtre et de moisissure, et cela vous serrait le cœur ; l'on se taisait.

Tout à coup Geneviève vit la rose ; elle pâlit. Je m'en étonnai mais sa main se crispa sur mon poignet ; et, incapable de répondre, elle paraissait fascinée par l'apparition de cette grande image, qui, dans la pénombre de la nef, se dessinait au-delà du maître-autel.

Son saisissement passa vite ; mais il lui en resta une émotion si pénétrante, qu'elle ne put me parler tant que nous restâmes dans la chapelle. Moi-même je n'osai rompre le silence.

Au bout d'un moment, nous sortîmes.

Il faisait à peu près nuit.

Nous nous arrêtâmes à Micolombe pour prendre un panier. Puis nous nous engageâmes dans le sentier rocailleux qui mène aux Basses-Terres.

A cause des cailloux qu'on voyait mal, nous marchions lentement. De temps à autre nous échangions quelques paroles.

A mi-chemin Geneviève me dit :

— Pascal, nous la connaissons, cette rose... Tu te souviens ?

Je me souvenais, certes.

Aussi quand Geneviève me demanda ce qu'elle était devenue, je lui répondis laconiquement que j'en avais hérité et qu'elle était à Théotime.

Cette visite à la chapelle de Saint-Jean, quoiqu'elle eût si profondément ému Geneviève, ne troubla pas le cours de notre existence en commun tant à Théotime qu'à Micolombe.

Il est vrai que je montai moins souvent au refuge.

Avec l'arrivée des beaux jours ma présence devint, en bas, plus nécessaire. J'avais toujours pour habitude de participer moi-même aux travaux les plus importants de notre exploitation.

Par ailleurs si, de son côté, Geneviève passa plus de temps à Micolombe, je n'eus garde d'en prendre ombrage. Car elle y trouvait du plaisir et je pensais que ce plaisir, en raffermissant les bonnes parties de son âme, l'attacherait par des liens plus solides à cette vie de Théotime, où personne ne cherchait le bonheur et où tout le monde était heureux.

Il suffisait, pour le devenir, de s'y accorder aux lois les plus simples de la vie ; car l'année s'y partage naturellement en quatre saisons, dont il faut tenir compte, en automne, du fait des pluies, en hiver, à cause de la neige et de la tramontane, au printemps, parce qu'on y a des gelées et de violents orages ; et en été, un soleil dur qui dévore tout. Quand on sait tout cela, on suit les saisons, et l'on mène à bien son âme et ses semailles, à travers les temps de la pluie, de la brise, de la gelée et du soleil.

Geneviève vivait encore dans la zone des tempêtes et ne soupçonnait pas la grandeur bienfaisante des autres saisons de l'année ; car, l'hiver, s'il est dur, donne de la solidité à notre cœur, et le printemps nous paye de bien des peines avant de nous livrer à ces jours de splendeur et de flammes où la puissance de l'été nous fait pénétrer dans les joies de l'exaltation et de l'amplitude.

Si l'exaltation ne manquait point à Geneviève, qui, pour un rien, se portait tout à coup à la pointe extrême de son cœur et y flambait, elle ignorait encore les bienfaits de l'amplitude, qui compense l'élan et équilibre l'âme. Car l'exaltation nous emporte au-dessus de nous-mêmes, comme un jaillissement vers la hauteur, tandis que l'amplitude, contrairement à l'apparence, ne s'acquiert que par le recueillement et une lente concentration.

On s'exalte à Micolombe et l'on se grandit à Théotime. A Théotime l'âme se contient. Je le sais par expérience ; car c'est là dans ma solitude réservée (et qui est, je l'ai dit, comme le cœur de la maison), qu'après mes courses les plus enivrantes, j'ai toujours retrouvé, en quelques heures d'isolement et de retour à l'âme, cette vue large et calme du monde, naturelle aux gens de la terre, et d'où me vient toute ma tranquillité.

Ces connaissances sont incommunicables. Si j'avais cédé aux puissances d'exaltation de Geneviève, en lui accordant Micolombe, je n'avais toutefois éprouvé nulle envie de lui ouvrir cette retraite, dont je pensais que les vertus sévères ne pouvaient agir efficacement que sur un cœur un peu sombre comme le mien.

Certes je ne pouvais me méprendre sur le silence qu'elle observait à ce sujet ; et j'avais plus que des soupçons de l'intérêt vif, mais caché, qu'elle portait à ce refuge où je m'enfermais toutes les nuits. Mais ayant constaté que je ne désirais pas l'y accueillir, elle se maintint par fierté dans la réserve. Elle n'affichait pas une indifférence hypocrite ni ne manifestait la moindre humeur. Elle attendait avec patience. Et la patience m'inquiète toujours.

Par ailleurs elle cherchait visiblement à me complaire. Ainsi elle semblait avoir oublié Clodius. Nous n'avions plus parlé de lui. Elle n'avait jamais vu sa figure et ignorait même son nom, à plus forte raison notre cousinage. Ni Alibert, ni moi, n'avions jugé utile de la mettre au fait de cette parenté. Elle savait donc seulement que nous ne vivions pas en bons voisins.

Quant à Clodius, il restait invisible. Même au village, paraît-il, on ne le rencontrait plus guère. S'il y descendait, il le faisait seulement à la nuit, chez quelques fournisseurs, où il parlait peu et achetait encore moins.

A Théotime nous avions fini par nous habituer à cette invisibilité étrange et, sauf le vieil Alibert, tout le monde commençait à respirer. Le vieil Alibert, non, naturellement ; car pour lui, comme il aime à le dire : « Quand le mal est à l'os, il faut couper la jambe », et il ne pensait pas que Clodius se la fût lui-même coupée, pour nous faire plaisir.

Il continuait donc à veiller, sans en avoir l'air, bien sûr que tôt ou tard, le renard, las de son terrier, reviendrait courir le long de nos terres.

Par Françoise (qui me raconte tant de choses) je sus qu'il appréhendait des entreprises plus audacieuses encore ; car, selon lui, une si longue retraite n'avait pu qu'échauffer le sang déjà si vindicatif de notre ennemi.

En attendant, Clodius continuait à faire le mort. Il le faisait bien.

— Trop bien, grommelait le vieil Alibert. Monsieur Pascal, on dirait qu'il veut nous mettre en confiance...

Clodius connaissait assez le vieil Alibert pour ne pas espérer le moindre succès de ce côté-là.

— J'attends, se bornait à dire le vieil homme.

Mais lui n'était pas sûr que tout le monde restât sur ses gardes aussi sagement. Pas même moi, qui pourtant avais tant de raisons de me méfier de Clodius. Et je sais qu'il pensait aussi à Geneviève.

Il n'avait pas tort.

Depuis que nous étions montés à Saint-Jean, Geneviève vivait beaucoup dans les collines ; elle y passait quelquefois des journées entières ; et, je l'ai dit, je ne pouvais pas l'y rejoindre tous les jours. Quand elle s'attardait, elle descendait en courant pour ne pas me faire attendre : on dînait à sept heures. Elle arrivait, un peu essoufflée par la course et, dès qu'on s'était mis à table, elle me racontait ce qu'elle avait fait depuis le matin. Car, même dans les collines, Geneviève faisait beaucoup de choses. Cependant elle ne me disait pas tout. Elle allait à Saint-Jean, et c'est là qu'elle oubliait l'heure du retour ; j'en ai eu des preuves. Mais jamais elle ne me parlait de ces visites à l'ermitage. Une ou deux fois, je lui avais proposé d'y retourner ; elle avait trouvé un prétexte pour ne pas le faire. Je compris qu'elle voulait y monter toute seule, et cette volonté me parut si respectable que jamais plus je ne renouvelai ma proposition.

Le 6 juin, je dus descendre à Puyloubiers pour y accompagner le vieil Alibert et son fils qui conduisaient deux chargements de foin à la gare. Les formalités d'embarquement et de livraison furent très longues et nous rentrâmes en retard à Théotime. Il était huit heures. J'étais fâché d'avoir fait attendre Geneviève.

En arrivant nous vîmes Marthe Alibert debout devant la porte.

Nous n'étions pas encore descendus de la charrette qu'elle nous dit :

— Mlle Geneviève n'est pas rentrée.

Le vieil Alibert et son fils se regardèrent. Moi, je sautai de la voiture ; eux, ils s'en allèrent dételer.

Marthe Alibert me dit :

— Françoise est partie, il y a une demi-heure, pour la chercher. Du côté de Micolombe, naturellement. Elles ne vont pas tarder à revenir.

Je compris que Marthe Alibert était inquiète. Je pris un bâton et la priai de rester au mas jusqu'à mon retour.

— Je vais à leur rencontre.

Je montai aussitôt vers Micolombe. A mi-chemin

j'entendis un pas ; mais c'était seulement Françoise. Elle m'apprit que Micolombe était fermé, et qu'il n'y avait personne aux alentours.

— J'ai appelé, ajouta-t-elle, on n'a pas répondu.

Nous revînmes ensemble, et chemin faisant Françoise essayait de me rassurer.

A Théotime, je trouvai Marthe Alibert toute seule.

— Toujours pas revenue...

Je renvoyai Marthe Alibert en lui disant :

— Si dans une heure elle n'est pas ici, vous amènerez vos hommes et nous remonterons là-haut tous les cinq.

— Et si on ne la trouvait pas à Micolombe ? me fit remarquer Marthe.

Je compris sa pensée.

— Alors, lui dis-je, c'est moi qui repartirais.

Au bout d'une demi-heure j'entendis revenir les quatre Alibert. Ils avaient des figures soucieuses.

Nous explorâmes la colline jusqu'à dix heures du soir. La lune était haute. Il faisait clair ; mais nous ne trouvâmes personne. Il nous fallut rentrer.

Je renvoyai les Alibert chez eux puis je fermai la porte et à grands pas je m'engageai sur les terres de Clodius.

Je marchais franchement avec cette insouciance qui suit les décisions violentes. On s'abandonne au mouvement. C'est pourquoi j'avançais sans penser à rien, sauf à ceci que jamais encore je n'avais mis le pied sur une terre appartenant à mon cousin Clodius. Je parle ici du sol, de l'argile des champs, pas d'autre chose. Car si j'étais allé auparavant, deux ou trois fois, à La Jassine, j'avais toujours suivi le chemin régulier, sans m'écarter d'un pas hors de l'ornière pour fouler une seule motte de ces mauvais labours. Mais là où je marchais maintenant, il n'y avait pas de labours. Ce n'était, dure au pied, que la pierraille de cet homme ; et je la sentais qui criait de colère sous les clous de mes semelles quand je faisais voler un caillou. On y voyait clair ; car la lune était encore resplendissante, à ma droite, très haut dans le ciel, et elle frappait vivement le sommet des arbres de La Jassine où je savais que Geneviève se trouvait. Je n'en éprouvais nulle agitation ; car je faisais corps tout entier avec une sorte de volonté droite, dont je sentais le poids, entre mes deux seins. Elle m'entraînait en avant et chacun de mes pas m'emportait avec elle sans colère. Je savais vers quoi je marchais, qui j'allais voir ; mais je n'avais pas de dessein. De temps à autre seulement je sentais battre mes deux mains contre mes jambes, et je restais si résolu que je ne serrais même pas les poings.

Dès que j'eus pénétré sous le couvert des arbres, je ralentis le pas pour ne pas buter contre les racines, car l'ombre y était si épaisse qu'à deux mètres devant moi, je n'y voyais rien. La lune ne traversait pas les feuillages.

J'arrivai contre la maison. Tous les volets étaient clos. Mais l'un d'eux, au rez-de-chaussée, laissait filtrer une lumière. Dedans on entendait un bruit de pas, comme de quelqu'un qui marche lourdement de long en large, puis s'arrête, puis repart ; et de temps à autre une voix parlait. C'était la voix de Clodius.

Il m'en arrivait des éclats, puis des murmures sourds. Je tirai le volet à moi. On l'avait simplement fermé, sans l'attacher, de l'intérieur, à l'espagnolette. Un oubli. Le volet vint, sans bruit, et je sautai dans la pièce qui était sombre. Mais il y avait au fond une porte : elle s'ouvrait sur une salle basse. Il en venait une lumière, celle d'une petite lampe posée sur le bord d'une table. C'était là qu'on parlait. Je ne m'étais pas trompé en reconnaissant la voix de Clodius. Je m'arrêtai, saisi par le ton de la voix, un peu rauque, basse, d'où sortait vraiment une grande haine.

Il essayait pourtant avec gaucherie de rassurer Geneviève : il protestait qu'il n'était pas méchant, lui ; et, s'il l'avait guettée, s'il l'avait amenée là, un peu de force (il s'en excusait), c'était pour lui ouvrir les yeux ; il le fallait bien...

— Vous partirez, grommelait-il ; je ne compte pas vous garder toute la nuit à La Jassine. Ils vous attendront un peu, voilà tout... La belle affaire!... Après tout, moi aussi, je suis votre cousin... Le cousin Clodius, quoi!...

Il ricanait.

— Ça n'est pas le cousin Pascal, je le sais bien...

Il respira violemment et se tut.

Je m'avançai vers la porte.

Il me tournait le dos. Il était en bras de chemise, les manches retroussées, et de sa main il serrait le dossier d'une chaise.

En face de lui, Geneviève, assise devant la cheminée, baissait la tête farouchement.

Il reprit :

— Un fameux homme, le cousin Pascal!... Il tient à sa terre plus qu'à sa peau...

Il soupira, se tut, puis dit :

— Il faut partir d'ici, ma fille... et le plus tôt possible... On vous connaît maintenant... Vous savez ce que c'est, les petits pays... Il n'y a qu'un mot à dire... et tout le monde vous dévisage sous les yeux...

Puis il murmura avec une espèce de tristesse :

— N'ayez pas peur, il vous suivra, Pascal... On en sera débarrassé...

Geneviève entendait, mais ne bougeait pas. C'était un bloc.

Je ne bougeais pas davantage. Tous les mots me pénétraient, mais ma volonté restait immobile. Une étrange lucidité m'éclairait intérieurement.

En face je voyais Geneviève et, devant elle, le dos bas, trapu de Clodius. Je me disais : « C'est tout de même ton cousin. Il faut essayer d'en sortir sans l'assommer. »

Je n'avais, à ce moment-là, contre lui aucune haine. Il ne m'irritait pas ; il me gênait. Il me gênait parce qu'il se tenait entre moi et Geneviève, et qu'il me tournait le dos. Je connaissais mes avantages et ne voulais pas abuser de la surprise.

Je voulais simplement écarter Clodius, aller à Geneviève, la prendre par la main et la faire sortir de La Jassine.

Pas plus.

Je l'aurais fait, je m'en sentais la force.

Malheureusement, Geneviève leva brusquement la tête et me vit. Ses yeux verts brillèrent d'un tel éclat que Clodius, troublé sans doute, lâcha le dossier de la chaise, et fit un pas en avant, vers elle.

Alors j'entrai.

Clodius m'entendit venir et se retourna. Mais j'arrivais sur lui avec une telle force qu'il roula par terre, et sa tête heurta le coin de la table, sous laquelle il tomba.

Je pris le bras de Geneviève et je l'entraînai hors de La Jassine. Nous traversâmes le champ de Clodius.

La lune était basse mais on y voyait encore assez clair pour marcher.

Geneviève ne parlait pas. Elle allait, droite, la tête haute, d'un pas mécanique.

En arrivant dans la vigne, j'aperçus quelqu'un, un homme je crois, qui s'éloigna rapidement.

Je lâchai le bras de Geneviève. Elle me dépassa.

J'étais moins calme qu'à l'aller, mais je gardais quand même le silence.

Cependant, je me disais : « Maintenant elle va m'expliquer pourquoi elle se trouvait chez Clodius. »

Devant la porte Geneviève m'attendit.

Je pensai : « Elle parlera la première... » Car je ne voulais pas lui poser de question, par fierté.

Nous entrâmes.

Sans un mot, elle monta dans sa chambre.

Étourdi, je demeurai au bas de l'escalier. Geneviève avait disparu. J'étais seul.

Brusquement le sommeil descendit sur moi. J'allai me jeter sur mon lit, tout habillé, et je m'endormis aussitôt, écrasé par la fatigue.

IV

Je suis naturellement porté à attacher aux événements du sommeil plus d'importance qu'on n'a coutume de le faire. La majeure partie des hommes se contente d'associer le sommeil au repos. Ils y descendent presque tous avec insouciance et y reposent, en effet, entre deux eaux sur les abîmes. A leur réveil, quand ils en parlent (ce qui arrive rarement), ils se bornent à dire qu'ils ont bien ou mal dormi. Ainsi montrent-ils qu'ils n'accordent au sommeil qu'une valeur pratique, relative aux travaux et aux fatigues de la veille.

Mais pour nous le sommeil offre de singulières ressources. Quand je dis « nous » je parle de nos familles alliées, Métidieu et Dérivat, qui, encore aujourd'hui, malgré leur déchéance, se prétendent liées dans le sommeil avec autant de puissance que dans la veille.

En effet, j'ai toujours entendu raconter que nous possédons en commun deux rêves. L'un proviendrait des Métidieu, l'autre des Dérivat. Chacun de nous peut y prétendre, et je les ai rêvés moi-même dans mon enfance, tous les deux. Car même dans ce monde où l'être s'abandonne à des forces ingouvernables, il est d'invisibles courants qui nous portent les uns vers les autres ; et nous échangeons nos fantômes, au cours de la nuit, avec la même libéralité que nos biens matériels et nos mutuelles tendresses, au temps de notre vie diurne.

De ces deux rêves l'un (le seul qui m'intéresse) offre ceci de singulier qu'on le rêve tous à la fois, pendant la même nuit.

A vrai dire plutôt qu'un rêve, c'est un site de rêve, un lac ; mais un lac de montagne dont les eaux immobiles reposent sur des profondeurs, qui s'éclairent ou s'assombrissent suivant l'état collectif de nos âmes, descendues au sommeil, dans la joie ou dans la tristesse. Ce site n'apparaît en nous qu'après un événement de grande importance, heureux ou malheureux, mais qui ait troublé à la fois tous les cœurs Dérivat et Métidieu. Quand il advient chez nous quelque malheur, nous attendons patiemment le rêve, sachant qu'il doit venir dans les deux ou trois semaines qui suivent cet événement ; et s'il tarde, nous nous réunissons le soir, pour en parler, car nous nous inquiétons de son retard, comme d'un signe funeste.

Dans ce rêve nous voyons le lac, de la rive, sans savoir comment nous nous y retrouvons tous réunis.

C'est le bord des vivants, couvert d'ajoncs et de roseaux.

En face, où descendent des bois accrochés à de hautes falaises, on aperçoit une petite chapelle à la pointe d'un promontoire ; et l'on dit qu'elle garde le rivage des morts.

Entre elle et nous, s'étendent les eaux calmes du lac.

Dans ce paysage se forme le rêve lui-même ; il y assemble ses figures propres, variables, selon l'événement qui provoque l'apparition de ce monde irréel, où elles viennent se placer, pour donner des actes du jour l'image reflétée et nous livrer le mot qui déforment de tels miroirs, ou du moins l'allusion du songe.

Le rêve commence toujours de la même façon. De la rive opposée se détache une barque qui traverse le lac pour déposer sur notre rive les personnages qui vont y jouer la fiction dramatique des puissances latentes du sommeil.

La fin du rêve reste plus obscure, car toujours le lac et ses fantômes s'évanouissent avant que les acteurs du drame aient pu se rembarquer pour regagner leur pays d'origine.

Les eaux et les falaises s'enfoncent dans une profondeur immense entraînant avec elles les êtres imaginaires qui les ont un moment animées, et nous disparaissons nous-mêmes insensiblement pour rejoindre les lieux immobiles du sommeil.

On pourra s'étonner sans doute qu'arrivé à ce point de mon récit je m'en sois détourné pour parler si longtemps des singularités d'un rêve.

La raison en est qu'il m'a visité cette nuit-là. Le poids insolite de mon sommeil me fit couler à pic jusqu'en des profondeurs où je n'avais plus atteint depuis mon enfance. Les saines fatigues de la terre, la pureté de ses travaux, depuis longtemps me livraient à de calmes sommeils ; et si quelquefois je rêvais, c'était plutôt pendant mes longues veilles, dans le grenier aux plantes, alors que je m'accordais le plaisir de me confronter à des vies peut-être imaginaires.

Mais, cette nuit-là, je passai outre à mon sommeil, et j'arrivai à cette région indécise où l'on reprend quelquefois conscience de soi au milieu d'un monde encore fluide dont aucune forme ne tient jusqu'à ce qu'une vision plus puissante y impose un ordre déraisonnable.

Dans les ténèbres de mon sommeil peu à peu se forma le lac. Mais j'étais seul sur cette rive où jadis nous nous rassemblions en silence.

Du bord opposé, la barque se détacha. Elle venait vers moi rapidement, mais ne portait personne. Elle avançait sur les eaux noires, sans voiles, sans rameur, sans passager.

Elle vint s'échouer non loin de moi dans les roseaux. Le vent se leva qui les fit plier et se plaindre, et quelqu'un qui errait m'appela alors par mon nom. Je crus reconnaître la voix de Geneviève ; mais, elle, je ne la vis pas.

Sur la rive opposée, où jamais de mémoire de Métidieu et de Dérivat on n'avait aperçu le moindre signe de vie, on voyait une flamme qui vacillait sous le porche de la chapelle.

Le vent tomba, les roseaux cessèrent de se plaindre, et peu à peu la vision se dissipa dans la nuit.

Seule la lampe persista longtemps à trembler dans le vide, alors que le lac et ses rives avaient déjà disparu au fond de l'abîme.

Enfin je la perdis de vue et je quittai le songe pour reprendre dans mon sommeil la place qu'il réserve au simple repos de l'âme et du corps, après une dure épreuve.

Je m'éveillai tard.

Aucun souvenir des événements de la nuit ne se présenta à mon esprit au moment où j'ouvris les yeux ; ni mon expédition chez Clodius ni l'apparition de mon rêve.

Il faisait un temps un peu gris, d'ailleurs très doux, et qui tirait de la campagne plus de mélancolie que n'en comporte cette belle saison.

J'avais ouvert la fenêtre de ma chambre. Et comme il était déjà assez tard, je savais que les Alibert étaient à l'ouvrage. Parfois on entendait la voix du fils qui devait atteler, car il parlait à son cheval. C'était une voix sans rudesse mais pleine d'autorité ; le cheval piaffait d'impatience avec ses énormes sabots, dont le choc sourd arrivait jusqu'à moi, de temps à autre, à travers l'air calme de la matinée.

Théotime reposait.

Du verger, qui est proche de la maison, une odeur de résine, d'abricotier et de cerise, donnait quelque saveur à l'air un peu humide qui atténuait la lumière de cette paisible journée.

Geneviève ne bougeait pas.

La maison avait l'air de tenir au silence, et nous nous abritions sous ses tuiles pourtant légères comme si nous eussions été seulement soucieux de préserver son repos.

Cependant notre immobilité ne signifiait point cette paix de l'âme. Nous jouissions tous deux de l'avantage précaire de ne point encore nous voir, et nous n'avions pas remué de peur de déceler, l'un à l'autre, une présence. Fatalement elle exigeait cette confrontation redoutable que nous retardions.

Geneviève couchait au-dessous de ma chambre ; et je la soupçonnais d'attendre mon départ pour se lever. Pourtant ses volets, comme les miens, étaient déjà ouverts sur la campagne : les mêmes parfums, les mêmes bruits devaient l'atteindre, et peut-être avait-elle cédé à la douceur de l'abandon devant tant de tranquillité et de bienveillance qui flottaient sur les champs comme une buée matinale. Par moments elle appréhendait de me voir, et peut-être refoulait-elle un peu de rancune. Du moins je l'imaginais, car je n'avais moi-même qu'une connaissance fragile de mes propres sentiments ; et l'immobilité de Geneviève, tout en s'accordant à la mienne, n'était que le signe incertain de l'humeur que je supposais.

Cependant une voix indéfinissable me disait que, parmi tous les sentiments, dont je pensais qu'ils agitaient ce cœur étrange, un sauvage plaisir se faisait jour d'avoir tiré de mon âme ombrageuse un élan brutal où semblait éclater quelque passion.

Désormais je ne pouvais plus lui cacher que je tenais à elle, et cet aveu involontaire lui donnait de nouveau l'avantage. Mais sans doute me connaissait-elle assez bien pour ne pas en tirer ouvertement parti ; et je savais qu'elle allait feindre d'ignorer à quel point les événements de la nuit avaient découvert le feu sombre qui, depuis si longtemps, couvait pour elle dans l'aridité de mon cœur.

Je n'avais oublié qu'une chose : à savoir qu'elle était peut-être simplement malheureuse. Il y a ainsi des douleurs pures qui se contentent de nous faire souffrir également sur toute l'étendue de l'âme. On les apaise, pour peu qu'on en comprenne l'innocence et qu'on s'abandonne soi-même à un mouvement tendre.

Mais je ne suis guère capable de tels abandons.

Pour que je le fusse, il faudrait que j'eusse naturellement cette fatuité, cependant si commune parmi les hommes, et qui les porte à croire qu'on les aime.

Je ne crois pas qu'on m'aime. Et si parfois il s'en offre à mes yeux quelque apparence, je me tourmente à trouver des raisons qui détruisent en moi la croyance naissante en cet amour, que pourtant je souhaite en secret avec la sourde fureur d'une âme acharnée à nier les puissances de séduction qui sommeillent peut-être en elle, comme dans toutes les âmes.

Je ne sais jusqu'où m'eût porté la singularité de mon caractère si la douceur du temps, à laquelle je suis très sensible et qui ce matin-là me pénétrait, n'eût, à mon insu, dégagé des troubles de ma conscience une pensée calme et le besoin de la simplicité.

Cette pensée me conseilla de faciliter à Geneviève son retour à la vie paisible que nous menions ensemble. Et pour cela il valait mieux qu'en descendant dans la grand-salle elle ne me trouvât pas, le premier levé, à l'attendre. Cette situation m'eût donné figure de maître. Elle risquait de gêner Geneviève et de la contraindre à une explication. Pour ma part, je ne la désirais pas.

C'est pourquoi je quittai la chambre en faisant un peu de bruit, et je m'éloignai dans les champs.

La terre était belle, ce matin-là. Il est vrai que pour moi elle est toujours belle. Mais souvent elle montre une figure rude et d'un abord difficile, surtout à l'homme de labeur qui ne l'affronte guère que pour lui imposer les marques de son travail.

Elle s'étendait devant moi, grise comme le temps, mais douce, avec ses mottes qui fondaient sous le pied. Sous les gouttelettes encore fraîches de la nuit, brillaient des herbes courtes, et l'odeur amère du chiendent, à chaque pas broyé par les semelles, montait autour de moi, qui avançais par grandes et lentes enjambées dans la glèbe luisante et noire. Chaque fois que je la touchais, mon soulier s'enfonçait en elle jusqu'à la cheville et, sur le cuir, je sentais sa matière friable qui prenait mon pied et cherchait à le retenir. Mais moi, je m'arrachais de là et j'allais plus loin en emportant à mon talon un peu de cette terre tenace sur laquelle avaient peiné les hommes de mon sang, et qui maintenant m'appartenait.

Une terre belle, vraiment. Et un peu grasse, que

le soc coupait au couteau, qui ne couvait pas de basse vermine. Elle se refermait bien sur la semence ; la pluie y filtrait sagement et le germe, en faisant éclater sa croûte fragile, s'élevait sans briser la pointe tendre où allait se former l'épi. Une terre enfin qui couvait sa graine, l'hiver, sous le toit de la neige, et qui restait tiède longtemps ; puis qui nourrissait cette vie d'une substance brune où mordaient les racines et que noyaient des sucs odorants et vivaces.

Je l'aimais, je le savais bien, et d'elle à moi, s'était établi peu à peu, depuis mon retour, un accord de raison et de sentiment, par quoi je lui donnais mes soins et le plus lourd de mes soucis ; mais elle me rendait en raisins, en fruits et en grandes céréales, l'affection que je lui portais et qui cependant lui valait, de l'hiver au printemps, tant de fatigues souterraines.

J'en connaissais depuis longtemps toutes les zones ; car elle n'est pas la même partout ; et je sais quel plant de raisin elle aime à porter sur le versant méridional de cette pente, ou quelle qualité d'orge, ce creux, à peine différent des autres, accueille cependant le plus volontiers.

Je ne la fatigue pas. Je lui accorde des jachères calmes, où elle peut se refaire des herbes sauvages et des fleurs pendant toute une saison. Ainsi, sous cette parure souvent épineuse, elle recompose en silence ses couches d'humus nourricier et ses veines d'eau.

Le travail des hommes et la puissance de la possession l'ont peu à peu partagée en quartiers différents qui ont gardé quelquefois une marque de leur origine, non seulement par les noms qui les distinguent encore (comme « le carreau Clodius » ou « le clos Alibert ») mais aussi par la variété des cultures qui s'y sont lentement acclimatées, au cours de tant d'années de patience et de labeur infatigable.

Si j'ai nommé les Alibert, c'est que leurs vieilles terres, limitrophes des nôtres, mais qui depuis quatre-vingts ans nous appartiennent, n'ont pu se fondre cependant aux biens plus vastes et plus forts des Clodius.

Nous les avons honnêtement acquises, et la déchéance des Alibert n'a pas été le fait de notre famille. Mais si les Alibert, tombés de leur aisance par une fatalité dont nous n'étions pas responsables, nous cédèrent le sol de leur plein gré, ce bien, où ils avaient vécu pendant des siècles, garde de leurs vertus familiales une empreinte si pénétrante que, même aujourd'hui, on en reconnaît la figure sévère et la gravité quasiment religieuse à côté des champs plus amènes qui s'étendent autour de Théotime.

Quoiqu'il n'y ait pas de limites, ces terres ont conservé leur ancien caractère, et Alibert, qui le sait bien, mais qui est d'un cœur délicat, évite d'aggraver ces traits familiaux dans un sol qui n'est plus sa propriété. Cependant, en portant son travail sur mes terres, il leur a donné quelque chose de l'esprit Alibert ; et parfois, quand on marche le long de nos vieilles limites, on ne voit plus trop bien où les avaient tracées nos pères, tant le vieil Alibert y a retourné le soc de sa charrue pour mêler les deux terres associées. Il l'a fait volontairement, à ce que je soupçonne, depuis près de dix ans qu'il y travaille. Et c'est ainsi que, juste sur les lieux où quelques droits et une vingtaine de bornes séparaient jadis nos familles, il n'y a plus maintenant qu'une terre, et peut-être qu'une seule âme.

Je pensais à cette âme, en marchant lentement, ce matin-là à travers mes champs.

Elle montait du sol avec une telle puissance, qu'à peine mis le pieds hors du mas Théotime, j'en avais retrouvé la majesté. Sans le vouloir mais par l'effet d'une influence dont souvent j'avais éprouvé la force, je me dirigeais vers la métairie des Alibert. Et je voyais devant moi nos vieux champs légèrement en pente, avec leurs grands carrés de cultures, où l'avoine surtout était déjà haute, s'étendre par-delà cette maison amie jusqu'aux haies basses de Farfaille et au jardin si touchant de Genevet.

Les événements de la nuit et mes réflexions du matin, si brûlantes dans l'immobilité de ma chambre, maintenant que je déplaçais mon corps et mon âme à la fois, en plein air, sur ces terres robustes, sans déchoir de leur importance, perdaient peu à peu cet aspect équivoque de figures de mauvais rêve et ce je ne sais quoi de malsain et d'illégitime qui s'attache toujours aux violences passionnelles.

Les actes accomplis se montraient dans leur vraie nature, et je les jugeais plus graves à mesure que je me sentais plus fort. La terre ne me leurrait pas, bien au contraire ; car, en réveillant ma raison elle soumettait à sa lumière tranquille tous les aspects de ma conduite si contraire à ses lois. Mais comme, après mon héritage, je l'avais adoptée et rendue à sa vocation séculaire de nourrice des bêtes et des hommes, elle avait acquis sur mes actes des droits puissants qu'un cœur comme le mien ne pouvait pas oublier. Je savais bien qu'un jour ou l'autre elle les exercerait à sa manière, qui est forte, et qu'il faudrait obéir ou disparaître.

Pour lors elle restait encore bienveillante, et ce n'était pas un matin de jugement.

Je cherchais le vieil Alibert et ne le découvrais pas dans la campagne. Près de la maison, on entendait quelquefois caqueter une poule ; et de la cour montait une fumée droite qui prouvait que Marthe Alibert faisait sa lessive.

Quand je passai le portail je la trouvai en train de remuer son linge avec une branche dans le cuveau d'où s'élevait cette vapeur qui sentait la cendre mouillée et le charbon de bois. A côté, sous le chaudron noir, pétillait un fagot de sarments.

Marthe Alibert, les manches retroussées, guidait la flamme et la vapeur avec cet air de compétence qu'ont les femmes âgées de la campagne, habituées, mieux que les jeunes, à se contenter de l'eau, du bois, du feu, et de quelques déchets domestiques pour l'accomplissement des gros travaux ménagers.

Quand elle me vit, elle essuya ses mains encore humides à la toile de son tablier bleu et, sans me regarder, me demanda si la lessive sentait bon.

Elle sentait bon, en effet, et j'en fis l'aveu, qui lui causa certainement du plaisir, car elle se montre assez fière de la propreté de son linge.

Elle était seule dans la cour. Son fils Jean avait dû partir avec son attelage pour tailler le foin, car la porte de l'écurie était restée ouverte et l'on n'y voyait pas les bêtes.

Françoise l'avait peut-être accompagné.

Je parlai un peu du temps, un peu de l'avoine, du potager.

Puis je me tus. Marthe Alibert aussi.

Je m'assis près du feu sur une pierre, et me mis à contempler les grosses bulles d'eau et de linge qui se formaient à la surface de la cuve bouillante.

Marthe Alibert me demanda enfin si j'étais bien rentré, la veille, après son départ.

Ce n'était qu'une politesse, car je savais qu'elle était au courant de tout.

Je lui répondis que j'étais rentré sans encombre.

Elle retomba dans le silence puis, au bout d'un moment, elle finit par me dire, avec quelque gêne :

— Si vous cherchez Alibert, il est là-bas.

Elle reprit sa branche et la plongea dans la cuve.

La vapeur enveloppa sa tête.

Alors je me levai et me dirigeai vers le tombeau des Alibert.

Le tombeau des Alibert se cache dans un creux. C'est un petit enclos. Trois cyprès le protègent contre les vents du nord. A l'intérieur pousse une herbe brûlante. Pas une dalle. Le long des murs on a cimenté quelques pierres qui portent un nom, une date, à demi effacés. Là sont des Alibert. D'autres, perdus sous l'herbe sèche, n'ont pas même laissé un nom. Une vieille couronne fanée pend, au fond de l'enclos, contre le mur. Elle seule donne à ce lieu son caractère funéraire ; mais, la pluie qui la bat et le soleil qui la dévore, bientôt la dissoudront ; et les ronciers vivaces cacheront les pierres scellées et leurs fragiles commémorations.

Dehors, à l'abri de l'enclos, le vieil Alibert a installé une dizaine de ruches.

C'est là que je le trouvai.

En m'entendant venir, il ne se dérangea pas, car il semblait fort occupé à étayer une ruche de paille. Les Alibert, quand on se dirige vers eux, trouvent toujours une occupation absorbante. Attentifs et de vue perçante, ils vous voient de loin. Ils s'attachent alors à leur ouvrage, et n'en détachent leur regard que vous ne soyez devant eux.

Ainsi, le vieil Alibert ne bougeait pas. Il écoutait, le visage contre la ruche, le murmure de ses abeilles. Il en est aimé. Jamais sa présence n'offusque ces petites bêtes vindicatives. Et, de sa main paisible, il touche à leurs demeures, sans provoquer leur irritation. Mais il les soigne bien. Son seul délassement est de venir chaque semaine, le long de ce mur brûlant de soleil, où courent les lézards. Il n'aime guère qu'on l'y accompagne ; et l'on sent qu'en prenant de l'âge il trouve son plaisir le plus grave à vivre un peu dans la compagnie de ses abeilles et dans le voisinage de ses morts.

Je le saluai aussi doucement que possible. Une visite matinale, en cet endroit, dérangeait ses habitudes. Je le savais. Comme à regret et lentement il tourna vers moi son regard plein de méfiance. Puis, m'ayant rendu mon salut, il ramena ses yeux gris sur la ruche, et reprit son travail. Je me taisais.

Au bout d'un moment il finit par me dire que les abeilles étaient malades.

Il me désigna la ruche dont il s'occupait. Puis il se résigna à parler un peu, mais par bribes, à mesure que je lui posais des questions.

— Ce n'est pas le mal de mai? lui demandai-je.

Il secoua la tête.

— Monsieur Pascal, elles sont d'abord devenues un peu folles...

Je m'en étonnai sincèrement. Le vieil Alibert hocha la tête.

— Pourquoi pas? Il suffit d'une. La folie ça s'attrape...

Son regard, un peu dur mais vif, derrière les sourcils en broussailles, allait du sol au mur de l'enclos; et je cherchais en vain à l'arrêter, pour y saisir une lueur qui m'eût éclairé tant soit peu sur les sentiments qui avaient pu naître, depuis la veille, chez cet homme que j'estimais, et qui (je le reconnaissais à part moi) avait son mot à dire.

Je suggérai une solution, mais timidement, car elle était brutale :

— Il faudra peut-être détruire la ruche...

Je pensais à la contagion.

Le vieil Alibert ne s'émut pas (du moins en apparence). Il se contenta de répondre qu'il y avait pensé, puis il ajouta :

— On peut toujours... mais il y a des gens qui n'aiment pas...

Je crus deviner une intention couverte sous cette phrase banale, car il la prononça d'une voix sourde, en détournant la tête.

Puis, saisi d'un obscur regret, il murmura :

— Pourtant ici la terre est bonne... Tout y vient. Il faut que ça soit arrivé du dehors...

Par la porte entrouverte on voyait au fond de l'enclos la couronne fanée accrochée à son clou contre le mur. De la crête, dans le lierre, s'élevait le bourdonnement des abeilles.

Leur ardeur s'accordait à la paix de ces tombes et le parfum léger de la cire flottait sur les herbes brûlantes. J'enviais la sérénité du vieil homme attentif à ses abeilles et le calme du site où il les élevait à côté de ses morts. Les tombes ne m'attristaient pas. Ce lieu n'est point mélancolique. La sévérité en est adoucie par la présence de quelques oliviers qui entourent l'enclos. On n'en compte pas plus d'une dizaine ; mais leur vieux feuillage argenté épand dans ce creux, qui embaume le miel, la menthe et la mélisse, quelques ombres légères et le charme si particulier à ces arbres solides et modestes.

Je pris congé du vieil Alibert et je me dirigeai, à travers les oliviers, vers la vigne.

La matinée était toujours grise, calme, et l'on entendait quelque part le tranchant de la faux qui entrait dans le foin régulièrement. Comme je sortais de la vigne, j'aperçus Françoise qui pendait du linge, sur une corde, non loin de la métairie.

Elle avait un corsage noir et, devant elle, une corbeille ronde pleine de torchons.

Quand elle me vit venir, elle s'arrêta de travailler et me sourit. Je lui dis :

— Françoise, est-ce que votre père sait ce qui s'est passé hier au soir, chez Clodius?

Elle rougit un peu; mais elle m'affirma qu'elle ignorait ce que savait son père.

— Et vous?

Cette question ne l'émut pas.

Elle me répondit avec franchise qu'elle était au courant de quelque chose.

Elle se tenait devant moi, droite, forte et jamais je ne l'avais vue de si près.

Ses yeux étaient grands comme ceux de son père, et aussi beaux, mais plus larges encore et d'une atteinte plus facile. Son teint hâlé, un peu coloré sur les joues, décelait un sang pur. Elle avait tressé ses cheveux bruns d'une main forte, et ils couronnaient durement ce front calme qui donne à tous les Alibert une expression si naturelle de simplicité et de courage.

— J'ai vu Geneviève, me dit-elle. Et vous?

Je fis signe que non.

— Il faut la voir, Monsieur Pascal...

Elle hésitait à en dire davantage; mais comme je l'interrogeais elle me rapporta ce que lui avait appris Geneviève: Geneviève était en retard; il faisait nuit... Elle ne voulait pas me faire attendre. Alors, elle avait coupé court, par les terres, où Clodius, qui la guettait, l'avait surprise, puis emmenée chez lui... « Elle n'a pas osé s'enfuir, murmurait Françoise. Je crois qu'il lui faisait peur... D'abord, il lui a raconté qu'il était votre cousin. Elle ne savait plus que penser de lui... »

Ces confidences m'irritaient. Une vague impression de complicité entre Geneviève et Françoise peu à peu m'offusquait l'esprit. Comme toujours, quand me travaille le soupçon, le désir sournois m'envahissait de céder tout à coup à cette sauvagerie

113

latente qui peut, à tout moment, me pousser à la violence.

Mais Françoise en parlant restait si calme que j'eus honte de l'humeur sombre où je commençais à descendre ; et je pus me ressaisir.

— Et votre mère, Françoise ? lui demandai-je.

— Ma mère est retournée à la maison ; moi, je suis sortie avec Jean... Il ne voulait pas vous laisser seul. Il était dans la vigne... Il vous a vus rentrer...

Je fis un effort pour cacher mon émotion. Pourtant je ne pus m'empêcher de regarder Françoise. Elle leva les yeux, ces grands yeux d'Alibert, qui ne vous rencontrent jamais. Mais alors ils ne se dérobèrent point.

Pendant un moment (très court, il est vrai) ils me fixèrent. Ils n'étaient ni tristes, ni durs, mais seulement d'une grande pureté.

Comme l'attelage rentrait à la métairie, je quittai Françoise et m'éloignai vers Théotime.

Il n'y a pas plus de quatre cents mètres entre les Alibert et le mas Théotime ; mais je les franchis de si mauvais gré qu'il m'y fallut plus qu'un quart d'heure. Car je désirais et appréhendais à la fois de revoir Geneviève. Ce que Françoise m'avait raconté de son aventure nocturne, en me revenant à l'esprit, de nouveau y jetait le trouble. Et cet obscur ressentiment, que j'avais pu dompter mais qui me tourmentait et qui voulait renaître, par moments, m'inspirait de sournois mouvements de colère. Ils s'ébauchaient au plus noir de moi-même ; mais je pouvais encore les contenir.

A mesure que je m'approchais de Théotime, la résolution d'en finir l'emportait rapidement sur ma crainte ; et c'est ainsi que je franchis la porte d'entrée de la grand-salle sans agitation. J'étais sûr cependant d'y trouver Geneviève.

Elle s'y trouvait en effet, debout devant la cheminée. Elle aimait cette place.

Du premier coup d'œil je vis qu'elle était irritée ; et cette expression un peu dure, que je ne lui connaissais pas, me frappa si vivement qu'oubliant de la saluer, je m'arrêtai près de la table pour la regarder.

Elle tourna les yeux vers moi et me dit :

— Je t'ai attendu. Est-ce que tu as pensé à Clodius ?

Elle avait posé cette question sur un ton un peu sourd, mais décidé, qui sentait le reproche. Il me glaça le cœur. Car je m'attendais à tout, mais non point qu'elle me parlât d'abord de Clodius.

Je ne trouvai rien à répondre.

Je voyais devant moi Geneviève sombre, peut-être agressive. Je ne la reconnaissais plus. Elle était aussi belle, mais plus grande, très mince et d'une dangereuse flexibilité.

Elle me regardait, les sourcils relevés, de l'air de quelqu'un qui attend une réponse, et qui s'étonne qu'elle tarde. Et sans doute à ce moment-là mesurait-elle avec passion la puissance qu'elle pensait avoir acquise sur mon âme, cependant que je m'obstinais à la regarder sans répondre.

Car je ne voulais rien lui dire. Je n'avais pas trop de toutes mes forces pour comprimer la violence de mon ressentiment et sans doute de ma jalousie.

Aussi je me dirigeai vers l'escalier qui mène à l'étage. Geneviève me laissa passer devant elle, puis voyant que j'allais disparaître, elle me dit :

— Clodius est tombé sous la table. Et il ne s'est pas relevé. Tu l'as vu. Il est blessé peut-être...

Ces quelques mots m'épouvantèrent, et je m'arrêtai. Mais la force qui m'animait était encore si vigoureuse que je cédai à son impulsion. Je tirai la porte derrière moi, et je montai.

L'escalier était noir et je bronchai deux ou trois fois contre les marches, jusqu'au moment où j'arrivai sur le palier de ma chambre.

J'entrai. Le lit était encore défait et les deux volets grands ouverts laissaient pénétrer tellement de lumière qu'il ne restait pas un coin de pénombre où se réfugier.

Tous les objets me parurent désuets, affreux : les meubles de noyer ciré, tout à coup si absurdes, les grands rideaux de coton blanc, le fauteuil de velours grenat et cette vieille table de toilette au marbre jauni par le temps, qui a un coin cassé. Ces détails, jusqu'alors invisibles, me blessaient les yeux.

Je m'assis sur le lit en désordre, et j'essayai de réfléchir pour prendre une résolution. Mais tout me glissait à travers la tête sans s'y maintenir. Je n'étais qu'un lieu de passage torrentiel.

Je ne sais combien de temps je restai là. La maison paraissait abandonnée tant il y régnait de silence, et cette sensation, en m'envahissant, peu à peu finit par s'imposer au chaos intérieur où se perdaient mes forces, cependant qu'il s'en dégageait cette idée douloureuse que Geneviève était partie.

Rien ne remuait en bas, et pas un souffle d'air arrivé du dehors ne me détournait du souci de cette tranquillité extraordinaire. Car il est des degrés dans la profondeur du silence, soit qu'il résulte simplement d'une immobilité fortuite et d'un repos de la parole, ou qu'il s'élève de la solitude, dans toute sa pureté. Or, c'était un silence de solitude qui semblait monter de la paix du mas Théotime ; et je me sentais tout à coup seul au monde avec ma vieille maison perdue au milieu des champs. Je me disais :

— Maintenant c'est comme si tu étais seul avec ta mère.

Quand on a été abandonné, il arrive qu'on se retrouve par hasard auprès de sa mère, dont la vieille tendresse s'inquiète de vous protéger ; mais, hélas ! tous ses soins, et surtout les plus tendres, ne peuvent nous persuader que quelqu'un encore nous aime, puisque c'est elle seulement qui peut nous aimer.

Je me disais :

— Geneviève a pitié de lui.

Et je pensais à Clodius avec une envie amère et le regret qu'il ne m'eût pas blessé, dans cette brève lutte où, pour mon malheur, j'avais eu si rapidement le dessus.

Cependant je savais Clodius fort et méchant ; et je pouvais imaginer qu'il m'aurait peut-être tué, si j'étais allé à terre ; mais cette idée ne m'épouvantait pas.

Je ne pensais pas encore à la mort, mais je subissais les attaques, de plus en plus ardentes, de cette jalousie qui est la force basse et orageuse de l'amour. Comme toujours, dès qu'elle frappe notre esprit, elle l'immobilise et l'enfièvre ; car, tout en le fixant à une idée atroce, elle en active la subtilité au point de le rendre capable d'apporter à notre douleur ces irréfutables raisons qui nous poussent à la démence.

En pensant au silence de Geneviève, je n'y cherchais pas des excuses : la peur, la fierté, ou même mon propre silence. Je préférais imaginer que, la nuit précédente, si elle n'avait pas parlé, dès son retour à Théotime, c'était par honte de se trouver coupable et par rancune d'avoir été prise sur le fait.

Car j'allais jusqu'à me crier, dans ma folie, que

d'autres fois elle avait dû rencontrer Clodius, lors de ses courses dans la montagne, ou même en traversant, à mon insu, les terres interdites.

Pourtant les paroles cruelles de Clodius auraient dû m'éclairer ; mais le fait de l'avoir trouvée, elle, chez cet homme de mon sang qui me haïssait, suffisait à troubler ma raison, tant il me paraissait injuste et inexplicable qu'elle pût rester, fût-ce de force, dans une telle compagnie.

— Elle m'a trompé, me répétai-je avec passion ; et j'étais perdu de désespoir.

Quelquefois les explications de Françoise me revenaient à la mémoire : « Il était tard... Elle ne voulait pas vous faire attendre... elle s'est hasardée sur les terres de Clodius... Il la guettait... elle n'a pas osé s'enfuir... il lui faisait peur... elle ne savait plus que penser de lui... »

Mais ces paroles, loin d'apaiser mon tourment, l'alimentaient. Je m'arrêtais obstinément à ces mots redoutables : « Elle n'a pas osé s'enfuir... elle ne savait plus que penser de lui. »

Ainsi, me disais-je, cette force mauvaise, Geneviève y a été sensible ; elle en a subi le prestige au point d'y céder sans combat, et de suivre Clodius jusque dans sa maison. Cependant, moi, je l'attendais ; elle devait bien se le dire, puisqu'elle savait qu'il était tard ; mais l'attraction de cette âme brutale était si prenante sur elle qu'elle n'osait pas bouger devant lui, malgré ses insultes. Et sans doute avait-elle éprouvé quelque sournoise déception que j'eusse brisé le charme, en terrassant inopportunément cet homme dont la puissance et le mépris étaient en train de la dominer.

Je ne repris quelque empire sur moi que vers le soir, quand m'atteignit enfin un appel du dehors, celui, désolé, du courlis qui niche quelque part dans les cailloux, derrière les étables abandonnées. La journée s'achevait dans la même douceur et le ciel, embué d'humidité, ne dispensait plus qu'une faible lumière.

Je descendis. En bas il n'y avait personne. J'errai dans les cours, le long des granges, à travers toute la maison. Geneviève n'y était plus. La nuit commençait à descendre et je me demandais avec angoisse si, elle aussi, n'errait pas à travers les champs.

Quand je revins, il faisait noir et je dus à tâtons chercher les allumettes. La lampe ne donnait qu'une petite flamme jaune, et je voulus monter la mèche ; mais elle fuma.

Vers neuf heures une rainette coassa pendant un moment du côté de la source. Je ne bougeais pas. En moi, le tumulte apaisé, il ne restait qu'un trou.

Françoise ne vint que plus tard. J'entendis son pas sur le gravier de la cour et je crus que c'était Geneviève. Avant d'entrer elle m'appela. Quand je reconnus sa voix je pensai que tout était perdu et je me remis à souffrir.

Tout de même, je lui dis d'entrer.

Elle s'assit de l'autre côté de la table et me parla doucement.

Je ne voulais pas la regarder.

— Geneviève est chez nous, me dit-elle ; elle y dormira cette nuit...

J'aimais cette voix de Françoise, paisible et pénétrante.

— Geneviève doit me haïr, lui répondis-je.

Elle garda un moment le silence, puis me dit :

— Elle a de la peine, Monsieur Pascal.

Elle prononça mon nom avec une telle douceur que j'en éprouvai un plaisir inattendu ; mais je ne levai pas les yeux.

Je lui dis :

— Reste un peu avec moi, Françoise... Tu as été bonne...

Elle ne répondit rien.

Au bout d'un moment, elle se leva pour partir. Nous ne nous étions plus parlé.

Elle sortit silencieusement et je l'entendis qui poussait le portail de la cour que j'avais oublié de fermer.

Je pris la lampe et je montai dans le grenier avec l'intention d'y dormir, peut-être.

La visite inattendue de Françoise m'avait apporté une langueur étrange qui me laissait à mi-chemin entre les hallucinations dont la menace me guettait encore et un monde à demi réel. Je venais d'assister au passage d'une figure de songe, tant il me paraissait peu croyable qu'en pleine nuit, cette fille si prudente fût venue, toute seule, en ma maison, pour m'y entretenir de la peine de Geneviève et prononcer mon nom avec une telle douceur. Dans le monde ébranlé où je flottais encore, même cette douceur me paraissait suspecte, et c'était pour changer de versant et retrouver mes fortes habitudes que j'avais obéi à ce désir de me réfugier, pendant la nuit, dans le lieu le plus sage et le plus solide de la maison.

Les effets que j'en espérais ne me déçurent point ; et je retrouvai peu à peu cette lenteur d'âme et d'esprit qui jusqu'alors m'avait semblé l'aspect le plus certain de ma nature. Car tout passionné que je sois, dans mes moments de native sauvagerie, c'est par des mouvements graves du cœur et de la raison que je vis d'ordinaire.

Le grenier aux plantes était calme comme d'habitude et l'accord entre lui et moi restait encore si profond que je repris insensiblement une position presque familière en face du tumulte qui venait de me bouleverser. Je me détachai de moi-même et je ne tardai pas à pouvoir regarder avec assez de sang-froid, au-delà de mon trouble, la figure si fuyante des événements.

Il me revenait à l'esprit des images précises de ma lutte avec Clodius. Je sentais tout à coup l'odeur de sueur et de peau qui sortait de sa chemise entrouverte, et le choc de sa lourde épaule contre mon épaule. Je voyais ses yeux bilieux, étonnés, sa large main qui se levait sur ma figure, et cette tête qui basculait en arrière, puis heurtait de la nuque, avec un bruit mou, contre le coin de la table...

Et il était vrai qu'il n'avait plus bougé, une fois par terre. De la part d'un homme vigoureux comme lui, et d'une telle haine, cette chute et cette immobilité me parurent inexplicables.

— Même blessé, pensais-je, il aurait essayé de se relever. Il faut qu'il soit tombé assommé sous le coup.

Je répétai plusieurs fois ces paroles et peu à peu j'en atteignis le sens.

Il était terrible. Mais en moi tout demeura sourd. Seule une lucidité singulière éclairait mon acte. Je me dis :

— Si tu as tué Clodius, il faudra en tirer les conséquences.

J'étais assis devant ma table et j'émiettais dans mes doigts une feuille de menthe sauvage dont le parfum me procurait un vif plaisir.

Maintenant je ne m'indignais plus que Geneviève m'eût parlé tout d'abord de Clodius ; je m'avouais qu'elle avait eu raison ; mais je m'en étonnais. Car la révélation de ce sens aigu du réel, dans cette âme où se combattaient les démons et les anges, me décevait. Je me disais : « Il faut l'écouter. Elle parle le langage du bon sens. » Et je lui en voulais de ne plus me pousser à la folie ; car maintenant je regrettais inconsciemment mon délire, parce que Geneviève y était grande et que cela seul importait à ma passion.

Je tenais assez vigoureusement à cette passion pour m'inquiéter, même dans ces conjonctures terribles, du moindre signe qui en marquât l'affaiblissement ; et je craignais que d'avoir découvert une Geneviève si avisée n'atténuât ce feu qui pourtant m'avait inspiré du premier coup les plus dangereuses résolutions.

Car je sentais que se substituait en moi, à cette chaleur dévorante, une sorte de fièvre froide, comme si, transporté avec une égale impétuosité, mon sang fût cependant devenu de glace. Les jugements de ma raison dominaient les récents tumultes de mon âme jusqu'à les effacer.

J'envisageais, en quelque sorte abstraitement, la dure alternative : « Ou Clodius est mort, me disais-je, et il faudra payer cette dette, dès demain ; ou Clodius n'est que blessé, et il faudra alors payer une autre dette, un peu plus tard sans doute, et d'homme à homme ; mais je ne saurais y échapper. »

Ainsi, mort ou vivant, Clodius menaçait mon honneur et ma vie ; et cette menace était devenue si urgente que j'en attendais les effets d'un moment à l'autre. Mais mon âme ne bougeait pas. Pourtant je crois me rappeler que j'avais peur, mais d'une étrange manière : j'avais peur froidement. Non que je fusse paralysé d'effroi par ces deux figures germaines de la justice et de la vengeance, que je savais inévitables, et qui m'étaient également odieuses. Mon cœur et ma raison continuaient à fonctionner avec une parfaite régularité. Cependant j'avais peur.

C'était là, détachée des sombres contingences,

une peur calme, une peur presque impersonnelle; car elle ne m'inspirait nulle panique, mais un sentiment morne et lourd du redoutable lendemain. Pour l'heure il ne s'offrait aucune possibilité de savoir quel avait été le sort de Clodius. Il fallait attendre.

Si Clodius était sauf, il ne tarderait pas à manifester sa malfaisance. Comment? D'un homme tel que lui, il était impossible de le prévoir. Plus que sa mort cette certitude m'inquiétait. Je le savais capable d'inventer une vengeance inattendue, et, pour l'attendre, je ne comptais guère sur ma fragile patience. Du moins, s'il était mort, on serait fixé; et je dois avouer, peut-être à ma honte, que par moments j'envisageais avec moins d'horreur cette éventualité irrémédiable. Car Clodius lui-même, rayé de ce monde, ne me donnait pas de remords. Cette vie humaine, faite cependant de mon sang et animée de quelques-unes de mes passions, qu'elle existât ou non, ne me touchait plus en rien, pas même du fait de nos deux haines. Je ne haïssais plus Clodius; je me contentais d'évaluer les conséquences de mes actes, et, sans y parvenir complètement, j'en savais assez pour comprendre que le lendemain serait dur.

Tout dépendrait du premier signe de vie qui parviendrait de La Jassine, si toutefois elle en donnait un. Dès l'aube, c'était bien vers elle qu'il faudrait regarder; et la moindre fumée dans le feuillage nous annoncerait l'orientation du destin.

La simplicité de cette situation s'imposa tellement à mon esprit qu'il n'en put tirer qu'un conseil de repos et d'attente. Le silence montait en moi comme déjà, depuis la tombée de la nuit, il s'était élevé de la maison.

J'allais vers le lit. J'étais tout seul. Même mes ombres familières n'étaient pas revenues, et j'avais combattu en moi, et contre moi, sans la présence de mes témoins. Cet abandon ne me laissait pas sans amertume. Quand j'eus éteint ma lampe, je demeurai longtemps, les yeux grands ouverts, dans l'ombre. J'avais besoin d'un peu de sommeil avant l'aube, et comme il ne venait pas, je gardais, autant que possible, l'immobilité.

A l'aube, je retrouvai le tableau clair des événements, devant moi, avec ses fonds et les perspectives que j'y avais posées la veille. Rien n'avait bougé de ce monde fatal et je savais déjà ce qui m'attendait au saut du lit. C'est pourquoi je ne fus saisi d'aucune fièvre. Je pris mon temps. Le destin patiente toujours, quelque mauvaise volonté que nous mettions à le joindre. J'établis le programme de ma journée dont je ne voulais pas distraire les soins que je donne quotidiennement à la bonne marche de la ferme. Je fis ma toilette sans hâte.

J'avais le désir de revoir Geneviève et d'avoir avec elle une explication paisible. J'étais dans les dispositions d'esprit les plus conciliantes, au point que j'essayais de lui faire crédit, en ce qui concernait son attitude étrange, lors de notre retour à Théotime. J'éprouvais maintenant le besoin de croire à son innocence et que Clodius l'avait contrainte, par force, à s'arrêter chez lui. Je tendais ainsi à renouer les fils de ma vie quotidienne, comme si je savais déjà qu'il ne s'était rien passé d'irréparable.

Je rencontrai Geneviève dans le chemin creux qui mène aux Alibert. Elle venait vers moi, l'air préoccupé.

Elle me sourit un peu, avec une gêne visible, quand je lui pris amicalement la main. Elle était moins jolie que d'habitude et ses yeux pâles, ses traits tirés, montraient bien qu'elle avait passé une mauvaise nuit.

Elle me demanda pardon d'avoir quitté Théotime mais ne m'annonça pas qu'elle comptât y revenir.

Elle parlait d'une voix blanche, impersonnelle, et rien de ce qu'elle me disait ne touchait mon cœur. Elle s'expliquait avec une sorte de pauvreté d'âme qui me navrait. En passant par sa voix tout devenait banal. Son récit ne me rendait plus qu'une énumération de faits, distincts les uns des autres, et tellement plausibles que je me demandais s'il était vrai qu'il se fût passé quelque chose et si je ne sortais pas d'un cauchemar.

... Elle avait rencontré Clodius tout près de sa maison ; et il lui avait parlé d'abord familièrement, en voisin. Comme déjà il faisait nuit, il lui avait offert de lui prêter une lanterne et, pour cela, il l'avait invitée à entrer chez lui ; elle avait accepté sans méfiance. C'est alors que, seul avec elle, Clodius brusquement avait changé... Elle reconnaissait qu'elle avait eu tort d'enfreindre mes défenses en passant sur ces terres et de suivre cet homme... C'était un peu par honte d'elle-même qu'elle s'était retirée dans sa chambre, sans me parler, après notre retour à Théotime ; car elle appréhendait des reproches trop justes pour qu'elle y pût répondre ; et cependant elle avait follement espéré, toute la nuit, que je viendrais frapper à sa porte pour la contraindre à une explication.

Le lendemain matin, elle m'avait entendu remuer dans ma chambre. Jusqu'au dernier moment elle avait attendu un signe ; quand j'étais sorti, elle avait eu la tentation de m'appeler, mais je m'étais éloigné à si grands pas qu'à me voir on pouvait penser que j'obéissais à des mouvements de colère. Et elle avait quitté le mas, de crainte de me retrouver plus orageux encore. Maintenant, elle m'avait cherché pour m'expliquer les bizarreries de sa conduite. Comme elle m'avait aperçu qui prenais le chemin de l'olivette, elle y était venue à ma rencontre...

Je me taisais.

Elle regardait le sol d'un air indifférent et semblait ne parler, sur ce ton monotone, que pour accomplir un devoir indispensable.

A son tour, elle se tut.

J'avais pitié d'elle. Sans doute en eut-elle un soupçon, car elle ajouta simplement :

— Il faut pardonner un peu à Geneviève, Pascal...

Puis elle partit.

Mon cœur se remit à battre.

Je sentis une vie plus chaude (et immédiatement douloureuse) circuler de nouveau de mon corps à mon âme ; c'est pourquoi sans attendre davantage je me mis en quête des Alibert dispersés dans les champs.

Seul le vieil Alibert apparaissait au loin sur un coteau.

On appelle ce coin « Les Bornes », parce que là il s'en dresse trois grandes, alignées sur la crête, et qu'on les voit de toute la propriété. Abattues, enterrées et tombées dans l'oubli depuis plus de cinquante ans, le vieil Alibert les a remises toutes les trois en place et solidement enfoncées.

Ce travail achevé, il a constitué en arrière des Bornes sur la pente du coteau, une vigne carrée, pour laquelle il n'a ménagé ni son temps ni sa fatigue. Or cette vigne a pris la terre par trois mille racines, vigoureusement, en dix ans de croissance, et maintenant elle ne la lâche plus. Je l'ai baptisée « L'Aliberte ». Elle donne un vin noir, âpre, alcoolisé, qui sert pour le coupage et qui est d'un bon rapport. Mais elle marque aussi, sur les limites d'un voisinage difficile, la volonté de défendre mon bien par une culture puissante et personnelle.

— Ça, c'est nous, dit quelquefois le vieil Alibert, d'une voix contenue.

Et comme par-delà Les Bornes il ne pousse que du chiendent, il ne juge pas nécessaire de rien ajouter à cette sobre affirmation.

Quand je le joignis, il ébourgeonnait. Cependant il m'accueillit bien et nous parlâmes de la beauté de L'Aliberte. C'est une vigne basse, au pied court, ramassé ; et jamais elle n'a trahi notre confiance. « Un plant loyal », affirme le vieil Alibert, qui en connaît le moindre bourillon.

Je pris un sécateur et me mis au travail, à côté de lui ; mais avec prudence, car, de temps à autre, il jetait un bref regard sur moi, pour me surveiller. Dans sa compagnie le temps ne passe pas vite, la main s'applique, l'esprit ne bouge guère et ainsi la pensée subit gravement ses préoccupations.

Tout en travaillant, le nez sur le sol, dans cette vigne-frontière, qui est un défi à Clodius, je me demandais sourdement où j'en étais et ce que j'allais faire. Car La Jassine restait muette et les champs, par-delà les Trois-Bornes, ne me disaient rien de bon. Il était un peu plus de dix heures et pas un signe de vie ne s'y montrait.

De la terre encore humide s'élevait une bonne odeur de cep et de racine. Quelquefois je me mettais à genoux pour mieux tailler et je disparaissais au milieu des jeunes feuillages qui me touchaient les joues. J'aurais voulu n'en plus sortir, m'enraciner, faire corps avec les sarments. Mais dès que je levais la tête je voyais au pied du coteau toute l'étendue de Théotime et, sur l'autre versant, les jachères et les maigres cultures de Clodius que j'avais peut-être tué.

A quelques pas de moi, Alibert ébourgeonnait en silence. Je l'enviais d'être si calme. J'admirais sa lenteur quand il écartait une branche et sa circonspection avant de tailler, au-dessus du courson utile, le bois sacrifié.

Par moments je me reprochais d'être venu là, dans cette vigne. Mais quand je jetais un coup d'œil derrière moi sur les cinquante-deux hectares de mes biens, je constatais qu'au Nord, tout le long des terribles bornes qui les défendent contre Clodius, Alibert avait établi les cultures de force, celles qui font respecter un domaine et pour lesquelles, en cas de litige, on peut aller jusqu'aux pires violences, du moment qu'on est attaché à la grandeur de sa terre.

Je déjeunai tout seul, tristement. A trois heures, j'avais réglé avec les Alibert toutes les questions domestiques du lendemain. Je commençais à supporter difficilement mon inquiétude. Deux fois, j'allais regarder La Jassine. On la voit un peu, en passant derrière les écuries, dans ce champ abandonné où se rouille une vieille herse.

La Jassine, ensevelie sous ses feuillages, restait muette.

D'habitude, je ne l'aurais pas remarqué. Depuis quelques semaines, comme je l'ai dit, Clodius n'apparaissait guère sur les confins de Théotime. Mais les jours même où il demeurait invisible, quelques faibles indices décelaient tout à coup sa présence. Il avait beau se tenir bien coi, on savait qu'il vivait derrière ses arbres et dès lors on n'avait pas grand-peine à l'imaginer rôdant à couvert pour nous épier. Mais ces indices ne parvenaient plus jusqu'à nous et, sans qu'on sût pourquoi, La Jassine paraissait morte. Je dis : morte, à dessein et non point inhabitée. Car la vie, comme d'habitude, ne s'y manifestait par aucune apparence perceptible ;

mais ce silence et cette immobilité avaient pris un singulier caractère. Ils disaient que, si l'habitant sauvage de ces lieux était là, il ne pouvait plus manifester son existence. Qu'il pût atteindre volontairement à une abstention si parfaite, cela paraissait invraisemblable. J'étais ainsi porté à croire que cet effacement dénonçait un malheur.

Vers le soir, je me mis à penser tout à coup que notre algarade datait de quarante heures, déjà; presque deux jours entiers. Si Clodius n'avait point paru, c'est qu'il était blessé ou mort.

Je ne pouvais douter que Geneviève et les Alibert fissent les mêmes réflexions que moi. Sans doute n'en disaient-ils rien parce qu'ils attendaient de ma part une démarche qui éclairât rapidement la situation.

Le plus simple était d'aller à La Jassine et il n'appartenait qu'à moi seul de le faire. Mais j'avais peur. Je ne cherche pas à m'en cacher. Je n'avais pas manqué de hardiesse, en affrontant, chez lui, Clodius, qui est fort et qui me déteste ; mais il s'agissait là d'un courage banal, puisque j'allais à un danger que l'éclat de ma colère, en m'aveuglant, me rendait méprisable. Dès lors, n'agissant point pour défendre mon corps mais pour libérer d'une contrainte odieuse un être, que tout à coup j'aimais à la fureur, les puissances de l'amour et du ressentiment m'avaient porté au-dessus de moi-même.

Maintenant Geneviève ne se trouvait plus à La Jassine. Ce qui m'y attendait, c'était Clodius, vivant ou mort ; et je le craignais de toute façon.

S'il vivait, et qu'il fût à ce point demeuré invisible, on pouvait en conclure qu'il établissait ses vengeances ; car l'invisibilité d'un tel homme dénote toujours des desseins ; et ceux que j'en pouvais attendre, je les redoutais. L'humiliation, la douleur, l'animosité familiale, et cette force innée aux Clodius d'antipathie latente, avaient dû travailler son sang et le porter à ce degré d'ardeur où la raison peut concevoir la ruse et la violence. On triomphe quelquefois de la violence, mais la ruse m'angoissait. Je n'ai pas assez d'invention pour imaginer les embûches et trop peu de prudence pour les déceler à temps. Désarmé devant leur mystère, je reste exposé à tous les coups. On me voit de tous les côtés et je ne vois rien. Alors j'ai peur.

La position de Clodius vivant me semblait ainsi des plus favorables ; car, sans bouger lui-même, il avait, pour me voir venir, l'étendue de ses terres. Moi, j'y devais avancer seul, et me diriger sans défense fatalement vers lui, qui m'attendait. L'idée de cette vigilance indiscernable me troublait le sang, et me rendait lâche. Pourtant j'ai assez d'amour-propre pour surmonter de pareilles faiblesses ; et je me serais, peut-être, contraint moi-même à l'aventure, si, sur le point de me vaincre, une menace plus terrible encore ne m'eût arrêté.

— Car, me disais-je, Clodius est peut-être mort.

Il semblera sans doute singulier que j'aie envisagé alors l'éventualité de ce malheur sans que ma chair se hérissât d'épouvante. Car la seule pensée de me trouver à La Jassine en présence du cadavre de Clodius aurait dû la soulever d'horreur. Mais elle restait insensible. J'attribue cette insensibilité anormale à ce fait, non moins singulier, que je n'évaluais pas moralement ce meurtre. Il me semblait que, si Clodius était mort, le bien ni le mal n'y avaient rien à voir. Il tenait, selon moi, son corps et sa mauvaise âme hors des lieux où nos actes engendrent des responsabilités. C'est là que je l'avais atteint, mais seul le hasard l'y avait frappé. Sur cette étendue amorale il ne pouvait exister de mouvement coupable ; et ma conscience s'y taisait sans effort.

Mais si je ne craignais point ses reproches, j'étais effrayé par les hommes ; car le meurtre, même involontaire, de Clodius allait attirer sur moi leur justice ; et je tremble devant la puissance des lois humaines. Je tiens cette terreur de mon sang Dérivat.

Elle ne me saisit point à l'âme mais au corps. La vue des magistrats, des gardes, des témoins, des inculpés, des défenseurs, et aussi le souci des chaînes, m'enlève tout courage. Je redoute un appareil dressé pour ma propre défense, mais dont la sombre majesté se défie des plus justes, avec raison, et semble toujours, devant vous, attendre son heure.

Cette imminence je l'entrevoyais maintenant suspendue sur ma tête.

Car si je découvrais, à La Jassine, que j'avais tué Clodius, il ne me resterait plus qu'à me livrer aussitôt à la Justice.

Pour le faire, il fallait descendre à Puyloubiers, aviser le maire, appeler les gendarmes de Sancergues, les attendre à la mairie, les voir arriver sous les platanes par la route de Silvadour, et cependant regarder à travers la fenêtre les attroupements qui se forment, au moindre bruit, devant la maison de Crouzilles, le boulanger.

Ces détails, à l'avance, me hantaient l'esprit et m'emplissaient de dégoût.

Cependant j'errais dans les champs. Aux approches de la nuit, me trouvant près du boqueteau de chênes qui couvre la propriété à l'est, j'aperçus une femme au milieu des terres ; mais trop loin pour la reconnaître. Elle se dirigeait des Alibert vers Théotime, et elle disparut sous les buis qui entourent la source.

Je m'imaginai aussitôt que je venais de voir Geneviève, et qu'elle allait à La Jassine : effrayée par mon inaction, elle voulait savoir...

Je pris à travers champs pour lui couper le chemin ; mais en arrivant à la source je n'y trouvai personne. Alors je passai chez Clodius.

La nuit tombait vite ; cependant il restait encore assez de jour pour être vu, et j'y pensais. J'avançais tout droit. En de pareilles conjonctures on avance tout droit uniquement parce qu'on manque de courage : il faut agir vite, en finir.

Quand j'abordai le bois qui enveloppe La Jassine j'y trouvai un peu plus d'obscurité. Cependant, il y flottait encore une lumière verte et triste qui éclairait étrangement le moindre objet.

Jamais je n'avais visité les abords de cette demeure ennemie. Le sol en était bossué, moussu. Çà et là des ferrailles : un soc, une houe, un débris de râteau. Brancards en l'air, sous un hangar à demi écroulé, pourrissaient deux charrettes. A côté, subsistait encore un four de briques dont la porte pendait à l'un de ses gonds. Au-delà, on apercevait les quatre auges désertes de la porcherie. L'air sentait le vieux fer, le bois cironné, l'argile humide et cette navrante odeur de suint mort et de maigre litière qu'exhalent les bergeries depuis longtemps abandonnées. Contre les piliers du hangar on voyait une caisse démolie et un vieux panier. Dans un trou on avait jeté de la chaux.

Les arbres énormes m'écrasaient, et le peu de clarté qui descendait du monde humide et noir de leurs frondaisons séculaires doublait tous les objets, en leur superposant comme un fantôme indéfinissable de leurs formes.

C'est ainsi que j'apercevais La Jassine. Ses volets étaient clos. Pas une lueur, pas un bruit ne s'en échappaient ; et je n'en voyais, semblait-il, ni les murs réels, ni les fenêtres, mais leur double émané du bois et des pierres dont elle est construite ; et cela par moments avec une telle puissance que cette bâtisse muette me paraissait une maison imaginaire. C'était comme si, par l'effet d'un sens surnaturel, j'en eusse atteint la structure morale ; et alors, à travers ses murailles massives, je ne discernais plus que la figure ténébreuse de son âme.

Je m'étais arrêté à quelques mètres de la façade, si vieille, si grise, et que rongent de grandes plaques d'humidité. Je n'avais pas peur : j'étais là ; et il suffisait que j'y fusse. Ma présence insolite en ces lieux hostiles, à défaut de courage, m'avait rendu la lucidité, le calme. Lucidité impersonnelle, calme inhumain. Un coup de feu pouvait rayer à tout moment l'ombre, de sa flamme courte. Mais je m'exposais à la mort avec un détachement sans mérite. Conscient du danger sournois, je n'y prêtais plus le moindre intérêt, pris que j'étais par la révélation de ce monde si triste, où tout laissait suinter, comme un brouillard, la forme de son âme humide, dans cette lumière fantomale.

Quand je pensais à Clodius je ne subissais pas le flux d'animosité noire qui, depuis deux jours, me troublait la raison. La grandeur des lieux qu'il gardait avec une si jalouse passion transfigurait dans mon esprit, sa personne et sa malfaisance. J'en oubliais que j'étais venu à La Jassine pour le retrouver, mort ou vivant et que, pour cela, il fallait, s'il restait encore invisible, pénétrer dans cette maison irréelle, où il gisait, peut-être, sous la table, le crâne brisé.

La nuit était descendue ; je ne distinguais plus la porte, et je dus m'approcher, pour voir si elle était ouverte.

Elle l'était, mais à demi seulement, et je me demandai si, en partant avec Geneviève, je l'avais tirée ou non, derrière moi. Je ne me souvenais de rien ; et cette incertitude me donnait une angoisse sourde ; car j'aurais voulu que la porte me fournît, dès le seuil, la réponse que je cherchais concernant le destin de Clodius. Si je l'avais laissée en partant entrouverte, telle que je la voyais maintenant devant moi, c'est que Clodius était mort. Mais ma mémoire restait muette. Dans l'obscurité, on distinguait la fente de la porte, entre le battant et la muraille. Elle ne semblait pas assez large pour me livrer passage. Il fallait la pousser. Derrière elle s'ouvrait ce corridor profond qui mène dans la salle basse. Il était noir, et toute la maison silencieuse.

Un sentiment de crainte (et de respect, peut-être) m'immobilisait. Je n'avais pas peur, je l'ai dit. Mais je me trouvais tout à coup en présence d'un être qui, pour bâti qu'il fût de mortier, de pierre, de bois, n'en paraissait pas moins revêtir une âme attentive à mes gestes, et dont, contre sa volonté, je n'avais aucun droit de forcer le mystère.

Où était Clodius, pourtant ?

Tandis que je l'imaginais mort sous sa table, ne m'épiait-il pas ? Et s'il était blessé, ne fallait-il pas lui porter secours ?

Je voulus appeler, mais ma voix s'étouffa dans ma gorge.

Peu à peu l'ombre m'avait enveloppé, et son opacité en ces lieux était telle que j'avais l'impression d'être engagé dans la matière même des ténèbres jusqu'à faire corps avec elles. La Jassine très lentement disparaissait. Les tons gris de ses vieilles pierres absorbaient l'ombre pour s'y fondre. Bientôt les fenêtres, la porte, et la lueur de la façade s'enfoncèrent dans cette puissante obscurité. Tout se confondit. L'effacement de ce monde, où cependant je m'attardais, avait emporté tant de choses, et moi-même avec elles, qu'il ne restait pas même un fugitif contour de ses figures indistinctes absorbées par le vide, à l'apparition de la nuit.

Elle semblait avoir glissé autour de moi comme un fluide épais qui épousait toutes mes formes et me moulait si bien dans sa coulée que je n'arrivais plus à me détacher de sa grasse et tenace viscosité. Il me fallut un effort pour me dégager de cette ombre si matérielle et je fis au hasard, les mains en avant, quelques pas d'aveugle. Une grande fraîcheur végétale descendait de la masse compacte des feuillages et, du sol un peu pourrissant, s'exhalait maintenant la fermentation des couches les plus profondes de l'humus. Je fendais lentement la nuit de mon épaule et je dus errer très longtemps sous le couvert du bois avant de respirer un air plus léger qui m'annonça que j'avais atteint une lisière.

Comme le ciel restait bas et couvert, l'étendue des champs, que n'éclairait aucune clarté d'astre, avait l'air d'un abîme.

On n'osait s'y aventurer. Je me sentais perdu et, pour absurde que cela paraisse, j'eus un bref mouvement de désespoir. Puis je me repris et j'entrai dans les terres, comme on se lance dans un gouffre, les yeux clos, les dents serrées. Je ne tardai pas à m'y perdre. Aucun point de repère. Plus un arbre, plus un buisson ne me guidaient. Et ce n'est que très tard que je rencontrai le mas Théotime. Je le reconnus à l'odeur des écuries ; elle m'a été toujours très douce ; quand le soir je retourne du village, et que le mas est encore caché par un pli de terrain, c'est elle qui m'annonce sa présence. Elle ne ressemble à nulle autre, et je m'attendris toujours en la respirant.

Le mas était noir, comme toute la campagne. Mais quand je fus dans l'escalier, j'entendis remuer quelqu'un à l'étage et je vis un rai de lumière sous la porte de Geneviève.

Je l'appelai.

Elle ouvrit aussitôt et me dit qu'elle m'attendait, depuis la tombée de la nuit.

Je m'assis près de la porte. Elle vint près de moi et me prit les mains. Elle avait retrouvé son beau visage, et son bras qui touchait le mien avait des mouvements très doux, que je sentais.

Nous parlâmes longtemps à voix basse. La femme aperçue dans les champs, c'était bien elle. Elle m'avait vu m'engager sur les terres de Clodius et compris ce que j'allais faire. Je lui dis tout. Elle essaya de me consoler.

Comme j'étais las, à l'aube, je m'endormis, un moment, sur son épaule, sans le vouloir.

La journée du mardi fut longue et douloureuse. Je me souviens que Geneviève ne quitta pas la maison.

Le matin, Marthe Alibert vint faire le ménage. Je ne la vis pas ; mais elle dit à Geneviève qu'on n'avait plus rencontré Clodius au village, depuis six jours.

Mon inquiétude ne cessait de croître. Cependant j'allai visiter quelques cultures.

Le vieil Alibert ne m'apprit rien d'intéressant. Mais, en passant près de ses ruches, je constatai qu'il en avait déplacé une pour la mettre très à l'écart, au milieu d'un champ. Je lui en demandai la raison. Il me répondit que les abeilles malades étaient mortes.

Il avait sa figure de tous les jours, grave, méfiante. Je le quittai.

A la maison, je retrouvai la compagnie de Geneviève. Nous parlions peu et brièvement, mais tout à coup, comme prise de pitié, à voix basse, elle me disait une parole tendre.

Dans le courant de l'après-midi, je vis passer près de la source Jean Alibert qui portait la ruche sous son bras. Il la déposa dans la vigne limitrophe de Clodius.

Je m'étonnai de cette démarche, devant Geneviève, qui garda le silence.

Peu après, Marthe Alibert arriva dans la vigne avec Françoise et elles se mirent à parler toutes les deux en regardant la ruche.

Geneviève me dit :

— Quand la nuit sera tombée, Jean la portera dans la terre de Clodius, de l'autre côté du fossé.

Comme je demandais pourquoi, Geneviève, sans me répondre précisément, me confia que cette idée venait de Marthe.

— Mais Alibert, lui dis-je ? Est-ce qu'il sait ?

Geneviève fit un petit geste évasif : avec lui, qui peut savoir ? Il entend, il voit, il se tait. On ignore tout le reste...

Je sortis de la maison et je joignis Marthe et Françoise dans la vigne.

Marthe me dit :

— Oui, on va la passer chez Clodius. S'il lui reste deux liards de vie, cette nuit même il fera sûrement un esclandre. Vous pensez, monsieur Pascal, s'il peut supporter une ruche morte chez lui ! Sur ses cailloux ! Une ruche d'Alibert !...

Dans cette pénombre où je vivais, l'idée de Marthe Alibert m'éclaira d'une sorte d'espérance.

Pourtant je répondis, malgré tout, sur un ton un peu amer :

— Je vois bien. C'est une idée plaisante.

— Les meilleures sont comme ça, répliqua Marthe, sans se fâcher.

Puis elle s'en alla avec sa fille.

Je revins à Théotime.

La nuit tomba. Geneviève semblait préoccupée, mais assez calme.

Nous restâmes longtemps ensemble à nous entretenir de Sancergues, de Bernard Métidieu, son père, et du bon cousin Barthélémy. Puis nous allâmes nous coucher.

Je mis très longtemps à m'endormir.

Vers deux heures du matin, on m'appela.

— Viens voir, Pascal! me criait Geneviève. Sa voix paraissait joyeuse.

Dehors on entendait un pétillement vif. J'ouvris la fenêtre.

En face de moi, à cent mètres de la maison, chez Clodius, il y avait un feu. Les flammes dansaient vivement, puis crépitaient en lançant dans le noir des paquets légers d'étincelles.

La ruche brûlait. Clodius était là.

On ne pouvait pas s'y tromper, car la flamme l'illuminait des pieds à la tête. Et il attisait le feu avec un bâton.

V

Si la résurrection de Clodius nous apporta un soulagement inespéré, et d'autant plus vif, cependant celui-ci ne suffit pas à dissiper tout mon malaise. Je ne pouvais plus effacer de mon âme les affres qui venaient de s'y marquer, ni me croire, par ce retour, délivré des vengeances d'un homme si durement humilié et maintenant, sans raison apparente, insulté sur ses propres terres. Car Théotime l'avait insulté ; du moins devait-il en juger ainsi. En jetant dans son bien une ruche maudite on avait violé, tout d'abord, ce droit-maître du sol à quoi il était si sauvagement attaché ; et, par surcroît, traité son terrain comme un lieu de mépris, voué à la stérilité, et tout juste bon au dépôt des immondices.

Immédiatement il avait réagi contre cette intrusion abominable. Sans doute, en grand secret, nous surveillait-il, depuis sa disparition, et cela en bordure de nos terres.

Désormais on pouvait prévoir des actes de rétorsion, et s'attendre à de grands mouvements de violence, inspirés et légitimés par notre geste impie. Car j'imaginais Clodius brûlé de cette passion redoutable où flambait son orgueil de maître et l'exclusif amour d'une terre qu'il avait chargée de droits quasiment religieux.

L'inviolabilité était le plus éminent de ces droits, et si, du point de vue des lois publiques, il en exerçait belliqueusement la puissance, cette ardeur était soutenue par le sentiment du sacré. Clodius s'accordait ainsi aux conceptions domaniales du vieil Alibert, qui a voué un culte aux bornes rustiques. Mais alors qu'Alibert (tout en les aimant elles-mêmes, dans l'obscur de son cœur) les consacre pratiquement à la défense de ses blés et de ses vignes, Clodius, qui n'obtint jamais que de maigres récoltes, accordait au terrain lui-même une valeur sacrée. L'eût-il en effet tant aimé, et eût-il tellement cherché à en agrandir l'étendue, s'il n'en avait reçu quelque bénéfice plus grand que le prix élevé d'une moisson ou d'une belle vendange? Je ne puis m'expliquer autrement sa conduite, car plus ses terres tombaient en jachère plus il s'y attachait et voulait les étendre. Depuis qu'il n'y imposait que de faibles cultures, il semblait qu'elles eussent trouvé une vie propre et que leurs fermentations, désormais inutiles aux semences, eussent troublé l'air qu'on respirait à La Jassine. A mesure en effet que l'abandon les rendait à leur primitive sauvagerie elles prenaient sur Clodius une influence grandissante, au point que quelquefois il m'était apparu, non plus comme un homme de mon sang, mais comme un démon des terres incultes. A ses yeux, elles n'étaient pas une surface productive, un moyen de rapport, mais une puissance. Cette puissance, il en subissait les effets pernicieux.

La terre, libre du joug agricole, est rarement d'une compagnie rassurante. Il faut, pour soutenir un long tête-à-tête avec elle, une âme singulièrement robuste. Car, à la moindre défaillance, elle nous secourt aussitôt de ses forces, et nous en sommes peu à peu pénétrés jusqu'à n'obéir plus à nos volontés intérieures, mais aux puissances de la Nature.

Or, dans la solitude des champs, des bois et des collines, si quelque aliment pur ne nous soutient, il peut nous arriver d'abandonner, sans le savoir, l'exercice des facultés humaines et de perdre le sentiment et la jouissance des biens intérieurs. Ce sont de vieux biens, depuis longtemps déposés en nous par la patiente communauté des hommes, et qu'ils nous ont légués pour nous permettre justement de passer sur la terre, sans trop de terreur ni de désespoir. Quand nous les perdons, il ne nous reste plus que notre chair à opposer au monde, et nous savons trop le peu qu'elle pèse. Nous perdons vite alors le sens du cœur et ces mesures de raison qui nous gardent un peu de la tentation naturelle ; et, livrés aux forces obscures du sol, nous prenons de la terre même cette brutalité des éléments qui brise tout. Il existe des familles qui transportent de père en fils, dans leur sang puisé, semble-t-il, aux nappes les plus souterraines, une ivresse héréditaire qui court directement des veines de la terre à leur cœur sauvage. Nous sommes de ce sang, Clodius et moi. Mais j'ai tiré, de la part Dérivat et Métidieu, un besoin d'amour et même de simple tendresse qui, tout voilé qu'il soit sous mes sombres humeurs, n'en dégage pas moins assez de charme pour me donner le goût des hommes et me laisser aimer la terre, dans la magnificence de ses formes et la beauté de ses plantes, sans que j'en subisse pourtant les maléfices.

D'autres, comme les Alibert, plus solidement hommes, ont pour vocation naturelle de lutter contre la nature et de soumettre aux besoins de leur existence quelques-unes des forces qu'elle contient, en travaillant longtemps sur de petites étendues. Ils le font avec amour, tant ils ont le goût de leur œuvre ; mais, pour la terre, ils l'aiment avec prudence. La vertu de leur labeur les met à l'abri des envoûtements.

Loin d'y céder, ils ont acquis une sagesse lente et grave qui les distingue des autres hommes. Ils la doivent pourtant à la longue fréquentation de cette créature étrange et terrible, qui est quelquefois une mère.

La plupart des gens de la campagne appartiennent à cette famille patiente et positive. Tant qu'ils restent constitués en groupes familiaux, et en maisons alliées, ils demeurent les maîtres de leurs âmes sérieuses, et gardent leur domination sur les terres qu'ils ont laborieusement soumises. Mais que le groupe se dissolve et que les âmes se dispersent au loin, alors les derniers qui subsistent sur les vieux domaines n'y conservent plus qu'une puissance précaire. Sous la poussée du sol, des eaux, des arbres, rendus à leur antique sauvagerie, il arrive parfois à ces isolés, s'ils s'obstinent, qu'ils tombent de la sagesse héréditaire à une misanthropie grandissante, qui, après les avoir séparés des autres hommes, les livre, comme Clodius, aux mystères des forces impulsives. Et, dès lors ils deviennent redoutables. Car ils vivent continuellement dans un état d'ivresse sourde ou de demi-démence ; et ainsi ils répandent autour d'eux, tant les desseins de leurs passions restent imprévisibles, le pressentiment du malheur.

Désormais ce pressentiment était en nous.

Nous savions tous que Clodius ne laisserait pas sans réponse l'incident de la ruche. Mais de l'avoir revu en chair et en os, nous rendait tout de même un peu plus légers. La pire vengeance eût été de ne plus reparaître, puisqu'une absence sans retour ne pouvait que signifier sa mort. Je pensai donc qu'il valait mieux encourir l'animosité d'un vivant que de porter le poids d'une ombre vindicative.

Personnellement je sortais du plus sombre cauchemar de ma vie, et rien que de me dire avec stupéfaction que toutes mes terreurs avaient été imaginaires m'inspirait un élan de gratitude sans objet qui suffisait pourtant à m'attendrir, et par là à me procurer un bonheur ingénu.

Toutes les réflexions qui me pouvaient naître concernant l'avenir prochain n'effaçaient pas cette douceur subite ; et bien que je fusse le seul à me laisser aller à l'attendrissement, il me paraissait bon d'en jouir tout de suite, sans penser au lendemain.

Les Alibert restaient sur leurs gardes. C'est leur nature. Le vieil Alibert feignait d'ignorer l'usage qu'on avait fait de sa ruche ; mais Françoise pensait qu'il était mécontent. Il avait prononcé, dans le courant de la journée, deux ou trois paroles sur l'imprudence des femmes, sans préciser de quelles femmes ni de quelle imprudence il s'agissait.

D'ailleurs pas un reproche. Le reproche n'est point dans sa manière, qui procède par allusions générales et sous-entendus. Les allusions viennent de sa bouche et les sous-entendus de son silence. C'est un homme qu'il faut traduire. Après avoir transmis ses phrases laconiques, il se tait longtemps. Il reste alors à le comprendre et à tirer de ce silence la pensée qu'il a réservée en lui ; car ce n'est point ce qu'il vient de dire qui compte, mais l'arrière-pensée dont il ne présente qu'une ombre presque insaisissable.

On n'y atteint un peu que par la connaissance des lois si personnelles qui gouvernent ce caractère renfermé. Or ces lois lui interdisaient avec rigueur d'approuver une démarche comme venait d'en accomplir Marthe Alibert, en violation des droits du sol et de la souveraineté des bornes.

Tout le monde le savait. Mais il n'avait parlé de rien.

Il s'était contenté d'appeler son fils et de lui dire :

— Ce matin, on ira couper les mauvaises herbes du ruisseau.

Le ruisseau c'est notre frontière, le long de la vigne.

Comme il est soigneusement désherbé, sur notre bord, Marthe s'était aussitôt étonnée, à haute voix, de ce projet inopportun.

— Il y a les pois à ramer, avait-elle dit. Ça presse davantage.

Le vieil Alibert avait gardé un moment le silence, et puis il avait répondu que Clodius, un de ces jours, pourrait bien se décider à brûler son chiendent.

— Et je ne voudrais pas, avait-il ajouté, que son vent vienne porter le feu à nos broussailles. Chacun chez soi.

Toute la famille avait compris.

Marthe Alibert n'en resta pas moins satisfaite du succès heureux de son entreprise. Car la bonne issue d'une ruse, surtout quand on l'applique à un homme aussi retors que Clodius, flatte naturellement la vanité des femmes, fussent-elles aussi sages que Marthe Alibert. Il y avait d'ailleurs dans son stratagème une imagination vive et plaisante qui décelait la bonhomie cachée de cette femme, par ailleurs si laborieuse et si grave dans ses devoirs. Cette bonhomie avait dû irriter à l'extrême l'humeur de Clodius. Je ne jurerais pas que Marthe Alibert n'en fût pas bien aise, secrètement. Car elle est courageuse, et Clodius, si dangereux fût-il, dans sa demi-démence, ne lui faisait pas peur. Mais comme, malgré tout, elle possède du savoir et cette raison paysanne qui tient compte toujours de l'imprévu, elle prit aussitôt ses positions de méfiance les seules qui d'ailleurs nous restassent à prendre, dans l'attente de cette riposte que Clodius déjà devait préparer contre nous.

— Maintenant le diable est dehors, me dit-elle ;

il ne rentrera pas dans son trou, sans avoir fait son ouvrage... On le sait... Il n'y a plus qu'à prendre la fourche...

Pure image d'ailleurs, car elle savait bien que Clodius ne suivait guère les voies étroites, sauf pour vous mieux tromper, à l'occasion.

Personne ne fut donc surpris qu'il ne remît pas en usage ses habituelles mesures de vexation : le canal à sec, la fumée dans le vent du nord, et toutes les menues trouvailles, désormais inégales aux événements qui venaient de se dérouler et à cette vengeance qu'ils appelaient fatalement.

Clodius disparut de nouveau pendant deux jours, puis on le vit reparaître à l'ouest, qui conduisait trois moutons maigres, en bordure du chemin de Micolombe. De chaque côté de cette sente s'étendent des terrains pierreux coupés de petits taillis épineux qu'on appelle Les Garrettes. C'est là qu'il se montra, un matin, de bonne heure ; et ce fut Françoise qui le découvrit.

Elle dit à sa mère :

— Tiens, Clodius a un troupeau...

J'étais avec elles. Je regardai aussitôt vers Les Garrettes. Clodius, immobile au sommet d'un rocher, s'appuyait sur un long bâton, cependant que, derrière lui, les trois moutons arrêtés à la file profilaient leurs chétives silhouettes. Autant qu'on en pouvait juger à distance, ils n'avaient plus de laine. On les avait tondus au ras de la peau. Pas plus que Clodius ils ne bougeaient. Ils se tenaient, le museau droit, sans brouter, sur cette crête de calcaire. On ne les avait pas vus arriver. Ils s'étaient formés là, tout à coup, par miracle, et depuis ils semblaient inanimés.

Clodius, la tête en avant, contemplait Théotime. Du haut de son observatoire il pouvait en découvrir toute l'étendue calme et les grandes cultures allongées sur les pentes qui descendent de la montagne à Puy-loubiers.

Déjà les céréales commençaient à blondir en vastes nappes sensibles au moindre déplacement d'air, et parfois, sans que nous en eussions senti passer le souffle, elles ondulaient d'un bout à l'autre.

— Ces trois moutons ne me disent rien de bon, grommela Marthe.

A ce moment le vieil Alibert sortit de l'oliveraie avec son fils et vint vers nous. Ils portaient chacun une houe sur l'épaule.

Marthe me dit :

— Il sait peut-être où Clodius s'est procuré ces bêtes.

Elle l'interrogea. Mais il ne savait rien. Elle s'étonna alors que ces moutons fussent si tondus et si maigres.

— De pareils, remarqua-t-elle, on n'en a jamais vu dans le pays. On dirait qu'ils sont nés sans chair ni laine. Pour sûr, ils n'engraisseront pas.

Cette réflexion parut frapper le vieil Alibert qui, relevant vivement la tête, fixa sa femme. Ils échangèrent un bref regard. Marthe se tut.

Françoise dit :

— Il y a un homme sur les terres. Je crois que c'est le facteur.

C'était lui, en effet qui se dirigeait vers Théotime. Je quittai aussitôt les Alibert ; mais avant de partir, je jetai un coup d'œil sur Les Garrettes.

Clodius et son troupeau avaient disparu.

Le facteur, ne m'ayant pas rencontré à Théotime, avait remis la lettre à Geneviève.

Je la trouvai dans la grande salle, occupée à coudre de petites agrafes de cuivre à un rideau. La lettre était posée à côté d'elle sur la table. Elle me dit :

— Ce sont des nouvelles de Sancergues. J'ai vu le timbre.

J'ouvris la lettre. Elle venait du cousin Barthélémy. Il m'annonçait que la maison de Geneviève était en vente. Les gens, à qui elle-même l'avait cédée quelques années auparavant, n'avaient pu s'y faire (comme je l'ai dit). Ils voulaient maintenant s'en débarrasser coûte que coûte ; mais ils ne trouvaient pas d'acquéreur. Barthélémy m'en avisait : on pourrait l'obtenir à un bon prix. Par ailleurs, il n'avait plus de nouvelles de Geneviève. Pourtant il aurait bien voulu savoir comment avait fini sa dernière aventure, à tant d'égards si inquiétante, et pour elle, et pour l'honneur de la maison. Quant à lui, il se demandait parfois s'il n'était pas de notre devoir de tenter tôt ou tard de la joindre. Il pensait qu'avec un peu d'indulgence et beaucoup d'amitié, on pourrait peut-être, un beau jour, réussir à la ramener à Sancergues. « Car elle est une Métidieu, ajoutait-il, notre bonne cousine, et il n'y a plus tant de Métidieu; puis nous avons joué tous les deux avec elle, dans nos jardins. Nous l'aimions beaucoup, à cette époque, si tu t'en souviens. Il y a des moments où je me dis que c'est nous qui l'avons chassée, parce qu'ici elle ne ressemblait à personne, sauf à toi, peut-être, Pascal. Tu étais alors, en sauvage, ce qu'elle était en fille folle, mais bien amoureuse de tout, pourtant, même d'un souffle comme tu me le disais, quand nous parlions d'elle... »

Je repliai la lettre de Barthélémy et je regardai Geneviève. La tête penchée sur son ouvrage, elle cousait avec application. Sa figure très attentive exprimait une grande douceur. Je pensais : « C'est Barthélémy qui a raison... »

Elle tirait lentement son aiguille et le fil, en suivant son doigt léger, crissait imperceptiblement contre la toile. Elle paraissait absorbée dans son travail. Pourtant, elle me demanda :

— Que t'annonce Barthélémy ? J'ai reconnu sa grosse écriture...

Je répondis qu'il s'agissait de peu de chose :

— Des ventes, des achats, comme toujours...

Elle continua à coudre, puis me dit :

— Je ne retournerai jamais à Sancergues... Je n'ai plus que toi, Pascal...

Je me tus. Elle cousait toujours. Tout à coup elle posa son ouvrage, et vint vers moi.

— Pascal, me dit-elle, que t'a écrit de moi Barthélémy ?

Je détournai la tête :

— Ta maison est en vente, Geneviève... je ne voulais pas t'en parler...

Elle ne broncha pas, mais je l'entendis qui murmurait avec une sorte d'effroi :

— Pardon, Pascal... je t'ai fait de la peine...

Elle s'éloigna, se rassit et reprit son ouvrage. Je lui dis :

— Et si je l'achetais, ta maison ?

Elle secoua tristement la tête.

— Non, Pascal, mon cœur n'y est plus, tu le sais...

Je n'osai pas lui demander où il était, son cœur. Mais sans doute me devina-t-elle, car elle ajouta doucement :

— Je suis heureuse...

De l'autre côté de la table, elle travaillait avec soin à coudre son rideau.

Mon émotion était bien forte. Elle me demanda, encore :

— Est-ce que Barthélémy sait que je suis ici ?

Je lui répondis que non. Personne ne le savait, à Sancergues, pas plus qu'ailleurs.

— Il faut me garder pour toi seul, Pascal, murmura-t-elle...

— Ce n'est pas difficile...

A ce moment quelqu'un entra dans la cour et m'appela.

— Tiens, dis-je, Me Perricat, le notaire. Qu'est-ce qu'il vient faire chez nous?

Geneviève se leva et remonta dans sa chambre.

Me Perricat s'annonça familièrement sur le seuil, puis se montra.

C'est un vieil ami de la famille.

Il avait l'air un peu narquois.

— Alors, s'écria-t-il, il paraît qu'on assomme ses cousins? Clodius le raconte à qui veut l'entendre, en montrant une cicatrice toute fraîche...

Je pâlis. Mais il continua d'un ton bonhomme.

— Naturellement, il y a peu de gens qui le croient sur parole et personne ne le plaint. Pourtant, en ce qui me concerne, il est venu dans mon étude, avant-hier, pour me confier son testament. Il m'a déclaré à cette occasion, qu'étant donné les circonstances, il avait jugé opportun, voire prudent, de mettre de l'ordre dans ses affaires. Ensuite il m'a remis une grosse enveloppe jaune, dûment scellée, de haut en bas et de long en large, ce qui la rend parfaitement inviolable... Mais, entre nous, je ne pense pas qu'il vous ait bien avantagé dans ce grimoire...

Me Perricat parlait maintenant d'un ton grave :

— Je ne prends pas votre cousin très au sérieux. On le sait un peu fou à Puyloubiers ; et d'ailleurs il n'est pas mauvais qu'on le sache... J'ai tenu à vous

avertir. Le cas échéant, cela pourrait vous être utile...
Comme vous le pensez bien, il ne s'en tiendra pas
à cette médisance...

J'étais atterré.

Nous changeâmes de conversation. On parla du
blé, de l'orge ; et de ce temps humide et gris qui
s'était étendu, hors de saison, sur la campagne. Car
on était à la mi-juin, et d'habitude, à cette époque,
les journées sont presque toujours belles. Elles se
lèvent parfois dans le brouillard, mais, vers sept
heures du matin, il se dissipe de lui-même, en laissant des milliers de gouttes d'eau suspendues aux
buissons, ou aux épis, qui se mettent à fumer légèrement, dès que le soleil est assez fort pour provoquer
leur évaporation.

J'accompagnai Me Perricat jusqu'à la route.

Nous rencontrâmes Alibert.

— A propos, lui demanda le notaire, est-ce que
vous avez connaissance d'une « carraire » sur le bien?

Une « carraire » c'est un vieux chemin où, au temps
de la transhumance, jadis, on faisait passer les troupeaux. Les « carraires » traversent souvent les propriétés et y constituent des servitudes, mais, depuis
à peu près un siècle, on ne les utilise plus. Les troupeaux suivent d'autres parcours.

— Une « carraire »? répondit le vieil Alibert. Je
crois bien en effet qu'il y en avait une, autrefois. Elle
coupait la terre, entre la vigne haute et les chênes-
truffiers. On en voit encore des traces...

— Vous savez, reprit le notaire, que les bêtes, en
toute saison, y ont droit de passage? C'est un bien
communal.

— Je le sais, grogna Alibert ; et puis après?

— Hé bien! répliqua le notaire, vous ne pourrez
pas empêcher les trois moutons de Clodius d'y passer,
de nuit ou de jour, en traversant vos terres, quand il

lui prendra fantaisie de les conduire de La Jassine à Puyloubiers, ou de Puyloubiers à La Jassine. Le chemin est à tout le monde...

— Dans ce cas, répondit Alibert d'un ton sombre, je le bornerai.

Et il s'éloigna.

Il bruinait doucement sur la campagne et Théotime, près de sa source, émettait dans l'air calme et gris une faible fumée domestique. J'avais envie de revoir Geneviève et de lui dire que je l'aimais ; mais j'étais maintenant si triste que je ne me sentais plus le courage de le faire.

Cependant cette perte de courage ne troubla pas ma lucidité. Loin de m'abandonner à une amertume diffuse, je pris de face ma tristesse. Ainsi elle offre sa figure forte et l'on a toujours avantage à se confronter à cet aspect d'une puissance dont il faut redouter la nature insaisissable. Je vis qu'elle émanait d'un profond dégoût. Car l'animosité de Clodius m'écœurait plus qu'elle n'échauffait ma colère. L'absurdité des forces malfaisantes évoquées par sa haine absurde conspirait à détruire un bonheur innocent, le mien, celui de Geneviève. Arrachée aux ivresses dangereuses, Geneviève acquérait peu à peu, près de moi, la possession de ses tendresses, trésors plus calmes qui dormaient au fond de sa nature ardente ; et elle s'élevait vers des plaisirs plus purs. Ces plaisirs, inspirés par la sérénité et la grandeur de Théotime, à Théotime l'attachaient. Cette antique demeure honnête manifestait ainsi sa bienfaisance sur ce cœur jusqu'alors insatiable, en le ramenant à la paix. Mais que cette paix disparût, et il était à craindre que Geneviève retombât aux ardeurs funestes de son sang.

Or déjà cette paix était brisée. Clodius avait pris Geneviève à partie. L'obliger à partir formait son dessein capital. Il allait s'y acharner. En chassant de moi Geneviève, il pensait me faire souffrir assez profondément pour que la privation de cet être si cher me rendît le séjour de Théotime intolérable, et me fît quitter cette terre où, depuis dix ans, ma présence l'irritait.

Comme la haine inspire, j'étais certain que Clodius se trouverait assez de ruse et d'ingénieuse invention pour nous tourmenter sans relâche. Le peu que venait de m'apprendre le notaire me le garantissait. Je prévoyais qu'il userait de plusieurs armes ; car nous étions plusieurs à frapper à la fois. S'il lui fallait d'abord blesser directement Geneviève, il pouvait aussi la toucher en m'atteignant moi-même et en portant des coups jusqu'aux Alibert. Nous étions en effet assez unis pour que le moindre choc se communiquât aussitôt des uns aux autres et que tout l'édifice moral de Théotime en fût ébranlé.

Or Clodius savait par quoi cet édifice était vulnérable, à savoir notre attachement à la terre et l'honorabilité de notre petit groupe. Cette honorabilité, il pouvait la ternir par la médisance. Certes les Alibert aimaient Geneviève ; mais sur les questions de l'honneur ils étaient durs. S'ils apprenaient quelque chose de ses désordres, ils se retireraient peut-être de cette amitié inquiétante et me tiendraient rigueur d'y avoir engagé leur confiance. Notre union en serait détruite et bientôt Geneviève en butte à une hostilité tacite devrait fuir loin de Théotime. « Tôt ou tard, pensait Clodius, Pascal abandonnera tout pour la rejoindre. »

D'ailleurs, lui-même, Clodius, saurait agiter mon séjour de persécutions quotidiennes. Car désormais, m'ayant accusé le premier de violences, il avait prévenu l'opinion. Certes on ne l'aimait guère ; mais il se trouverait toujours à Puyloubiers dix personnes bien intentionnées pour prendre sa défense, sous prétexte qu'il était seul, en face de ses six voisins. « Et, diraient-elles, à six contre un, la tentation est forte de persécuter l'innocent. Il faut être juste... » Rien ne prouve pourtant que la seule justice inspire de tels raisonnements ; on ne le sait que trop. Mais il est vrai que bien des justes pensent communément de la sorte. Aveuglés par les facilités de leur sensiblerie, ils se trompent de victimes. Il est plus commode en effet de juger sur les apparences que d'obliger tout son esprit à percer au-delà, pour descendre jusqu'au fond des cœurs.

Pour moi, je me suis efforcé d'y voir clair aussi bien dans mon cœur que dans celui de Clodius. Si le Destin a levé sur moi un visage terrible, du moins n'en ai-je pas détourné le regard. Dans les moments les plus cruels, j'ai accompli toutes mes tâches, celles de la terre, d'abord, avec mes gens et, seul, plus durement, celles de la raison. J'ai pu me recueillir. De ces recueillements il reste quelques traces : notes prises au jour le jour et inscrites, toutes brûlantes. Je les ai sous les yeux en écrivant. Pour brèves qu'elles soient, leur puissance est demeurée telle que la phrase la plus banale ébranle et suscite de l'ombre ce monde encore si sensible à la moindre parole d'évocation ; et je revois ainsi les figures les plus terribles et les plus douces de ma vie dans son temps de force et de sombre amour.

Clodius n'attendit pas longtemps pour exécuter le projet dont Me Perricat nous avait entretenus. Le mardi, vers cinq heures du soir, Jean Alibert, qui travaillait à la melonnière, aperçut Clodius suivi des trois moutons au-dessous des chênes-truffiers. Il signala le fait à Françoise, occupée à ramer des pois au fond du potager ; Françoise en avertit son père, dans la vigne, et sa mère, au mas. Celle-ci me communiqua la nouvelle. Dix minutes plus tard nous étions en observation aux Trois-Bornes. Le vieil Alibert n'avait pas voulu se déranger.

Clodius et ses trois moutons étaient visibles sur la pente qui descend de son bien dans le creux où s'enfonce la « carraire » avant d'entrer sur Théotime. Cette pente lui appartient. Il était évident qu'il ne voulait pas passer inaperçu. Il interpellait ses trois pauvres bêtes avec autant de zèle que s'il avait eu un troupeau de cent brebis à gouverner.

Quand il nous vit Marthe, Françoise et moi, réunis aux Trois-Bornes, il commença à descendre la pente, vers la « carraire » tout en gourmandant ses moutons qui broutaient silencieusement. Car ils paraissaient insensibles, et, malgré tant d'objurgations, pas le moindre bêlement ne sortait de leur gorge. C'étaient trois bêtes taciturnes et fantomatiques, à l'échine osseuse, aux pattes maladives ; car elles se déplaçaient en boitillant ; et elles eussent fait pitié si, derrière leurs silhouettes de misère, ne se fût pas dressé ce berger de mauvais augure. Il les poussait lentement vers Théotime. Bientôt les uns et les autres disparurent dans le creux. « Ils sont maintenant sur la " carraire ", dit Marthe Alibert et ils ne vont pas tarder à entrer dans Théotime. »

Un épaulement de terrain nous les cachait.

Entre cet épaulement et le bois de chênes-truffiers, qui couvre, en face, un mamelon, la « carraire » suit le creux. Elle pénètre presque aussitôt sur le territoire de Théotime pour n'en sortir qu'un demi-kilomètre plus loin, à l'est du jardin Genevet. A l'entrée, un petit ravin peu profond, que bordent des rochers, la limite parfaitement pendant une centaine de mètres ; puis le chemin monte sur un plateau qu'il traverse de bout en bout, avant de se perdre, derrière les haies du verger, dans une garrigue déserte.

En suivant la « carraire », Clodius, après le ravin, devait forcément apparaître sur le plateau qui nous appartient.

Il y a soixante ans qu'on le cultive. Le sentier s'y est effacé par endroits sous les blés et les hautes avoines. A peine trouve-t-on çà et là un sol dur que la charrue a respecté par miracle. Un troupeau qui emprunterait ce parcours devrait en juin se frayer un passage au milieu des tiges serrées et déjà lourdes de tous les épis qui vous arrivent quelquefois à la poitrine. Il en résulterait de graves dommages ; et c'est à quoi visait Clodius avec son troupeau famélique. Car il se dirigeait vers ce quartier à céréales où justement, cette année-là, les moissons s'annonçaient belles. Marthe dit à Françoise :

— Je comprends ton père, qui n'a pas voulu venir. Au premier coup de dent, il serait tombé.

Nous attendions. Cependant Clodius ne se pressait guère. Du lieu où nous étions, quelques arbres nous cachaient la vue du plateau, où Clodius n'apparaissait pas.

— Il faut aller voir ce qu'il fait, déclara Marthe.

Avec précaution et au couvert de ces arbres, nous atteignîmes le ravin. En nous penchant, nous aperçûmes Clodius.

Il était arrêté au milieu du chemin. Ses trois moutons serrés contre ses jambes, il se tenait, immobile, devant deux grands poteaux de bois peints à la chaux. Ces poteaux se dressaient de chaque côté de la « carraire » à l'entrée du plateau, devant les blés. Ils étaient aussi hauts qu'un homme. Et plus loin, à travers le champ, de vingt mètres en vingt mètres, jusqu'aux roseaux de Genevet, on en voyait se dresser d'autres, tous également peints à la chaux, qui marquaient le tracé de l'antique chemin de transhumance. Et entre les poteaux, au ras du sol, on avait fauché le blé.

Clodius ne bougeait pas. Il ne criait plus. Ses trois moutons, toujours blottis de peur contre ses mollets, attendaient, tête basse.

A pas de loup quelqu'un derrière nous marcha. C'était Jean Alibert.

Il nous dit à l'oreille :

— Nous avons travaillé toute la nuit.

— Où est Alibert ? demandai-je.

— Il fait ses comptes, me répondit Jean.

— Mon Dieu ! murmura Marthe Alibert, il va falloir souper. La nuit tombe...

Nous partîmes.

Clodius n'avait pas changé de place.

VI

En rentrant je trouvai Geneviève agitée ; et quoiqu'elle eût acquis plus d'empire sur ses sentiments,
son agitation m'était sensible, moins à des signes
expressifs qu'à ce trouble étrange que, par moments,
son âme à l'étroit épandait autour d'elle. J'en recevais aussitôt la communication comme si mon esprit
eût été accordé à percevoir les appels singuliers de
cette créature, qui m'était la plus chère de toutes ;
et mon inquiète humeur répondait à ces mouvements
passionnés par les orages intérieurs que je retenais
en moi-même, où ils me ravageaient.

Elle fut pendant le repas plus taciturne que de
coutume. Nous parlions habituellement peu, mais
avec amitié ; et nos silences étaient plus doux que nos
paroles. Nous avions une façon d'être ensemble, et
tout seuls, qui nous dispensait de conversations
explicites, tellement nous mêlions à notre insu nos
sentiments et même nos pensées. Qui nous eût vus,
en face l'un de l'autre, conserver ce silence, eût risqué
de porter un faux jugement sur notre intimité. Car
nous ne nous taisions que pour mieux nous comprendre, puisque nous savions maintenant que nos souffrances et les erreurs commises, nous les devions
plutôt aux apparences de nos caractères qu'à la
nature profonde de nos âmes.

Geneviève prolongea fort tard la soirée ; et je devinais bien qu'une raison la poussait à le faire ; car son agitation ne se manifestait ni par des mots ni par des gestes, mais par un air de préoccupation, sur quoi je me gardai bien de l'interroger, quoique j'en eusse le plus vif désir. Je savais, en effet, de quelles conséquences pouvaient être les arrière-pensées de Geneviève et combien elle-même jusqu'à ce jour s'était abandonnée souvent à leur puissance. Je préférais ne pas les évoquer moi-même, car peut-être n'attendait-elle qu'une question pour m'adresser une demande, à laquelle je sentais bien qu'il me faudrait répondre par un refus.

Elle se montra cependant d'une particulière douceur et me parla un peu de Sancergues et de nos vieilles familles. C'est là un sujet qui me touche toujours ; car l'évocation des figures aimées en ces jours lointains me charme et m'attendrit au point que le meilleur de ma nature, la part Dérivat, me reprend, malgré tant d'années de solitude, pendant lesquelles je me suis efforcé, sans oublier ces Ombres disparues, à vivre gravement sur des terres plus dures que les vergers, les prés fleuris et les jardins aimables du village où j'ai passé toute mon enfance.

Je me dépouille alors de ma sauvagerie et je tends à la confidence, parce que les visages, les noms, les lieux, les faits, se recomposent si vivement dans ma mémoire que le charme des Métidieu et des Dérivat ressuscités m'incline à l'effusion héréditaire.

Comme la soirée était un peu humide, nous avions allumé un petit feu de bois dans la cheminée de la salle ; et cela nous aidait à parler de notre vie passée, sans aucun effort ; car l'on sait que le feu facilite le jeu de la mémoire et rappelle de loin les souvenirs les plus oubliés. Il est favorable à l'évocation des temps de l'absence et nous étions, Geneviève et moi, les deux êtres de la famille qui sans doute avions dit le plus d'adieux, qui avions vécu le plus loin et pour de si douloureuses séparations. J'ai beaucoup voyagé par amour des plantes, mais aussi par regret, peut-être, et besoin de quelque consolation. Je ne m'en cache pas. Si jamais je n'en avais fait la confidence à personne, et surtout pas à Geneviève, elle en avait pourtant quelque soupçon, puisqu'elle aimait m'interroger sur ces voyages au-delà des mers.

Ce soir-là, elle m'en parla un peu plus que de coutume, et je l'aurais sans doute remarqué, si le plaisir que je prends toujours à m'entretenir avec elle ne m'eût occupé tout l'esprit.

Aussi restâmes-nous fort tard devant la cheminée. Geneviève écoutait en silence.

Soudain elle me demanda si je connaissais Nazareth. Cette question me fut posée si inopinément et d'un tel ton que je devinai que Geneviève l'avait sur les lèvres depuis le début de la soirée ; c'était bien là le premier signe de cette préoccupation que j'avais pénétrée.

Je répondis que je ne connaissais pas Nazareth. Puis je me tus.

Geneviève réfléchissait.

— J'aurais aimé que tu m'en parles. Quand j'étais petite j'avais une grande ambition : je voulais ressembler, un jour, à notre belle cousine Dérivat qui y est morte, chez les Visitandines. Naturellement je n'en ai jamais parlé à personne : les enfants sont très cachottiers. J'avais même construit tout au fond du jardin un petit autel dans une niche. Tu ne l'as jamais vu, Pascal. Il était derrière la charmille...

Je me souvenais de ses petits autels, mais il était vrai que celui-là, je ne l'avais jamais vu. Je le lui dis.

— ... J'y avais mis, poursuivit-elle, un petit dessin très mal fait. J'essayais d'y représenter cette vieille broderie de famille qui était de la main de Madeleine Dérivat, et où, tu t'en souviens, elle avait mis la croix, un cœur, et nos deux colombes... J'étais un peu folle, certainement...

Elle se tut de nouveau, sans doute par amour de son souvenir, puis ajouta :

— Rien ne me plaisait plus que ce vieux dessin à l'aiguille. Il était encore en très bon état, il y a quinze ans.

Sous cette phrase, une question cachée appelait la réponse. Mais comme je gardais le silence, elle me dit :

— J'aimerais le revoir, Pascal...

Je voulus alors lui parler, mais je ne pus. Tout à coup j'avais peur.

Le feu menaçant de s'éteindre, j'allai prendre une bûche et je la plaçai avec soin au milieu du foyer.

Je passai une partie de la nuit à regretter mon attitude et à en chercher les raisons. J'étais irrité contre moi ; et je me demandais pourquoi je n'avais pas aussitôt pris Geneviève par la main pour la conduire devant cette image qui avait été si douce à son enfance. Sans doute (comme je l'ai déjà dit), en lui fermant le grenier aux plantes, j'obéissais au besoin presque maladif de me réserver, contre tous, une retraite inviolable ; et aussi, il faut l'avouer, je me réglais sur un calcul. Pour m'attacher Geneviève, à qui nul jusqu'alors, sauf moi, n'avait su résister (pour son malheur), je pensais qu'il était indispensable de conserver un lieu secret dans le mas Théotime. Chambre close, signe d'un cœur qui, pour ardent qu'il soit, entend demeurer fort. C'était là une précaution, un fait de prudence.

Geneviève ne marqua sa déception ni par des

paroles ni par des actes ; mais son agitation s'accrut et sa tristesse quelquefois apparaissait.

Elle devint pourtant plus soumise, et si douce que j'avais des remords de ne lui offrir que ce cœur réticent. Je souffrais qu'elle en ménageât l'humeur ombrageuse ; et j'allais jusqu'à désirer, tout en le redoutant, quelque geste qui me fût douloureux, pour me punir de mon impuissance à répondre à cette tendre soumission. Mais Geneviève, dont la vie étrange s'animait tout à coup de feux divers, maintenant refusait de s'abandonner aux élans de sa nature passionnée et, de son fond le plus secret, elle levait un visage plus pur.

Il lui arrivait de rester, sauf les repas, des journées entières invisible, et de ne trahir sa présence que par le glissement très doux d'une fenêtre, le craquement presque insensible d'un parquet, le choc amorti d'un objet inconnaissable. Elle finissait ainsi par créer l'illusion d'une présence imaginaire car, par moments, elle n'était plus Geneviève, mais ce bruit pur, à peine perçu, qu'elle aurait fait vraiment si elle eût encore habité le mas Théotime. Rien, plus que de tels bruits indéfinissables, ne détache des corps la matière et la forme, pour n'en laisser que l'âme qui, délivrée de ses contraintes, dès lors hante facilement l'esprit et le désoriente. Car cette âme fictive a le don de passer partout et d'être partout à la fois ; on ne la voit pas, on l'entend ; et quand on ne peut plus l'entendre, on l'imagine près de soi qui vous observe.

Je ne suis pas très imaginatif ; et cependant moins je voyais Geneviève elle-même et plus j'en étais obsédé, tant sa discrétion infinie à ne pas troubler ma retraite rendait efficace cette présence qui se révélait tout à coup par des signes imperceptibles aux quatre points cardinaux de la maison. Elle en était le fantôme domestique.

Comme je veillais tard, parfois, la nuit, je surprenais le glissement d'un pas feutré dans les combles ; et je n'osais monter là-haut pour voir à quoi s'occupait Geneviève, tellement je craignais de la surprendre dans l'un de ces moments où la nuit transfigure les êtres jusqu'à les rendre un peu surnaturels. Je pensais que la Geneviève nocturne, prise à demi par le sommeil et ne vivant que d'une inquiète rêverie, aurait un charme si magique et si doux que mon cœur (et ma chair peut-être) ne résisteraient plus à l'attrait fatal qui émanait naturellement de sa forme et qui conduisait au malheur. La nuit, elle m'effrayait un peu. Je savais qu'il m'était accordé de l'atteindre et de la ressaisir par le point le plus lumineux de son âme diurne. Je sentais que, la nuit, la passion l'embrasait, alors que, le matin, la lumière et la pureté de l'air la rendaient uniquement tendre.

Il m'arrivait parfois de la surprendre, arrêtée dans l'allée de platanes et en grande contemplation. Elle ne m'entendait pas venir. Je m'approchais d'elle sans bruit et je lui demandais doucement :

— Qu'est-ce que tu regardes?

Elle tressaillait puis me prenant le bras, elle s'appuyait un peu contre mon épaule.

— On ne voit plus Saint-Jean, Pascal, me disait-elle.

En effet, dans cette brume, cependant bien légère, l'ermitage, dont on découvrait d'habitude quelques tuiles au milieu des chênes, avait disparu.

La saison m'obligeait à passer plus de temps avec les Alibert dans les cultures ; et Geneviève, confinée à Théotime, ne m'y accompagnait jamais. Elle voyait toujours Françoise ou Marthe mais en leur présence montrait toujours une gêne discrète et comme un singulier remords. Sa figure si expressive laissait voir par moments les reflets d'un combat caché, où il semblait que la passion luttât encore contre la tendresse. Car ses yeux, tout à coup aigus, flambaient dangereusement, et elle secouait sa tête d'un air égaré, comme pour en chasser une obsession.

Cependant ses pas, ses repos, sa parole, ses gestes mêmes, tout dénonçait une langueur désabusée et le besoin d'une plus pénétrante possession d'elle-même. Peut-être avait-elle découvert qu'une femme ne peut jamais atteindre à cette emprise de soi ; et qu'il lui faut, pour se trouver, se pénétrer, se prendre, le détour d'un amour viril. Ainsi elle ne peut s'aimer que dans l'amour qu'elle a porté au cœur de cet être qui l'aime, et ne se voir dans toute sa puissance qu'à la clarté de cette flamme qui brûle pour elle dans une autre vie.

Elle avait l'esprit trop subtil pour n'avoir pas compris qu'en moi brûlait toute l'ardeur de cette flamme ; mais à feu si couvert que nul éclat n'en rayonnait pour illuminer les régions sacrées de sa nature et lui révéler cette part de noblesse que nous portons, plus ou moins cachée, dans nos âmes, et qu'un rayon heureux peut frapper tout à coup et élever dans la lumière.

J'aurais voulu lui apporter cette lumière ; mais elle n'éclaire que moi, et, en moi, malgré mon désir violent qu'on y pénètre, nul n'entre qu'avec de la peine et des mois de ténacité, comme si l'ascendant d'un mauvais astre m'obligeait à me refuser à ceux que j'aime, cependant qu'intérieurement je me donne à eux tout entier, mais en silence.

Un soir que je me promenais avec Geneviève à l'ouest des terres, nous arrivâmes au sentier de Micolombe. Tout en marchant nous échangions quelques paroles concernant la saison, le temps, ou de vieux souvenirs, de telle sorte que nous montâmes jusqu'au pavillon sans nous en apercevoir.

La nuit n'était pas loin ; cependant il restait assez de lumière pour assurer notre retour.

Nous nous assîmes sur deux pierres devant Micolombe, dont je n'avais pas la clef avec moi. J'en manifestai le regret et je fis remarquer à Geneviève combien la porte humide et close était devenue triste depuis qu'on ne venait plus l'ouvrir. C'est une vieille porte qu'on a peinte en vert. Sa couleur, fatiguée par la pluie et le soleil, laisse voir un peu partout les fibres du bois.

Geneviève tourna la tête pour regarder la porte et me dit :

— La dernière fois que je suis venue ici, j'avais laissé quelque chose...

La dernière fois, c'était le soir où Clodius l'avait arrêtée.

— Qu'as-tu laissé ? lui demandai-je.

— Une image pieuse... Je l'avais trouvée...

— Pas ici, je suppose ?

— Non, à Saint-Jean. J'y étais allée, ce jour-là. Je l'ai ramassée derrière le maître-autel. Et c'est elle qui m'a mise en retard...

Je m'en étonnai :

— Que représentait cette image ?

— Tu la verras, Pascal, me répondit-elle. Elle est encore là. Tu la trouveras sur la table, quand tu reviendras à Micolombe. Alors tu comprendras pourquoi j'ai oublié l'heure en la regardant.

Geneviève parlait d'une voix singulière. Ces paroles simples, elle les disait avec une sorte de droiture. J'en fus si surpris que je me tournai pour la voir. Comme elle avait relevé ses cheveux sur la nuque, où les retenait un ruban, on voyait sa joue sensible. C'était bien Geneviève, mais elle ne parlait pas comme d'habitude.

Je lui dis :

— Ta voix a changé, je ne te reconnais plus.

Elle secoua la tête :

— C'est parce que je suis tout à fait calme, Pascal. Et elle sourit.

Je lui demandai :

— Est-ce l'effet de cette image dont tu m'as parlé ?

Elle répondit doucement :

— Peut-être, quoiqu'elle m'ait bien intriguée. Au bas quelqu'un avait écrit : « Il y a un trésor sous cette image. » Naturellement j'ai cherché le trésor, et c'est comme cela que la nuit est venue... Maintenant je suis sûre que tu me pardonnes, Pascal...

Elle me regarda. Elle vit combien je l'aimais et me demanda si j'étais heureux.

— Tant que tu seras là, Geneviève...

Elle détourna la tête.

— Pascal, je ne serai pas toujours là...

Je sentis se serrer mon cœur.

— Viens, lui-dis-je, il n'y a pas de trésor à chercher ici, et la nuit tombe.

Elle se leva docilement. Dès qu'elle fut debout, elle me parut plus grande que moi.

Puis nous quittâmes Micolombe.

Nous ne devions plus y revenir ensemble.

Les événements prirent une telle tournure que Geneviève se confina étroitement à Théotime.

Tous les humbles travaux domestiques qu'elle s'était attribués au premier jour, elle les accomplissait maintenant avec un soin et une minutie qui indiquaient la volontaire application de son esprit aux petites tâches. La maison devint douce et propre. Elle l'était déjà par les soins de Marthe Alibert et de Françoise ; mais la douceur et la propreté qu'y porta Geneviève avaient un charme indéfinissable. Du haut en bas on y sentait la cire fraîche, le savon, le miel et le pain de ménage. Des pièces, depuis très longtemps condamnées, s'ouvraient l'une après l'autre à l'air de la campagne qui en emportait la tristesse ; et les meubles se mettaient à luire doucement, surtout les vieilles armoires pleines de linge que personne n'avait jamais ouvertes depuis la mort de l'oncle Théotime.

Geneviève régnait dans la maison avec sa légèreté coutumière, comme si, pour tirer toutes ces vieilles choses de leur long assoupissement, il fallait bien qu'elle donnât quelque grâce au travail de ses mains.

Mais je n'étais pas dupe de cette activité nouvelle ni de cette fausse sérénité. J'en savais trop maintenant sur Geneviève pour croire aux apparences de son caractère et à l'inconstance de son cœur. Je savais que l'âme y vivait d'une vie seconde, brûlante, et que les coups portés à sa chair secrète y traçaient des blessures ineffaçables. Je recevais à tout moment des signes de détresse qui me parvenaient de ces retraites éloignées et que semblaient pourtant démentir trop de gestes minutieux et tant de soin à bien conduire le ménage. Et c'est pourquoi je n'étais pas heureux de la voir s'attacher de cette façon, cependant si touchante, à l'entretien du vieux mas Théotime, parce que j'y voyais une discipline imposée, et comme le dernier effort d'une volonté déjà défaillante, contre l'élévation de la flamme intérieure et je ne savais quel désir presque surnaturel de liberté.

D'elle, qui m'avait toujours étonné par ses initiatives imprévues, je pouvais redouter, à chaque instant, quelque mouvement illogique ; mais peut-être pourrais-je aussi y parer par la connaissance que j'avais acquise de ces sortes d'impulsions. Et sachant quelle était sur ce point ma défense, je n'en tirais qu'une inquiétude définie, et par conséquent supportable.

Mais je soupçonnais, au-delà de ces dangers habituels, l'apparition encore vague d'une énigmatique menace, comme si Geneviève eût commencé à découvrir, par cette âme nouvelle qu'avait dégagée Théotime, un ordre de passion qui dépassait mon entendement. Je ne parvenais pas à définir la nature de cette passion ; mais je me doutais bien qu'elle s'était formée pendant ces jours où Geneviève, livrée à elle-même, avait couru au milieu des collines. Je ne possédais en cela que de rares indices, à peine quelques allusions éparses, obscures. La seule lumière qui les éclairât, mais si faiblement encore, me venait des paroles que Geneviève m'avait dites, en dernier lieu à Micolombe, et qui se rapportaient à cette journée douloureuse où Clodius l'avait attirée à La Jassine.

Sur la cause de son retard, ce soir-là, elle n'avait fourni qu'une explication évasive. J'eus le tort de ne pas attacher tout d'abord trop d'importance à la mention de cette image qu'elle avait trouvée à Saint-Jean et qui, disait-elle, l'avait occupée jusqu'au point de lui faire oublier l'heure du retour, et la tombée de la nuit.

Je n'y pensai que plusieurs jours après notre passage à Micolombe, où je fis tout seul une rapide visite.

J'y trouvais en effet l'image sur la table ; et je n'arrivai pas à comprendre pourquoi elle avait à ce point enchanté l'imagination de Geneviève. Aujourd'hui je le sais ; mais je n'y ai aucun mérite puisque les événements m'ont instruit de ce mystère.

Je possède toujours l'image. Cependant que j'écris,

elle se dresse devant moi, sur une tablette où je l'ai fixée. De temps à autre je la regarde. On y voit, comme sur les murs de la chapelle, ce cœur, qui rappelle une rose, dans lequel pénètre une croix. L'un et l'autre sont imprimés d'un trait simple, dans un petit carton dentelé sur les bords. Au-dessus de cet étrange symbole, on lit ces mots :

SI TU VEUX RETROUVER LA PAROLE PERDUE
ET LE SÉJOUR DE PAIX
ORIENTE-TOI

Et c'est un peu plus bas que quelqu'un a écrit, à l'encre, d'une plume appliquée :

Il y a un trésor sous cette image.

L'image, je l'ai retournée. Mais le verso est vierge de tout signe, et de toute écriture. C'est sans doute cela qui a dû étonner Geneviève et l'entraîner, dans cette rêverie de si grande conséquence, où la nuit l'a surprise, sans doute parce que son âme était déjà passée du versant de son ombre à un autre versant où elle apercevait un peu de lumière.

VII

La visite à Micolombe eut lieu le 22 juin. Nous
rentrâmes à Théotime sans encombre. Mais le 23,
vers la fin de la matinée, Clodius reparut sur le chemin du pavillon. On le perdit de vue assez vite. Nous
coupions le foin. Ce fut Jean Alibert qui le vit et qui
nous le signala, en disant :

— Voilà le troupeau.

Tout le monde comprit et regarda vers Micolombe.

— A cette heure, où va-t-il ? demanda Françoise.

On n'était pas loin de midi, et ce n'est pas une
heure où partir pour pâturer dans les collines.

— Il a une musette, fit remarquer Marthe. Il va
manger là-haut, probablement.

Le vieil Alibert arriva avec sa ridelle, et nous commençâmes à enlever le foin à grands coups de fourches.

Je n'étais pas content de savoir Clodius dans ces
quartiers. J'ai là-haut, à contre-pente d'un ravin,
un bois de chênes. On ne le voit pas de Théotime,
parce que la crête le cache ; et on n'y monte guère.
Il est très vieux. Je n'ai jamais voulu qu'on y touche.
Il reste ainsi une cinquantaine de chênes centenaires,
avec un œil d'eau, et un abreuvoir pour les moutons.
La bergerie est à deux cents mètres plus haut, toujours dans le creux ; mais on n'y met les bêtes que

l'hiver, quand elles descendent des Alpes. Le berger y couche, et ne s'y trouve pas mal. En juin naturellement, personne n'y habite. Les étables sont closes, et, sauf moi, qui y passe de temps à autre, en herborisant, personne ne visite ce ravin, qu'on appelle « La Font-de-l'Homme ».

Sur l'autre pente, poussent des fourrés impénétrables de buis, de myrtes, de lentisques et de genévriers. Cela est noir, barbelé d'épines, odorant et d'une essence sèche, très favorable à la propagation de l'incendie.

La journée s'écoula sans incidents et je me rassurai un peu en constatant que l'air restait encore très humide après deux semaines de temps gris.

Cependant à la tombée du jour je fus repris par mon inquiétude et j'avais une envie si violente de monter à La Font-de-l'Homme que Geneviève remarqua ma préoccupation. Elle m'interrogea et je lui dis la vérité.

— Et Alibert qu'en pense-t-il?

J'avouai que je n'avais pas osé parler à Alibert. Elle réfléchit un moment, m'entretint d'un détail domestique, puis sortit. Elle reparut au bout d'un quart d'heure. Je lui demandai :

— D'où viens-tu?

Elle me dit :

— J'ai vu Alibert et je lui ai fait part de tes craintes. Il ne pense pas que ce soit pour cette nuit. Jean est là-haut depuis une heure. Il y couchera.

Tout en parlant elle me regardait avec une émotion extraordinaire.

— Ils te connaissent bien, Pascal. Je crois qu'ils t'aiment.

Gêné par la pénétration de ce regard, je détournai la tête; je répondis que, moi aussi, je les aimais. Mais je dus parler gauchement, car Geneviève soupira.

Elle se tenait devant la cheminée, debout. Je m'approchai d'elle et je pris doucement ses deux mains dans les miennes.

— Mon bon Pascal, murmura-t-elle...

Jamais je n'avais éprouvé un pareil désir de l'étreindre. Elle m'écarta tendrement. Pourtant je n'avais pas bougé, pas dit un mot, pas levé un regard sur elle. Mais peut-être avais-je les mains brûlantes...

Elle me dit :

— Moi, je ne connais pas ton cœur, mon pauvre Pascal, et cependant...

Elle s'arrêta ; j'attendais, tout à coup plus sombre, qu'elle achevât sa phrase. Mais elle la tourna vers une autre pensée :

— Presque autant qu'Alibert, dit-elle, il y a Françoise qui t'aime...

Je lui répondis que je le savais.

Mes craintes étaient injustifiées, car il ne se passa rien à La Font-de-l'Homme. Clodius ne s'y montra pas ; et Jean Alibert supposa, pour avoir entendu remuer les buissons, qu'il avait erré quelque temps un peu plus haut, sur les pentes. Mais à neuf heures tout s'était tu. Profitant d'un peu de lune, Clodius avait dû redescendre avec ses bêtes à La Jassine, où il s'était tenu tranquille toute la nuit.

Le temps commença à changer le 24, qui est le jour de la Saint-Jean. La grisaille se dissipa après une pluie fine qui était tombée le matin. Elle attira sur le pays un coup de vent. Ce vent, d'abord capricieux, emporta cependant quelques bancs de nuages du côté de l'ouest, et, vers le soir, il soufflait déjà assez fort pour faire gémir les grands platanes de Théotime et dégager, à l'orient, une bande de ciel où deux ou trois étoiles commencèrent à s'élever. Depuis vingt jours on n'en avait pas aperçu une seule. Mais celles-ci étincelaient merveilleusement.

Pendant que je les regardais du bas de L'Aliberte, Clodius avec ses moutons passa au-delà des Trois-Bornes. Il portait un manteau et il marchait, courbé, contre le vent. Il se dirigeait vers le village, mais en prenant le large par la Garrigue, loin de la « carraire » abominée et de sa file de poteaux blancs. Il disparut.

Le vent changea. Il était d'humeur incertaine. Aussi les troupes de nuages tournaient-elles en s'effilochant sur le pays, où elles lançaient de brusques averses. Les moissons en furent gênées. Il n'y eut pas de feux de Saint-Jean.

Nous allions travailler entre deux grains. L'herbe qu'on enlevait étant mouillée, on l'étendait avec nos fourches sur le grand plancher du fenil où elle fumait. Sa fermentation portait à la tête et quelquefois, en remuant les bottes de luzerne, on titubait un peu. Ce travail et les sautes vives du temps contribuèrent à lasser mes nerfs ; car ma nervosité fut anormale au cours de ces semaines où nous passions continuellement du serein à l'orage et du vent à la pluie. Tout le monde en souffrit, même Alibert, qui, pour la première fois de sa vie, manifesta quelque mauvaise humeur contre le temps.

— Il nous a menti, disait-il à Marthe. C'est une saison sans franchise.

Quant à Geneviève, elle semblait vivre corps et âme avec les éléments.

Par ailleurs on aurait dit que Clodius avait renoncé à ses vengeances. Il se bornait à profiler sa silhouette pastorale aux quatre points de l'horizon, où il apparaissait toujours de la façon la plus inattendue. Quand on le croyait dans le nord il pointait vers le sud, et bien souvent il surgissait à travers une ondée ou au milieu d'une rafale. Ses moutons ne le quittaient plus. Quoique toutes les heures du jour lui fussent bonnes à nomadiser dans les guérets ou les hautes jachères, il montrait une préférence pour les courses entre chien et loup. Alors ses bêtes n'étaient plus que des ombres. Elles n'avaient pas le temps de paître tant Clodius se déplaçait vite ; et l'on voyait ces trois maigres fantômes qui se hâtaient craintivement sur ses talons. Lui marchait à grands pas, puis tout à coup il s'arrêtait ; le vent soulevait son manteau et c'était un spectacle étrange que ce mauvais berger, debout sous un grand arbre ou à la pointe d'une roche, avec ses trois bêtes hantées qui levaient leurs museaux vers lui. Après un bref coup d'œil sur la campagne, il repartait, toujours suivi des trois pauvres âmes ; et aussitôt tout le monde devenait inquiet à Théotime, même le vieil Alibert, quoiqu'il n'en parût rien sur son visage. Car l'on pensait : « C'est peut-être pour aujourd'hui... Il a dû inventer quelque diablerie... Il marche trop vite pour être honnête... »

Mais il n'arrivait rien, du moins de ce qu'on redoutait.

Cependant ces apparitions finissaient par modifier le caractère habituel des horizons qui limitent notre territoire et qui donnent à notre vie, par leur noble et paisible ordonnance, cette simplicité où se règlent non seulement nos paroles, nos sentiments, notre pensée, mais même le calme de notre respiration.

Ce territoire est beau aussi bien à l'âme qu'aux yeux par la douceur de ses pentes et la modération de ses étendues, prises dans de grandes couleurs où pénètre la pluie et que traversent d'un bout à l'autre de lents mouvements de la terre. Ces mouvements imposent au pays une beauté morale ; car ils portent l'esprit qui les contemple, depuis les glèbes agricoles jusqu'aux plateaux incultes, à l'intelligence du monde et à l'amour de la création.

Maintenant on ne pouvait plus poser son regard sur cette bienfaisante nature, pour son plaisir ou l'élévation de son âme, sans que cette contemplation ne fût troublée par l'image obsédante de Clodius. Partout où il dressait sa figure menaçante, la paix du paysage était rompue. Il détruisait la simplicité de la terre. La douceur en devenait insidieuse, la modération réticente et toutes les couleurs s'assombrissaient. Il se dégageait des miasmes qui dérangeaient les habitudes de l'esprit et la connaissance apaisante qu'il avait prise de ce pays calme. Les grandes poussées de la pierre qui emportent les champs, les bois, les mamelons, les sources, de la plaine aux vallons et des vallons aux vastes plateaux solitaires qui couronnent les crêtes, ne développaient plus ces purs ravissements des regards et de l'âme, où quelquefois tout Théotime s'oubliait. Dès que les formes de ces demi-spectres débouchaient d'un chemin ou s'engouffraient dans une combe, elles laissaient derrière leur passage le malaise d'une inquiétude indéfinissable.

Mais il n'arrivait jamais rien ; les jours passaient ; plus ils passaient et plus on s'attendait à ce qu'il arrivât des événements extraordinaires. Cette appréhension sans objet, incapable de se fixer sur une menace précise, déroutait le jugement.

Par bonheur, le 3 juillet, on vit monter une colonne de fumée dans les collines, au-dessus de Saint-Jean. Le fils Alibert y courut. Il n'y trouva pas Clodius, mais un foyer encore chaud où charbonnaient quelques touffes de pin d'Alep. Tandis qu'il examinait ce foyer, une autre fumée s'éleva à un kilomètre plus au nord. Il y alla. Point de Clodius, mais un feu. Il l'étouffa puis il redescendit à Théotime. A cinq heures, sur un front d'une lieue, dans les collines, on pouvait compter six fumées. Les feux, pendant la nuit, s'éteignirent, l'un après l'autre, sans se propager. Nous ne pouvions y croire. Nous cherchions en vain quelques dégâts, et, n'ayant rien trouvé, notre inquiétude en devint tout à coup plus lourde.

— C'est à n'y rien comprendre, grognait Marthe, déçue.

— Il n'y a sans doute rien à comprendre, répondait le vieil Alibert avec sagesse.

Mais cette sagesse nous paraissait insuffisante, car, sans nous l'avouer, nous souhaitions un méfait réel pour fixer notre incertitude.

Cependant Clodius, comme s'il eût flairé ce désir déraisonnable, se gardait bien de le satisfaire, en causant le moindre dégât à nos récoltes. Il semblait qu'il se méfiât de Théotime. Se tenant à l'écart de nos cultures, il ne patrouillait plus que dans la zone libre et sauvage des collines. Là les halliers, les bois, les ravins, les grottes cachées, lui offraient un champ vaste et sûr où porter sa pernicieuse agitation ; et, tout en restant invisible il y pouvait manifester sa présence importune. Il en connaissait les sentiers les plus oubliés et les plus profondes retraites. Il savait qu'en cette saison, où les moissons commencent, personne n'y monte jamais des Basses-Terres où les aires occupent toutes les familles. Moi-même, qui hante ces lieux dans mes jours de loisir, je n'y vais plus herboriser. Clodius restait donc le seul habitant de ces solitudes ; et tout le jour il y traînait son tourment de mauvais fils de la terre.

Car il avait abandonné sa maigre moisson. Jamais il n'avait méprisé à ce point ses devoirs agricoles. Pris d'une sorte de délire, même la nuit, il errait hors de sa demeure. Tantôt un filet de fumée, tantôt un bruit de hache sur un arbre, tantôt un appel dur à son troupeau nous arrivaient d'un bois lointain ou d'une combe ; et quelquefois il tirait un coup de feu à la tombée de la nuit.

— Il chasse le renard, faisait tranquillement remarquer le vieil Alibert à sa femme, qui sursautait. Ce sera un de moins pour le poulailler.

Marthe ne goûtait point ce genre de propos ; et tout le monde savait bien que le vieil Alibert était inquiet. Quelquefois, il le laissait discrètement entendre :

— Moins on bougera, disait-il, plus on aura de chances. S'il bouge, lui, c'est qu'il voudrait nous voir bouger.

Et il ajoutait avec une sorte d'estime :

— C'est naturel. Il ne manque pas de connaissance.

Nous nous efforcions, nous aussi, de n'en pas manquer. L'exemple du vieil Alibert nous maintenait dans la sagesse, et le travail de la maison nous prenait par bonheur assez de temps pour nous empêcher de rêver. Mais dès que nous levions les yeux de notre tâche nous avions devant nous les collines hantées ; et la pensée de Clodius, comme un nuage sur les crêtes, menaçait la paix du travail et nous enlevait ce bonheur que donnent toujours les moissons, malgré le soleil, la fatigue et la réverbération suffocante des aires. Jamais on ne faucha le blé à Théotime avec aussi peu de plaisir mais jamais cependant avec un plus rude courage. Les pensées étaient concentrées, les mains vigoureuses, les bras durs, les reins infatigables et, rien qu'à voir tomber la faux qui entrait en crissant dans le chaume, on sentait notre volonté sur la terre.

En compagnie des Alibert, au milieu des blés, le front bas, j'ahanais avec persévérance et à pleins poumons j'aspirais dans les colonnes de chaleur montante le souffle de la glèbe saine et la force du sol. Le blé était beau, odorant de phosphore et il crépitait. Les pointes piquaient ma poitrine nue, et quand la lame de la faux tranchait la paille, quelquefois un paquet de grains trop mûrs tombait de l'épi.

Ce travail m'apaisait. Il n'y avait point d'ombre et, pour ne pas voir les collines, j'avançais, tête basse, à droite du vieil Alibert qui de ses bras noueux balançait lentement sa grande faux et creusait devant lui un large chemin.

Les femmes se hâtaient derrière nous à lier les javelles. Et Geneviève, les bras nus, un foulard sur la tête, liait aussi à côté de Françoise. Parfois je me tournais vers elles et alors elles me souriaient toutes les deux. Toutes les deux hautes et belles ; l'une mince, fauve, et liant avec nervosité sa gerbe chaude ; l'autre grave, le front puissant, qui tendait ses bras bruns avec patience vers la terre. Elles avançaient de front dans les blés, tantôt droites, tantôt courbées sur le sillon. A leurs corsages elles avaient piqué une poignée d'épis, et leurs jeunes poitrines haletaient. La chaleur colorait leurs figures sérieuses et, quand une bouffée d'air chaud montait trop vivement à leurs visages, d'un commun accord, elles se relevaient. Debout et immobiles, pendant un bref moment, elles dominaient les céréales. Et alors rien n'était aussi beau que ces deux filles.

L'endurance de Geneviève m'étonnait ; elle tenait tête à Françoise. Sa peau halée exhalait après le travail une odeur de jeune sang et de paille brûlante.

Quand nous étions là tous ensemble, elle, les Alibert et moi, un esprit de communauté groupait nos âmes et nous opposions ce faisceau aux maléfices. Mais dès que nous nous dispersions, notre tâche finie, nos corps aspiraient au repos ; cependant malgré ce besoin nos nuits s'enfonçaient dans l'agitation d'un mauvais sommeil.

En dépit du viel Alibert, à la métairie, les deux femmes et Jean, plus tranquilles pourtant que Geneviève et moi, ne réussissaient pas à cacher leurs craintes, depuis que les gerbiers commençaient à grandir autour des aires. Car nous battons sur deux aires, L'Aliberte et La Théotime. Elles sont éloignées l'une de l'autre et par conséquent difficiles à surveiller ensemble. L'Aliberte est mieux protégée par la métairie que La Théotime, tout près des limites de Clodius. De cette dernière la surveillance m'incombe ; et le souci du blé est toujours chez moi assez vif pour me préoccuper tant que le grain n'est pas en grange et que la paille n'a pas fait sa meule. A ce souci qui est de règle, s'il s'ajoute une appréhension aussi obsédante que la menace vague et cependant terrible d'un homme comme Clodius, les nuits sont forcément coupées d'éveils ; et l'on sursaute au moindre bruit qui vient du dehors. Or les bruits ne manquent pas à la campagne. Et Théotime est entouré de tant de communs, d'arbres, d'eaux et de bêtes furtives que, la nuit, tout s'y anime peu à peu d'une vie inexplicable. Car on ne sait d'où monte tel gémissement, et qui vient de passer près des étables, quelle bouche chuchote sous les combles, sur quel point craque tout à coup le bois de la vieille charpente, et comment il se fait que les tuiles bougent imperceptiblement, sans qu'on ait entendu souffler la moindre brise dans les arbres.

Si je suis sensible à ces bruits, combien plus devait l'être Geneviève, que sa nature et une aptitude singulière à l'émotion rendaient vulnérable aux atteintes les plus légères. Sa sensibilité devenait par moments si subtile qu'elle lui rendait perceptibles des variations du silence insaisissables à mes sens cependant affinés par dix années de solitude. J'ai écouté bien des silences et intercepté bien souvent leurs infimes altérations, sous une apparente immobilité ; mais jamais je n'ai, de ma vie, reçu des communications aussi mystérieuses qu'en accueillait parfois

Geneviève attentive aux moindres signes intérieurs.

Elle semblait tout percevoir du dedans ; et le monde qui l'entourait vivait deux fois : hors d'elle, par ses apparences, comme pour nous tous, et, en elle, réellement, comme pour personne d'autre sur la terre. Ainsi sa compagnie tournait fatalement mon attention vers de menus détails de l'existence quotidienne qui, à mes yeux, prenaient inopinément une importance significative. Car tout avait un sens, mais il restait indéchiffrable. J'étais peu à peu entouré d'une multitude de figures ; l'objet le plus banal se détachait de son néant pour solliciter ma pensée, et tant d'êtres sortaient de l'ombre au passage de Geneviève que tout Théotime s'animait d'une sourde vie morale. La tension de nos sentiments atteignit alors à son paroxysme et, sans que jamais un geste ou un mot de violence en manifestât l'exaspération, nous savions, l'un et l'autre, qu'un choc pouvait nous porter à la démesure.

Ce choc nous l'attendions. Il tardait ; mais nous y croyions quand même. Nous en trouvions partout les présages, et le plus petit incident nous l'annonçait. Nous y rattachions tout : les rumeurs nocturnes, le vent, la fréquence nuisible des ondées, l'excès de la chaleur, et ce je ne sais quoi de sournois et de lancinant qui nous enlevait la possession de nous-mêmes. Ainsi nous menions une double vie : le jour aux champs à la rude tâche ; et la nuit, dans le mas, en proie à l'insomnie, dans l'attente des sortilèges.

Le 7 juillet il plut pendant la nuit.

Geneviève m'appela vers onze heures, en me disant qu'on marchait dans la cour. Je lui répondis que j'y allais.

— Ce sera Jean, qui est inquiet à cause des javelles.

Je sortis. Il faisait très noir. La pluie avait cessé depuis un moment. Je ne vis personne. En rentrant je trouvai Geneviève dans une extrême agitation. Je la rassurai de mon mieux et, comme j'étais brisé de fatigue, je montai me recoucher.

Mais une heure plus tard Geneviève m'appela encore.

— On a frappé en bas, à la porte. N'y va pas !

Tout de même je ne pouvais pas croire que Clodius osât frapper à la porte de Théotime.

Je m'apprêtais à descendre, quand Geneviève murmura :

— Tiens, écoute...

En effet on marchait dans la cour. Un pas d'homme. Il buta contre une caisse.

Je m'élançai dans l'escalier, mais Geneviève me retint avec une telle vigueur que je dus me retourner, pour me dégager d'elle sans violence. Alors elle m'enveloppa le corps et m'étreignit. Je lui dis :

— C'est Clodius ; il faut que j'y aille ; laisse-moi !

Mais elle murmurait passionnément :

— Pascal, par pitié, si tu m'aimes...

Ses cheveux brûlants couvraient mon visage, et, sans trop m'en apercevoir, moi aussi je l'étreignais. Elle faiblit, sa joue glissa contre ma joue et je sentis contre ma bouche sa respiration chaude, haletante.

Dehors la barrière de la cour grinça. Le chien des Alibert au loin, aboya puis se tut.

Geneviève se sépara avec douceur de mon étreinte. Elle me dit :

— Pardonne-moi. Je deviens un peu folle, ces jours-ci...

Je m'écartai, nerveux, mécontent. Elle tremblait. D'elle, si forte, cette faiblesse me bouleversa.

— Ah! Pascal, me dit-elle, j'ai peur de te perdre...
Tu es si sauvage!...

Je crus d'abord qu'elle craignait la violence de
Clodius. Sans doute comprit-elle ma pensée, car
elle prononça un : « non » très doux.

— Il faut que je te garde, Pascal, soupira-t-elle...
et il y a des moments où je sens que je vais détruire
notre bonheur. Je perds la tête... Mais tu te défends
bien...

Le ton amer de ces dernières paroles me troubla.
Elle le vit. Alors elle ajouta avec une résignation
inattendue :

— Tu es plus sage que moi, voilà tout...

Nous veillâmes jusqu'au matin, l'un près de
l'autre, dans la salle. Comme nous tombions de
fatigue, nous ne parlions pas. Mais parfois je lui
prenais les mains et alors elle souriait un peu, sans me
regarder.

Le lendemain, qui était le 8 juillet, elle ne vint pas
aux champs. L'effort inaccoutumé des précédentes
journées de travail et l'insomnie, brusquement, lui
causèrent une grande fatigue. Je partis donc sans elle.

Après cette nuit sans repos, j'avais moi-même la
tête vide, les bras mous. Néanmoins j'accomplis à peu
près ma tâche habituelle.

Nous commençâmes, de bonne heure, par le
carreau d'engrains qui est au sud de L'Aliberte. C'est
un blé très rustique ; et je l'aime bien. Plus un blé
est vêtu, rude, coloré, plus il me semble un vrai blé
de la terre. Pure question de sentiment, sans doute.

Je ne tardai pas à m'apercevoir que Jean Alibert,
qui fauchait non loin de moi, était peu parlant, ce
matin. Je sais que d'ordinaire il ne se montre pas très

communicatif, encore qu'il cache un cœur bon et dévoué sous une timidité maladroite. C'est un Alibert, comme les autres. Toutefois un vague pressentiment m'avertit qu'il ne se taisait pas comme d'habitude. Il se taisait, me semblait-il, non pas à cause qu'il n'avait rien à dire. Au contraire : il savait quelque chose et son silence lui pesait. J'essayai d'engager la conversation avec lui ; mais je n'en tirai pas beaucoup. Les mots lui venaient difficilement, et il laissait tomber sa faux avec violence, quand il me répondait.

Au bout d'un moment je le quittai et j'allai trouver le vieil Alibert. Mais il resta impénétrable, comme toujours. Il loua modérément la récolte et regretta, avec encore plus de discrétion, qu'elle eût souffert des intempéries. Après quoi, il retourna à son travail et moi au mien.

Vers onze heures, je vis Marthe à la métairie, où elle était allée préparer rapidement le repas.

Elle se montra assez loquace, pas du tout gênée ; mais employa deux fois à mon adresse, une bizarre formule de respect que je n'avais jamais entendue dans sa bouche.

Les Alibert ne manifestent guère de courtoisie verbale. Rien qui vous flatte dans leurs paroles ; pas un mot de complaisance. Mais comme ils sont de cœur honnête et de voix juste, on a toujours, quand on les écoute, le sentiment d'une discrète politesse ; et on les croit. Pour moi, les manifestations de respect me glacent le sang ; je m'imagine alors qu'on m'écarte par méfiance, et je me trouve tout à coup peiné d'être mis à part.

Je le fus et Marthe le vit bien, car elle me dit :

— J'irais au mas avant midi. La viande est presque cuite. Ne vous inquiétez pas.

Mais elle ne prononça pas le nom de Geneviève, ce qui me donna à penser.

Je ne pus atteindre Françoise comme je l'aurais voulu. Il y avait dans l'air, de toute évidence, un nuage. Françoise s'ouvre volontiers à moi et cette confiance me plaît beaucoup. Mais elle ne se livre un peu que si les circonstances l'y obligent, et toujours quand je la vois seule ; ce qui est du reste facile car il règne entre nous une familiarité affectueuse, et nous vivons sans arrière-pensées, à la métairie aussi bien qu'au mas.

Elle travaillait près de son père. J'attendis qu'une occasion me permît de lui parler. Mais jusqu'à midi elle s'attacha au vieil Alibert qui fauchait d'un air un peu sombre sans rien dire. A midi ils partirent ensemble pour aller déjeuner à la métairie.

Je restai seul. Pas une seule fois je n'avais rencontré les yeux de Françoise, et nous n'avions échangé que quelques mots sans importance.

Je les regardai s'éloigner tous les deux, côte à côte, et la fille était presque aussi grande que le père.

Tout à coup, à cinquante mètres de là, Françoise se retourna et me regarda en hochant légèrement la tête.

Je pris ce mouvement pour un signe d'intelligence et je m'éloignai, toujours inquiet, mais avec un petit espoir.

Je ne parvins pas à cacher mon malaise à Geneviève qui me posa quelques questions auxquelles je répondis mal ; elle ne parut pas s'en apercevoir.

Après le déjeuner je sortis du mas. On avait déjà entassé pas mal de gerbes le long de Théotime. Comme je me trouvais empli d'un grand sommeil, à cause de cette nuit blanche j'allai m'y allonger, bien à l'abri, pour dormir un peu, avant de reprendre mon travail. Il faisait chaud, la paille sentait bon et elle était souple, épaisse. Je m'y installai en évitant d'abîmer les épis et je ne tardai pas à m'assoupir.

Sur moi vint un sommeil imperceptible, tellement que tout en dormant je ne croyais pas dormir. Je jouissais d'un immense bruissement de soleil et de paille douce et j'étais transporté par une légère puissance d'ivresse dans le grand mouvement de la méridienne qui passait au-dessus du sol flamboyant de chaleur. Ainsi en moi tout s'allégeait et je n'étais moi-même qu'une petite paille de lumière.

Une ombre alourdit mes yeux clos, s'arrêta et resta longtemps immobile. Puis quelqu'un fit crisser la paille à côté de moi et, en m'éveillant, j'aperçus, à ma gauche, Françoise agenouillée, qui liait une gerbe mal faite.

Elle murmura :

— Ils sont à L'Aliberte. Il faut que j'aille vite les rejoindre. Qu'est-ce que vous voulez me dire?

Je me soulevai à demi ; son visage était près du mien. Tout son corps exhalait une extraordinaire odeur de jasmin et d'herbe sauvage.

— Françoise, lui dis-je, tout le monde me boude, ce matin.

Elle se tut.

— Toi aussi, tu me boudes.

Je les tutoie, elle et son frère ; ils ont dix ou douze ans de moins que moi.

Tout à coup une idée me vint.

— Hier soir, tu es allée à Puyloubiers?

Elle me fit signe que oui. Je me relevai. Elle resta agenouillée devant sa gerbe ; ainsi elle me tournait le dos. Alors elle parla.

Cela s'était passé chez les Barriols ; ils tiennent une épicerie. Ceux-là sont de braves gens ; mais chez eux on rencontre tout le monde et même les mauvaises langues, il y en a partout... J'écoutais, le cœur déchiré. Ainsi Clodius en savait plus long que je ne pensais et il avait parlé au village ; Puyloubiers était au courant... Moi, je n'y allais guère, et du reste nul n'eût osé ouvrir la bouche à la moindre allusion devant moi. On sait assez que, du côté des Clodius, on est peu patient. Les Alibert ne le sont pas davantage ; c'est pourquoi on avait choisi la plus abordable de la famille, Françoise.

— Voyez-vous, monsieur Pascal, me disait-elle, je le sais bien, ce sont d'affreux mensonges ; et je n'en ai pas cru un mot ; mais ça m'a fait mal et le mal reste...

— Tes parents ?

— Je ne leur ai rien dit ; mais je crois qu'il y a longtemps qu'ils savent tout. Maintenant ils ont deviné que, moi aussi, je savais quelque chose. Voilà pourquoi ils sont ennuyés.

— Mais toi, tu aimes Geneviève ?

— Oh ! soupira-t-elle.

Je l'obligeai à lever la tête, à me regarder.

— Et elle, Françoise, crois-tu qu'elle nous aime ?...

Elle détourna la tête d'un air farouche, et ne me répondit pas.

Je lui dis :

— Lève-toi. Je crois qu'on te cherche.

Jean l'appelait ; elle ne l'avait pas entendu.

En se relevant elle secoua la paille qui s'était attachée à sa jupe, puis elle me dit :

— Il ne faut pas être malheureux, monsieur Pascal. Les Alibert tiennent à vous...

Et elle partit précipitamment.

Geneviève avait pris une espèce de fièvre intermittente qui tantôt l'exaltait, tantôt chassait ses forces, mais elle refusa toujours avec obstination de voir le médecin.

Elle n'allait plus aux champs. Tout à fait retirée à Théotime elle errait, du matin au soir, à travers la maison. Dès la tombée de la nuit, des craintes inexplicables la saisissaient. Alors je ne la quittais guère ; elle me retenait près d'elle avec une espèce de violence maladive ; et bien souvent, après une longue veillée, à peine animée de quelques paroles, elle s'endormait dans mes bras. Ces veillées, elle les prolongeait par tous les moyens, en dépit de sa fatigue et de la mienne. Les insomnies l'avaient rompue. Quand elle cédait à la lassitude, elle tombait comme une masse sur mon épaule ; et là elle dormait un peu, mais de brusques sursauts la traversaient. Je ne parvenais à calmer son agitation qu'en lui adressant à voix basse quelques paroles de tendresse, qu'elle entendait sans doute à travers son sommeil, puisque son corps se détendait insensiblement ; et, bien qu'elle s'abandonnât, elle devenait alors plus légère.

VIII

Pendant les trois jours qui suivirent, Clodius continua à entretenir deux ou trois feux dans la montagne. Tantôt le matin, tantôt le soir, il se montrait sur nos confins. Mais les besoins de la moissons ne nous laissaient pas de loisirs pour penser à sa malfaisance. Le temps, après quelques journées torrides, avait tourné de nouveau à l'ouest. On peinait ; cependant le travail avançait vite, car nous avions tous du courage et nous aimions trop notre blé pour le laisser exposé aux orages.

Le 10, la fauche étant finie et le blé déjà sur les aires, le temps noircit, mais il se réserva.

Pendant la nuit du 10 au 11, on entendit un grand piétinement du côté de la source. Je voulus aller voir ; mais Geneviève me supplia si fort de n'en rien faire que je cédai, de mauvais gré, à cette violente supplication. Le lendemain, on trouva le champ de maïs et une partie du potager dévastés de long en large. Le sol était fendu, creusé, fouillé, gratté, retourné avec une rare violence, sur une étendue insolite. Il y avait fallu une vingtaine de bêtes pour le moins, et des hures robustes ; car le labour était profond, brutal et la terre s'éparpillait en grosses mottes, tout autour des trous. De si fortes hardes sont rares dans nos régions ; et personnellement, en dix ans de séjour à Théotime, je n'avais jamais rien vu de pareil. Parfois deux ou trois sangliers descendent de la montagne et causent quelques dommages aux récoltes. Mais leurs expéditions n'ont finalement qu'une importance négligeable.

Cette fois, sur un front de plus de cent mètres et pour autant de profondeur, ils avaient tout détruit. Les traces montaient de la source. Ils y avaient bu, s'y étaient vautrés, et avaient tellement soulevé de boue et de vase que l'eau, d'ordinaire si pure, en était restée trouble et polluée. Au-delà, la trace continuait jusqu'à Clodius d'où elle provenait sans aucun doute.

Le vieil Alibert remarqua que les bêtes avaient marché en colonne serrée, car le sol n'était piétiné que sur une largeur de vingt mètres à peine. Fait plus étrange encore, la harde n'avait pas fait halte jusqu'au champ de maïs.

— On dirait un troupeau, s'écria Jean.

— Tel troupeau, tel berger, déclara Marthe.

Nous étions consternés, et peut-être effrayés, au fond de nous.

Le vieil Alibert dit alors :

— Vous n'allez tout de même pas croire qu'on conduit ça comme trois moutons...

Mais il restait pensif. Nous repartîmes tous les quatre ensemble. Jean, Françoise, et leur mère nous dépassèrent bientôt, car le vieil Alibert traînait la jambe. Quand nous fûmes seuls, il me dit :

— C'est incroyable. Pour savoir le fin mot il faudrait l'avoir vu...

Il se tut, pour me donner le temps de réfléchir. Quand il jugea que c'était fait, il ajouta :

— ... Veiller toute la nuit, nous sommes tous, ici, trop fatigués... on s'endormirait à l'affût... C'est

dommage pourtant... La vue doit en valoir la peine...
si j'étais plus jeune, je me paierais ça... A la campagne,
il n'y a pas tellement de distractions...

Nous reprîmes notre travail, et, de toute la journée,
personne ne parla plus des sangliers.

J'attendis le soir sans impatience tout en me demandant comment je m'y prendrais pour m'absenter
pendant la nuit sans éveiller les soupçons de Geneviève. Je la trouvai encore plus agitée que d'habitude
et j'en augurai mal pour mon projet. Elle ignorait
forcément l'aventure des bêtes. Françoise n'était pas
venue au mas ; et Marthe, en y portant notre repas,
n'avait pas rencontré Geneviève. Quant à moi,
naturellement, je ne soufflai mot de rien.

Pendant le dîner Geneviève parla.

Elle aimait rappeler notre famille et elle n'y manqua pas, en évoquant plusieurs figures, que nous
avions connues, et d'autres non ; comme un certain
Thomas Métidieu, qui vivait il y a plus d'un siècle
et dont on raconte chez nous qu'il fut un peu sorcier.

— Il paraît qu'il menait les loups, affirma Geneviève.

J'ignorais qu'il eût ce pouvoir. Elle me demanda si
j'y croyais. Je répondis que je n'y croyais guère.

— C'est dommage, murmura-t-elle.

Je haussai un peu les épaules et lui dis :

— D'ailleurs, il n'y a plus de loups...

Elle me regarda d'une façon étrange, car ma réponse était bizarre et je m'en aperçus à la réflexion.
Il s'agissait de Thomas Métidieu, et je pensais
à Clodius.

— C'est vrai, il n'y a plus de loups, ajouta-t-elle,
mais à Sancergues, il existe un proverbe :

Le loup s'enfuit de la forêt
Quand le porc sauvage paraît.

Cette fois, je dressai l'oreille, et je lui dis :

— Je ne savais pas que tu connaissais si bien les proverbes de Sancergues.

Elle sourit d'un air ambigu.

— Quand j'étais petite, Pascal, répondit-elle, j'écoutais. Voilà tout.

Elle avait parlé d'un ton soumis qui me déplut. Je lui dis méchamment :

— Tu as raison. Et puis j'oubliais que tu es une fille de la campagne.

— Comme Françoise, répliqua-t-elle. Avec moins de cœur...

Nous quittâmes la table. J'étais sourdement irrité contre elle et contre moi. Je lui dis cependant :

— C'est moi qui n'ai plus de cœur.

Elle répondit avec calme :

— Si tu n'en avais pas, tu m'aurais dit jadis que tu m'aimais, Pascal...

Je baissai la tête. Elle soupira :

— Le plus souvent on dit qu'on aime quand on aime ; mais il y a des cœurs sauvages...

Je fis un pas vers elle. Elle m'arrêta :

— Tu as bien fait, Pascal. Car moi, je ne t'aurais pas aimé comme je t'aime.

Elle s'approcha, posa sa tête sur mon cœur, et me dit :

— Maintenant toute ma vie nous sépare. Et il faut qu'elle nous sépare. Ici, du moins...

Un long moment elle se tut. Sa tête légère et parfumée reposait contre ma poitrine. Elle la releva et je vis ses yeux. Ils étaient calmes.

— Je suis encore bien lasse, me dit-elle, je crois

qu'il est tard, et j'ai besoin de sommeil. Il ne faut pas, Pascal, que tu m'en veuilles de ce que je t'ai avoué. Je n'étais peut-être pas digne de le dire... Mais je sais que c'est toi à qui toujours j'avais pensé... Il faudra bien me pardonner cette folie, un jour ou l'autre... Moi aussi j'ai un cœur sauvage...

Elle me donna un baiser. Puis elle s'en alla, d'un pas qui me parut étrange, car je ne l'entendais pas marcher. Il est vrai que je n'étais plus de ce monde.

Je ne fis pas un mouvement pour courir après Geneviève et longtemps je ne bougeai pas. Je ne m'attendais pas à ce baiser, léger et doux comme la neige. Des trois baisers de Geneviève, j'avais repoussé le premier brutalement et reçu le deuxième dans un moment de sauvagerie et de trouble. Celui-ci ne me troublait pas ; il m'illuminait. Pourtant c'était un vrai baiser de femme jeune et tiède, doué comme un baiser d'amour d'une vive puissance de pénétration, mais qui déjà ne viendrait plus de cette terre. Je restai calme. Je savais maintenant qu'en cette vie j'étais en possession d'un être qui ne voulait pas de ma chair. Un être dangereux qui ne savait que trop ce que la chair promet, ce qu'elle tient et ce qu'elle nous laisse. J'étais déchiré de regret et de passion insatisfaite, cependant qu'une tranquillité surnaturelle s'étendait en moi. Je comprenais que Geneviève jamais plus ne serait à un autre. Elle avait enfin découvert le seul point où nos cœurs ennemis pouvaient se joindre. Je n'aurais su le situer, mais plus je la sentais en moi, plus je savais qu'en moi j'étais en elle. Il ne me restait plus maintenant de ce monde que le pur souvenir d'une rencontre d'âmes sur la terre ; et je perdis ainsi le sens des eaux, des bois, du vent et même des planètes qui veillent dans le ciel, par les nuits de juillet, sur Théotime. Cependant l'odeur pénétrante des blés arrivait toujours jusqu'à moi et assurait mon cœur qui craignait son exaltation. Elle seule avait pu m'atteindre et je mêlais ainsi, dans les profondeurs de ma vie, le plus noble parfum de la terre à cette communion des âmes qui avaient dû quitter la terre, pour s'unir.

Il devait être un peu plus de minuit quand mon attention fut attirée par un bruit sourd et continu qui arrivait du dehors. Je sortis. Le temps était couvert ; mais la lune s'était levée depuis une heure ; et, quoiqu'on ne la vît pas dans le ciel, elle y épandait une vaste clarté à travers les nuages. Je pris le vent. Il venait des collines et c'est de là qu'il apportait ce bruit. Je passai aussitôt chez Clodius et remontai vers le bois en suivant le fond d'un petit torrent qui descend du plateau. Il reste à sec pendant tout l'été.

Le bruit se rapprochait rapidement de moi. Des branches éclataient un peu partout, on entendait frémir des buissons défoncés et le rapide piétinement d'une centaine de sabots foulait le sol.

Le long du talus, de distance en distance, s'élèvent des chênes centenaires. Je n'eus que le temps de sauter sur le talus, et de me coller contre un de ces arbres. Dans le lit du torrent déboucha une masse sombre. Cela haletait, grognait, soufflait, barrissait même, avec une sorte de hâte furieuse, d'avidité brutale. Ils avançaient en colonne noire. En tête les plus gros, dos puissants, hures lourdes. Encaissés par les bords escarpés du torrent, ils arrachaient en passant les broussailles. De leurs cuirs suants s'élevait une odeur sauvage de crin, de boue séchée et de litière acide. Ils passaient sans me voir et descendaient vers Théotime avec une ivresse bestiale et leur irrésistible force, pour dévaster.

Ils se dirigèrent d'abord vers la « carraire » ; mais

au moment d'y aboutir, ils escaladèrent le talus et se groupèrent devant les maïs. Les maïs étaient hauts, touffus. Les bêtes s'égaillèrent un peu, puis leur colonne s'enfonça à travers les tiges bruissantes. Un long frémissement passa sur les feuilles, et l'on entendit craquer les tuyaux et les quenouilles. Les mâchoires broyaient les grains dans leurs épis ; les groins fouillaient furieusement au milieu des racines, mordaient au cœur de la plante et la tranchaient.

Les têtes feuillues s'agitaient un instant puis s'abattaient à droite, à gauche, et un énorme trou se creusait dans le champ avec une rapidité extraordinaire. L'assaut massif renversait tout. J'avais suivi les bêtes à distance, mais je demeurais impuissant. Je n'avais pas d'arme. Même armé, devant ce troupeau de monstres, qu'aurais-je pesé ? Je me tenais à cinquante pas en arrière, prêt à fuir. Malgré le vent qui portait de leur côté, les sangliers avaient l'air d'ignorer ma présence. Pourtant, plus ils s'enfonçaient dans le champ, plus leur agitation devenait sensible. Une mystérieuse frénésie animale les avait peu à peu saisis, et ils s'ébattaient au cœur de la dévastation. On les voyait courir, sauter, foncer, s'ébrouer avec une fougue inexplicable, à mesure que leurs ravages s'étendaient. Cependant la trouée qu'ils avaient ouverte dans les maïs, montait tout droit vers le coteau de L'Aliberte. Entre la noble vigne et ces maïs, nous venions de poser un millier de jeunes plants encore tendres. Je compris qu'ils étaient perdus.

La dernière muraille tomba : je vis le terrain blanchâtre d'une petite jachère, et, au-delà, la pente où s'étageaient les jeunes plants.

Les sangliers se regroupèrent. Un nuage glissa, et pendant un moment très court, la lune illumina la campagne.

Les sangliers formaient un bloc d'une vingtaine de têtes. Ils se pressaient les uns contre les autres et, tournés vers la vigne, ils restaient immobiles. Cette immobilité m'étonna. Les maïs, sauf dans la trouée, me cachaient, à droite et à gauche, la vue des champs ; car par prudence, je m'étais arrêté en contrebas, sur le bord du torrent. Poussé par la curiosité, je gravis le talus et je fis quelques pas en avant, dans la trouée.

Je vis alors quelqu'un, entre les bêtes et la vigne, au milieu de la jachère.

A ce moment la lune se voila si vite que je ne pus reconnaître cette figure ; et d'ailleurs j'en étais loin. Il me sembla que c'était une femme. Je ne pensais pas à Geneviève, mais à Françoise. Le nuage était lourd et tout s'évanouit dans l'ombre, les champs, les bêtes, la figure. La lune s'enfonça dans la colossale nuée, et même sa lueur diffuse se retira à la chute des ténèbres. Celles-ci tombèrent si rapidement que je fus saisi de tous les côtés à la fois par cette lame tiède qui sentait le soufre. On ne distinguait plus les maïs. J'étais perdu...

Le troupeau muet, invisible à cent mètres de là, se mit en marche. J'entendis son piétinement. Il s'éloignait. Mais au lieu de pointer en avant, sur L'Aliberte, il se rabattait dans les chaumes. Je respirai un peu : là il ne restait plus une seule gerbe. A tout hasard je m'avançai à sa suite, mais je marchais tout à fait à l'aveuglette guidé seulement par le bruit léger des sabots sur la paille courte. Le troupeau allait lentement. Soit qu'il fût, comme moi, désorienté dans l'ombre, ou bien pour toute autre raison, il remontait le vent, qui parfois détachait une nappe brûlante des collines où les bêtes semblaient maintenant se diriger...

Je m'étais rapproché pour tâcher de voir à quel guide silencieux obéissaient ces animaux, d'ordinaire si farouchement indociles, car ils paraissaient obéir. Mais l'obscurité restait impénétrable. Je n'aurais pas su dans quel sens nous allions, si les rares nappes d'air chaud, chargées de l'odeur résineuse des collines ne m'eussent fourni sur la marche des bêtes une indication vague. Je reconnaissais au passage, par le simple contact du sol que nous traversions, les terrains déjà fauchés qui descendent en pente douce vers la source de Théotime.

Les bêtes ne se hâtaient pas. Elles avaient l'air de suivre un berger, invisible comme elles.

Leur frénésie s'était apaisée et on n'entendait plus que le souffle rauque de ces hures souillées de terre.

Tout à coup la lune se leva et, par une large trouée, inonda le sol. Alors je vis.

Le troupeau s'était arrêté entre Théotime et la source. A vingt pas en avant se dressait une femme ; elle était mince, vêtue de noir. Elle aussi s'était arrêtée, au-delà du mas, dans les terres incultes ; et elle semblait hésiter. Derrière elle on voyait les plants de chasselas et plus loin les grandes bornes, toutes blanches de lune. A droite, le torrent.

Les bêtes ne bougeaient plus. C'était un troupeau de pierre ; je n'en croyais pas mes yeux.

Soudain la silhouette noire remua ; j'entendis une plainte et elle courut vers le torrent.

Les bêtes s'ébranlèrent. J'appelai : « Geneviève », car c'était elle, j'en étais sûr.

Je la vis qui sautait dans le lit du torrent ; mais les sangliers arrivaient sur le talus et ils dévalaient derrière elle. On entendit une furieuse galopade.

Je partis à travers la vigne pour couper le torrent plus haut. D'un élan je franchis le fossé, passai les bornes.

Tout à coup Geneviève apparut à cent mètres de

là. Elle avait bondi hors du creux et, à travers l'ermas de Clodius, elle fuyait vers La Jassine, poursuivie par les sangliers qui filaient ventre à terre. J'avais beau forcer de vitesse, je n'arrivais pas...

Soudain Geneviève tomba sur les genoux; je poussai un cri; elle se releva d'un bond et fit face. Les sangliers arrivaient en trombe sur elle, et tout disparut dans un tourbillon de poussière.

Je dis : « mon Dieu! » et je me jetai en avant ; mais la poussière se dissipa aussitôt, et, de stupeur, je m'arrêtai.

Geneviève était debout. Les bêtes l'entouraient mais ne bougeaient pas. Je les voyais bien maintenant, et j'entendais. Geneviève parlait. Que disait-elle? J'étais trop loin pour le comprendre. Elle parlait d'une voix très rauque, et semblait se plaindre... Par moments la lune se voilait et tout le groupe s'effaçait dans l'ombre, puis il se reformait une éclaircie et ces fantômes reparaissaient.

J'étais pétrifié d'étonnement, de peur aussi sans doute, et au lieu de courir vers Geneviève, fût-ce au péril de ma vie, je demeurais sur place à regarder cette vision fantastique. Je me disais : « Tu vas l'arracher de là. » Et pourtant je sentais que je ne pouvais rien pour le salut de Geneviève, qu'il fallait qu'il vînt d'elle seule, et que cette troupe de monstres lui avait voué une sorte d'obscur amour devant quoi je devais reculer. Maintenant il était certain qu'elle n'en avait rien à craindre, tant leur sauvagerie semblait pacifiée, depuis qu'ils écoutaient ses plaintes étranges.

Elle se tut, puis fit un geste pour les écarter. Ils se reculèrent docilement et elle passa au milieu d'eux. Quand elle fut hors de leur cercle, elle se dirigea vers La Jassine. Ils se mirent en marche derrière elle.

Je fis un crochet à travers l'ermas et j'arrivai le premier dans le bois. Tout en courant je me disais :

« Pourvu que Clodius ne soit pas là! » De grandes tribus de nuages avaient envahi le ciel et refoulé la lune. Dans le bois, régnaient les ténèbres. Mais je n'eus pas longtemps à attendre. Le troupeau entra silencieusement sous le couvert des arbres, une ou deux minutes après moi. Il se décelait à un léger piétinement qui remuait les feuilles mortes, et il venait de mon côté. Soudain je devinai l'ombre d'un être et, brusquement, je me jetai sur Geneviève. Elle ne poussa pas un cri, mais tout son corps s'abandonna mollement. Je le chargeai sur mon épaule et je m'enfuis. Les bêtes étonnées grognèrent de colère et je les entendis courir aussitôt en tous sens. Pour me mettre à l'abri je me lançai à travers un fourré où une branche craqua en cassant net. Partout les bêtes galopaient, et tout le bois frémissait de leur quête fiévreuse.

Tout à coup un volet grinça et un coup de feu partit de La Jassine ; une grêle de plombs s'éparpilla dans les feuilles.

Je sortis de ma cache et me sauvai à travers champs vers Théotime. Je courais, mais difficilement, car le corps de Geneviève était lourd. Au bout d'une centaine de mètres, je dus m'arrêter au milieu de l'ermas.

Il faisait noir. J'écoutai. Pas un bruit. Certainement les bêtes ne nous suivaient pas. Le coup de feu avait dû les effrayer.

Je repris haleine, puis je rentrai, à pas lents, avec mon lourd fardeau à Théotime.

Je portai Geneviève dans sa chambre et l'étendis, tout habillée, sur son lit.

Il n'y avait là qu'une petite veilleuse qui éclairait mal. A sa pauvre clarté, le corps tout noir avait un air mystérieux ; il n'appartenait plus à personne...

Geneviève était toujours sans connaissance. Ses

cheveux fauves, dénoués, cachaient le côté droit de son visage et sa tête pendait un peu hors de l'oreiller. La bouche entrouverte laissait luire l'émail des dents. Sa poitrine immobile ne donnait aucun souffle.

Il ne restait de vie qu'une faible tiédeur à chaque tempe. Mais cette tiédeur me rassurait.

Je savais que je ne pouvais donner aucun soin à Geneviève. Il fallait attendre.

Elle reprit ses sens un peu avant l'aube. Je me rappelle qu'un grillon chantait dans la cour, et qu'un peu de fraîcheur, à travers les volets mi-clos, pénétrait dans la chambre.

En ouvrant les yeux Geneviève me vit. Elle resta longtemps sans me parler. A la fin elle me demanda à boire. Je lui donnai de l'eau. Elle me dit :

— Je t'avais vu ; mais je ne pouvais aller vers toi. Ils t'auraient tué...

Je lui demandai si elle m'avait entendu sortir de la maison.

— Oui, me répondit-elle. Et c'est alors que je t'ai suivi. Mais quand j'ai entendu les bêtes, j'ai pris peur et j'ai couru vers la vigne. Je pensais de là-haut tout voir, sans danger...

Elle avait vu.

— ... Quand ils ont débouché dans la jachère, j'ai compris qu'ils allaient attaquer les jeunes plants. Alors je n'ai pas pu y tenir. D'ailleurs une force bizarre m'attirait : j'avais peur cependant ; et, malgré tout, je suis allée à leur rencontre... En me voyant ils se sont arrêtés... Il y en avait d'énormes...

(C'est à ce moment que les ténèbres étaient descendues.)

— ... Ils se sont approchés de moi et ils m'ont entourée. Je n'osais plus faire un mouvement. Je sentais leurs groins mouillés contre mes jambes ; leur haleine bestiale me touchait ; à tout moment je craignais leur humeur sauvage... J'étais si malheureuse au milieu d'eux que j'ai parlé, je crois, à voix haute, pour me plaindre... Alors ils se sont écartés. Je ne les voyais plus, tant il faisait noir, mais je les entendais respirer à quelques pas de moi... Je me suis éloignée tout doucement, au hasard, à cause de cette obscurité effrayante... Aussitôt j'ai entendu un piétinement dans les pailles. Ils me suivaient... j'ai gardé assez bien mon sang-froid. Je me suis dit : « Il faut les détourner de la vigne, les emmener du côté de Théotime. » Malgré l'ombre j'ai aussitôt retrouvé mon chemin... A ce moment-là, j'ignorais encore que, toi aussi, tu me suivais... C'est devant le torrent que j'ai perdu la tête, je ne savais plus où aller en quittant Théotime... Puis j'ai couru, et tu sais le reste...

Elle parlait fiévreusement ; ses yeux brillaient ; ses pommettes étaient brûlantes.

A l'aube cependant elle s'endormit tout d'un coup. Mais son sommeil marqua une grande agitation ; et parfois elle gémissait en balançant la tête, au milieu de ses cheveux roux, sur l'oreiller.

Je sortis de la chambre vers cinq heures pour aller aviser Marthe Alibert.

Sauf le père, je les trouvai, tous les trois, réunis dans leur cuisine. Ils mangeaient.

Jean me dit :

— Allez voir les maïs, monsieur Pascal. C'est une misère.

Je répondis :

— Je les ai vus.

Il me regarda, étonné :

— Quand ?

— Cette nuit. Mais tranquillise-toi. Les bêtes ne reviendront plus à Théotime.

Ils paraissaient, tous les trois, effarés de m'entendre parler ainsi.

— Vous leur avez jeté un sort, monsieur Pascal ?

Je fis signe que oui.

Françoise me regarda à la dérobée ; je surpris son regard, et elle baissa les yeux en rougissant.

Marthe dit :

— Le café est encore chaud, monsieur Pascal, prenez-en une tasse. Vous avez l'air à jeun ce matin.

Je leur appris alors que Geneviève était malade. Marthe me servit le café et partit aussitôt après pour Théotime.

Jean sortit en même temps qu'elle. Je restai seul avec Françoise qui s'occupait à enlever les tasses de la table.

Je lui dis :

— Réponds-moi franchement ; tu étais là, Françoise ?

Elle se retourna et me fixa de ses magnifiques yeux calmes.

— Monsieur Pascal, murmura-t-elle, j'ai de l'amitié...

Elle rangea les tasses avec soin, referma le placard, prit sa coiffe de paille et se dirigea vers la porte.

Je l'arrêtai :

— Françoise, moi aussi, je t'aime...

Elle devint très pâle ; puis me repoussa doucement.

— Je le sais, me dit-elle, que vous avez de la bonté...

Je voulus lui répondre mais elle me regarda d'un air si suppliant que je ne le pus. Je la laissai passer et je la suivis dans les champs.

Elle marchait à côté de moi sans rien dire. Sous son bras gauche, elle portait un grand van d'osier neuf qui craquait doucement à chaque pas qu'elle faisait à travers les chaumes. Car nous battions, ce matin-là, et, comme le temps menaçait toujours, il fallait profiter de la moindre embellie pour confier notre blé au souffle du vent...

Marthe vint sur l'aire assez tard et montra quelque souci de la santé de Geneviève.

— Elle parle, me confia-t-elle, mais ne comprend pas bien (il me semble) ce qu'elle dit...

Je quittai l'aire vers dix heures et trouvai Geneviève assoupie ; mais elle ne tarda pas à s'agiter et à prononcer des paroles vagues. Elle flottait dans un état intermédiaire entre le sommeil et une sorte de demi-délire qui ne lui permit pas de me reconnaître, quand je lui parlai.

J'envoyai Jean Alibert avertir M. Bourigat, le médecin. Il fit rapidement la course ; mais M. Bourigat, en tournée, ne pouvait venir que le soir.

On décida alors que Marthe, Françoise et moi, nous nous relayerions auprès de Geneviève, et sur l'aire ; car je ne voulais pas qu'elle restât seule ; et cependant le dépiquage devait se faire, en hâte, à cause du ciel.

Ce fut une journée morne, triste. Il faisait très chaud. Un temps sourd, de peu de lumière, aux nuées basses.

On travaillait vite, sans parler.

Le vieil Alibert se tenait au mulet, Jean à la fourche, Françoise et moi aux gerbes.

La paille était brûlante et, à chaque brassée, sa chaleur nous montait au visage. Elle exhalait une puissante odeur de céréale dure qui m'énivrait.

Le grand mulet ruisselant de sueur, les yeux bandés d'un chiffon rouge, tournait obstinément autour de son poteau ; et le lourd rouleau de granit foulait les gerbes étalées sur le sol sec, ardent, et qui se craquelait.

Quand on avait balayé un coin de l'aire et élevé, au bord, un petit tas de blé, Françoise prenait le grand van d'osier tendre et, cherchant dans l'air chaud le passage d'un souffle, elle secouait les grains roux, d'où s'envolaient la poussière et la balle, en blonds nuages.

A quelques pas de l'aire, il y a un mur bas couronné de cyprès. C'est là qu'on dépose le blé criblé au van. Jean l'y portait dans une corbeille de joncs et en faisait trois monticules qui, sous la réverbération du mur, séchaient et rayonnaient doucement contre les pierres. Malgré la chaleur, la fatigue, et le souci qui me poignait, je ne pouvais pas m'empêcher de regarder ce mur, ces trois monticules de blé qui ne cessaient de croître, et ces cyprès immobiles, sous le ciel gris.

De temps à autre (mais le moins souvent possible), on allait boire une gorgée d'eau à la gargoulette pendue sous le chêne de Théotime. A cause du temps bas et brûlant, l'eau restait tiède et elle avait un goût de terre. Mais comme Marthe Alibert y avait mis à tremper de la sauge, et qu'on avait soif, on la buvait tout de même avec plaisir.

C'était vraiment l'été, mais un été sans ouverture sur la plaine, ni colonnes d'azur, au loin, du côté du fleuve. Un été à soucis, où l'on n'entendait pas la respiration des campagnes et, au milieu duquel, tous les cinq, acharnés au travail, nous battions sur nos aires avec des visages sombres, parce que nous avions le cœur triste et que nous redoutions la puissance de la terre.

Vers le soir, le vieux cabriolet du docteur Bourigat arriva devant Théotime. Il faisait presque nuit quand, assisté de Marthe, je le reçus dans la cour du mas. « Comment Geneviève va-t-elle l'accueillir ? » pensais-je. Geneviève, toujours très abattue, ne nous avait pas adressé la parole de la journée.

Mais le docteur Bourigat s'assit dans la grand-salle et se mit aussitôt à m'entretenir de ce temps dont tout le monde se plaignait à dix lieues à la ronde. Il ne me posa pas une question concernant sa visite ; mais il parla longtemps des moissons, avec cette compétence que peuvent donner quarante ans de séjour à la campagne. Il avait quelque bien et le gérait sagement.

— Les épeautres sont bons, affirma-t-il, mais comme vous, je crains la pluie avant la fin du dépiquage.

Je réussis pourtant à lui parler de Geneviève.

— Est-ce que vous tenez vraiment à ce que je la voie ? me demanda-t-il, d'un air incrédule.

Puis, sans attendre ma réponse :

— C'est parfaitement inutile, je crois. Les malades sont ce qu'ils sont, et on n'y change rien. Il vaut mieux les soigner tels qu'on les imagine...

Il réfléchit :

— En somme, du calme, beaucoup de calme... Peut-être un petit changement d'air... Vous avez encore, il me semble, un peu de famille à Sancergues... L'air y est excellent... Ah ! j'oubliais, le matin, au réveil, un verre d'eau fraîche.

Il se leva. Je l'accompagnai jusqu'au jardin. Il parlait déjà des prochaines vendanges.

Pourtant au moment de me quitter, il me dit :

— Et ces plantes ? Il paraît qu'on ne vous voit

plus herboriser. C'est dommage. Vous aviez là une jolie occupation... Il faudra la reprendre...

Puis il me salua affectueusement et il repartit vers le village.

Geneviève passa une très mauvaise nuit.

Elle se plaignit fréquemment et parla. A plusieurs reprises elle dit : « Il faudra me pardonner... » J'étais assis tout près de son chevet et j'écoutais avec tristesse ses paroles. Vers le milieu de la nuit son agitation augmenta ; et comme on entendait courir des rats dans la soupente, elle se redressa sur son oreiller. Mais un peu plus tard, elle se tourna du côté du mur, et ne remua plus.

Un petit incendie éclata, dans la montagne au-dessus de La Font-de-l'Homme, vers une heure. Le vent apporta l'odeur du bois brûlé ; et j'allai à la fenêtre. Mais on ne voyait pas la moindre lueur dans les collines. L'incendie dut s'éteindre de lui-même ; cependant la fumée descendit de la combe pendant toute la nuit ; et comme je ne voulais pas quitter Geneviève, je passai plusieurs heures dans les transes avant le lever du jour. Geneviève s'endormit à l'aube ; et je sortis de sa chambre, pour aller me reposer.

A sept heures, Marthe Alibert frappa à ma porte. Geneviève dormait toujours, quand je quittai le mas.

Du côté de Farfaille, j'entendis hennir un cheval, et je pensai : « On travaille déjà. Tu es en retard. »

En arrivant, le vieil Alibert me tendit la fourche de bois, et me dit :

— Ça n'a brûlé que quelques broussailles. On y est allé.

Je me mis au travail, sans répondre ; et bientôt on entendit craquer la paille, et grincer le rouleau sur son essieu de fer.

Françoise devant le gerbier déliait les gerbes en silence ; et de temps à autre, le vieil Alibert parlait au mulet avec douceur. Alors le mulet faisait un effort.

Geneviève sortit de sa torpeur comme par enchantement, et je la trouvai debout quand je retournai au mas où nous déjeunâmes ensemble.

Elle avait pris grand soin de sa toilette ; et, quoique son visage eût gardé beaucoup de pâleur, rarement je l'avais vue si belle.

La journée fut apaisante ; et l'on travailla bien. Le lendemain l'amélioration persista et le temps se leva dans la matinée. Clodius ne manifesta nulle part sa présence.

J'avais accroché un hamac entre deux chênes, à côté de la source. C'est un lieu calme où, pendant la chaleur, j'aime faire la sieste ; et il m'arrive d'y passer la partie la plus douce de la nuit. J'y installai Geneviève pour qu'elle y achevât sa petite convalescence. Elle fut enchantée comme une enfant de cette retraite ombragée, à l'abri des regards, et où cependant arrivaient, à travers les feuillages, tous les bruits si réconfortants qui montent de l'aire, l'été, quand on y bat.

Si le ciel se dégageait peu, on notait cependant comme une éclaircie générale et un allégement de l'air, sans que toutefois la chaleur s'atténuât beaucoup ; mais il devenait plus respirable ; et le blé, si sensible à ces variations, crépitait plus légèrement dans le van d'osier.

Pendant trois jours, cette clémence relative nous permit un travail moins dur et plus efficace. Geneviève s'était à peu près rétablie, mais elle ne venait plus sur les aires. Elle ne quittait le mas que pour le repos de la source. Cette source qui, une nuit, l'avait tant inquiétée, maintenant la retenait par la limpidité de ses eaux et l'agrément de ses ombrages. Elle y passait presque tous les moments de sa journée oisive. De loin j'entendais quelquefois grincer à peine les anneaux de fer du hamac, qui étaient vieux ; et je me disais : « Elle est là ; mais il faudra que j'huile ces anneaux ; ce bruit doit la fatiguer... » La vie semblait avoir retrouvé sa tranquillité habituelle, entre le mas et la métairie. L'on sentait que toute chose cherchait sa pente naturelle et recommençait à creuser son lit.

Ce fut le 19 au matin que la lettre du cousin Barthélémy arriva à Théotime. Je la lus dans les champs où j'avais rencontré le facteur. J'étais seul. Je me mis derrière un gerbier, et j'ouvris l'enveloppe.

Le cousin Barthélémy m'apprenait que la maison de Geneviève était vendue.

« Je ne m'explique pas, m'écrivait-il, que tu n'aies pas bougé.

« Mais ce qu'il y a de plus bizarre encore, c'est l'acquéreur : *ton cousin Clodius*, ni plus ni moins. Pourquoi lui ? Qui s'y attendait ? et que vient-il faire, ici, à Sancergues ? C'est à huit bonnes lieues de Puyloubiers, et il n'y a pas de terre avec la maison... »

Suivaient deux pages de commentaires, et de regrets.

Puis, à la fin, un grand *post-scriptum* :

« A l'instant, j'apprends, par Clodius lui-même, qui est venu me voir, en futur voisin, m'a-t-il dit, que depuis plusieurs mois Geneviève habite avec toi à Théotime. Il va le répétant partout, à tous, et de la façon, pour toi et pour elle, la plus désagréable, tu peux m'en croire... Je ne m'explique pas que tu m'aies laissé dans l'ignorance. Tu savais, par mes lettres, combien j'étais inquiet à son sujet. Se cache-t-elle? Je crains qu'on ne la cherche ; du moins, des gens ont fait des allusions à Rubre, notre cousin... Alors il faut arranger quelque chose. J'arriverai demain dans la soirée. Attends-moi tout seul, sur la route, et ne lui annonce pas ma visite, surtout... »

Cette lettre me fit plaisir, malgré la nouvelle fâcheuse de l'achat de la maison. J'étais heureux à la pensée de revoir Barthélémy.

C'est un homme simple, mais sensé et qui, lorsqu'il le faut, sait gouverner son cœur, naturellement très bon. Je soupçonnais depuis longtemps qu'à Théotime nous menions, Geneviève et moi, une vie déraisonnable. Mais ses délices, à la fois innocentes et troubles, nous prenaient par tant de douceur et d'amertume passionnée que nous ne savions plus nous détacher de ce monde irréel, créé par nous, pour la satisfaction d'un amour étrange. Là était le danger latent ; et que nous en fussions menacés chaque jour davantage, ni l'un ni l'autre n'en doutions. Nous séparer, ne fût-ce que pour peu de temps (seul remède à notre malaise), nous paraissait trop douloureux pour que nous en eussions conçu même la pensée. Il fallait qu'on nous imposât cette séparation ; et non pas du fait de la force ou d'un raisonnement inattaquable, mais par bonhomie, en donnant un amical prétexte. Je savais que Barthélémy nous aimait beaucoup, tous les deux, et qu'il ne voulait pas nous désunir ; mais je pensais aussi qu'il me proposerait de lui laisser pendant quelques jours Geneviève. Venant de lui, le fait de cette absence me pèserait moins. S'il fallait, pour nous ressaisir que, Geneviève et moi, nous fussions quelque temps éloignés l'un de l'autre, quel lieu pouvait être plus favorable à Geneviève que cette maison familiale, où, au milieu de ses enfants et de sa femme, Barthélémy avait gardé encore l'héréditaire bonté des Métidieu?

Il arriva, le lendemain, dans la soirée, comme il me l'avait annoncé, et j'étais allé, pour l'attendre, à un kilomètre de Théotime, sur le chemin de Puyloubiers.

Comme il nourrit une vive antipathie contre les trains et les gares, il vint sur sa carriole.

— Nous sommes partis de très bonne heure, me dit-il aussitôt. De Sancergues, il n'y a pas moins de huit bonnes lieues. Mais Jambu est une brave bête. Naturellement je le ménage. Nous avons fait la route, en amis, à petits pas. Aux montées, je préfère descendre de la carriole ; on se dégourdit les jambes ; et Jambu tire moins. Dès qu'il voit une côte, il s'arrête, et il attend que je débarque. Ah! pour ça, je l'ai bien dressé!... Après, on s'est attardé un peu partout, tantôt pour regarder les blés, tantôt les vignes... C'est ce qu'on appelle voyager avec profit... La récolte ne sera pas mauvaise, malgré le temps... On a déjeuné tous les deux, entre Calvaire et la Randonne, au bord du chemin, près d'un pigeonnier, sous un pin parasol. De là on voit toute la campagne, la Durance, un pont, et au loin, Sainte-Victoire... C'est bon... On est reparti vers trois heures... Pendant la route, j'ai bien réfléchi... et voilà ce que j'ai pensé pour Geneviève...

Il avait pensé exactement ce que je pensais moi-même ; et il venait me proposer de la prendre chez eux pendant un mois. Après on verrait bien.

Je lui répondis que, pour ma part, j'acceptais sa proposition. Il me communiqua alors ses inquiétudes ; mais il évita tout reproche concernant mon silence au sujet du séjour caché de Geneviève à Théotime.

Je le mis au courant, comme je le pus, de la situation morale, depuis que Clodius avait entrepris contre nous cette campagne de mauvais voisinage dont tout le monde souffrait, ici, sans savoir comment en sortir ; ce qui augmentait notre inquiétude.

Il fut entendu entre nous que, pour nous faire une surprise, il ne m'avait pas averti de sa visite ; il avait appris, par des gens de Puyloubiers venus au marché de Sancergues, que la cousine de M. Pascal séjournait à Théotime. Pour le reste, on aviserait, suivant l'humeur...

Je le quittai. Il s'attarda sur le chemin. Je pris par le plus court ; et j'étais depuis un moment dans la salle du mas, quand sa carriole franchit le portail.

Au bruit des roues sur le gravier, Geneviève accourut.

Moi, je ne bougeai pas ; je l'entendis qui s'écriait avec stupeur :

— Oh ! Barthélémy !

Et ils s'embrassèrent. Je sortis ; et je jouai honorablement mon rôle.

Je l'avais accepté si facilement que je m'en étonnais moi-même ; car Barthélémy n'était venu que pour m'enlever Geneviève et non seulement j'y consentais, mais encore j'aidais à notre séparation. Il est vrai qu'elle se présentait d'une façon si familière que je ne pouvais en souffrir trop vivement ; et peut-être, en secret, étais-je heureux. Mon sentiment avait atteint à un tel paroxysme que je n'en touchais plus que le tourment infatigable ; il accaparait tant de place que l'amour lui-même ne trouvait plus, en moi, un seul point libre d'orages où manifester sa douceur. Pour retrouver les traits perdus de son véritable visage et pouvoir aimer de nouveau Geneviève elle-même, il me fallait le secours de l'absence. La lassitude aidant, j'accordais au départ de l'être le plus cher une signification presque consolante ; et pourtant j'espérais, sans m'avouer cette espérance, qu'elle ne voudrait pas partir, au moment le plus douloureux, mais aussi le plus passionné de notre amour.

Je me trompais. Car l'arrivée de Barthélémy avait transfiguré Geneviève. Elle en éprouvait une joie d'autant plus vive qu'elle ne comptait plus sur aucun secours. Cette joie paraissait. Sans doute, comme moi, et plus encore, était-elle à bout de forces.

Les Alibert furent graves, courtois. Ils examinèrent en dessous, curieusement, ce Barthélémy Métidieu, si différent de son cousin. Mais Barthélémy, qui connaît la terre, et qui en parle bien, leur plut tout de même. J'ai d'ailleurs constaté que les Alibert, si austères, sont sensibles au charme des Métidieu. En deux heures Barthélémy eut tout vu, et tout jugé, mais avec modestie : loué les blés, questionné sur l'état des vignes, admiré le verger, flatté le chien, conquis les cœurs. Il fut seulement étonné en découvrant nos bornes.

— Jamais je n'en avais tant vu, avoua-t-il. C'est la coutume du pays ?

— Le quartier le veut, répondit laconiquement le vieil Alibert.

Barthélémy comprit et se tut.

En rentrant au mas, il me dit :

— J'avoue que le pays est beau, la terre est bonne...

Et il soupira.

Il voulut qu'on dînât dehors, près de la source. Il avait apporté de son jardin des pêches énormes, parfumées, juteuses, comme Puyloubiers n'en a jamais vu sur ses arbres.

— Il n'y a de fruits qu'à Sancergues, fit-il remarquer avec satisfaction. Soit dit sans vous fâcher ; car après tout, nous y sommes nés, tous les trois : c'est notre pays...

Il nous regarda et sourit amicalement.

On le sentait de cœur large et tranquille ; et rien qu'à voir ses grandes mains manier le pain et les fruits, prendre un verre, poser un plat, on mangeait avec calme.

Il parla pendant le repas et dit très simplement ce qu'il avait à dire. Tout était décidé quand on se leva de table : Geneviève acceptait de partir avec lui, le lendemain. On avait fixé à un mois la durée de son absence. Elle paraissait enchantée d'aller revoir Sancergues.

Moi, j'étais très peiné ; mais elle ne s'en doutait pas.

— Il est heureux, disait-elle à Barthélémy, en riant.

Barthélémy hochant la tête, elle ajouta :

— On l'invitera à Sancergues... Ah! quel dommage que je n'y aie plus de maison... Sais-tu qu'il voulait la racheter, pour me la rendre... J'ai refusé...

Barthélémy ne broncha pas, mais baissa la tête. Elle le quitta, s'approcha de moi et me dit à voix basse :

— Pascal!... mon ami sauvage...

Sa voix tremblait. Barthélémy, gêné, s'éloigna d'un air indifférent.

Je fis remarquer :

— Il est tard. Demain il faudra partir de bonne heure. Et tu as un bagage à préparer.

On se sépara. Barthélémy me dit :

— Je m'attarde encore un moment. Il fait si bon...

Nous nous souhaitâmes la bonne nuit.

Mais je restai longtemps éveillé. Quant à Barthélémy il rentra assez tard. Avant de rentrer il passa par l'écurie. Comme ma fenêtre était ouverte, je l'entendis qui parlait longuement à son cheval ; et de temps à autre le cheval piaffait de plaisir.

Le départ de Geneviève se fit très simplement.

On attela à six heures et ils déjeunèrent dans la grand-salle.

— Ton vin est bon, me dit Barthélémy, en connaisseur.

Geneviève n'emportait qu'une valise.

— Tu viendras me voir ? me demanda-t-elle.

— Oui. Peut-être, après le dépiquage : il y a encore du travail.

Tous les Alibert étaient là. Marthe avait préparé une « biasse » abondante.

— On déjeunera près du pigeonnier, annonça Barthélémy. C'est une bonne halte, à mi-chemin. Nous y arriverons juste à midi. Je ménage la bête...

La bête attendait devant la porte, grasse, luisante, et de large encolure.

On chargea la valise.

Geneviève paraissait très calme.

On plaisanta un peu le cheval de Barthélémy, mais Barthélémy comprend la malice. Il répliqua avec bonne humeur.

Puis il monta dans la carriole où Geneviève était déjà.

Au moment de partir, elle leva la main et me dit :

— Pascal, tu ne monteras pas sans moi à Micolombe ?

Je lui répondis :

— Sois tranquille.

Puis la carriole s'en alla. Elle s'enfonça dans l'allée de platanes, gagna le chemin vicinal, vira, disparut.

Je me retournai.

Les quatre Alibert se tenaient derrière moi.

On s'en alla sur l'aire ; et on reprit, sans dire un mot, le dépiquage. A midi, nous déjeunâmes ensemble sous le chêne. J'avais apporté les pêches de Barthélémy. Marthe les admira beaucoup.

— Leur terre est douce, dit simplement le vieil Alibert.

Et nous reprîmes notre travail.

Le départ de Geneviève n'eut pas immédiatement toutes les conséquences que j'avais imaginées.

Personne ne commenta cette décision subite, mais tout le monde en fut peiné secrètement. Chacun garda pour soi ses réflexions et à plus forte raison cacha son humeur. Il se forma entre nous tous comme une peine collective qui nous dispensa d'échanger trop de paroles. Peut-être devînmes-nous seulement un peu plus taciturnes ; car à nos silences habituels quelquefois s'en ajoutaient d'autres dont nous savions ce qu'ils signifiaient.

Le travail qui nous occupait, du matin au soir, rudement, maintint notre souci commun dans les lieux solides et sains de l'âme. Si j'ai souffert alors avec une sorte de calme, je le dois aux tâches viriles que nous imposait cette grande saison agricole qui a de si dures exigences. Je suis extrêmement sensible aux vertus de l'été ; et, quoique je sois né sous un signe orageux de l'automne, je vis surtout au moment des grandes chaleurs. Alors la terre me transmet plus facilement son ardeur ; et je communique avec elle, dans la veille et dans le sommeil, avec une puissance accordée au rayonnement de la matière.

Quelquefois je tombe, accablé par cet afflux de flammes ; et je subis d'un coup la fatigue terrible d'un ciel sec et blanc de lumière. Les nuits même, noires, touffues, surchargées d'astres, m'écartent souvent du sommeil et me donnent le désir de la fraîcheur. Pourtant c'est là que je me plais ; là que je prends mes joies réelles ; et je tends, chaque année, vers les hauts de l'été, par un mouvement naturel du sang.

En face du blé, sur les aires, j'atteins au meilleur de moi-même. Moi, si facile, en d'autres saisons, à céder aux caprices de mes humeurs sauvages, je tiens alors de cette magnificence solaire les dons d'un esprit mâle et d'une rustique volonté.

C'est par l'influence de ces dons passagers, et non par les mérites innés de mon caractère, que j'explique ma contenance au cours des événements qui suivirent de peu le départ de Geneviève. Si je fus quelquefois alors maître de moi, et si ma vie et tout l'édifice moral de Théotime ont pu résister à la violence d'un drame à quoi rien ne me préparait, je sais d'où j'ai tiré mon courage. J'ai dû le salut et l'honneur à la puissance du soleil.

IX

Bien qu'aucun événement ultérieur n'ait marqué la journée où partit Geneviève, il faut qu'elle ait profondément imprégné ma mémoire pour que j'en aie gardé le goût pur et amer, après tant de jours plus douloureux. Tandis que je restai avec les Alibert, sur les aires, je n'eus pas le loisir d'éprouver violemment cette amertume. Mon chagrin, lié à celui de mes compagnons de travail, en perdit son âcreté. Les tristesses partagées sont plus calmes. Nous formions, sans trop le savoir, une communauté sentimentale, et nous rendions un culte involontaire à une sensibilité ombrageuse et secrète. Tout le monde pensait à Geneviève, mais personne ne parla d'elle.

Nous nous séparâmes seulement à la tombée de la nuit. Je rentrai seul au mas.

Il reposait au milieu des arbres, et sa tranquillité m'étonna. Dans la pénombre il se détachait gravement et me présentait comme une figure morale, une sorte de forme sage et religieuse, d'amitié domestique. C'était une vieille maison de bonté et d'honneur, une maison de pain et de prière.

Cependant j'étais seul, et personne ne m'attendait pour le repas du soir. La lampe n'était pas allumée.

J'errai partout sur la pointe des pieds, car Geneviève était partie. Qu'importait désormais qu'on sût que j'étais là ?

Le repas dura longtemps. Je mangeai un peu de pain et je bus du lait. La lampe éclairait mal ; et il y avait sur la nappe un bol de faïence bleue où trempaient encore quelques fleurs.

Je n'étais pas précisément triste : j'étais seul.

Une telle solitude implique le silence. Le silence intérieur m'était surtout sensible. Comme si j'eusse été absent de moi-même, tout se taisait en moi, et jusqu'au souvenir de l'être cher. J'allai dans la chambre de Geneviève et je la trouvai calme, en ordre. Les vêtements restaient pendus à côté l'un de l'autre ; et un beau linge était rangé avec soin dans les tiroirs de la commode. J'eus honte de l'avoir ouverte ; mais j'avais fait ce geste, sans m'en rendre compte, tellement j'étais loin de moi. Sur le lit il flottait un parfum à peine perceptible de lavande et d'héliotrope. Je m'étonne aujourd'hui qu'aient subsisté dans ma mémoire des souvenirs aussi fragiles que le charme de ces odeurs naturellement si périssables. Et cependant, au moment où j'écris, je les respire encore ; elles s'exhalent de moi, qui les ai retenues, secrètement, et quoiqu'elles soient maintenant d'une nature purement immatérielle, ce sont elles qui toutefois me troublent encore, quand il m'arrive d'être seul, au milieu de la nuit.

Je voulus finir ma soirée dans le grenier aux plantes ; mais je n'y retrouvai pas cette atmosphère de refuge qui m'y accueillait habituellement.

Rien n'y était changé ; et j'y étais encore venu, la veille, pour lire un peu. Mais quoique tout y fût resté en place (même le livre), l'esprit familier de cette retraite amicale me paraissait absent. Elle n'était plus faite à mon usage ; et je n'avais pas eu, en y entrant, cette impression, qui me plaisait toujours, de revenir enfin à moi, et d'entrer dans la plus douce chambre de mon âme.

Cependant Geneviève n'y avait jamais pénétré, sauf peut-être, à mon insu, quand j'y entrais moi-même, puisque je la portais partout au milieu de ce cœur qui ne lâche plus ce qu'il tient. Elle n'eût pas dû me manquer dans ces lieux interdits à sa curiosité et, peut-être, hélas! à son amour. Pourtant c'est là que je me sentis le plus seul, et que je constatai mon impuissance.

Je ne pus même pas retrouver le contour de sa forme. Comme si la défense, que j'avais opposée à son amitié, en lui condamnant cette porte, eût arrêté jusqu'à son souvenir sur le seuil de ma retraite, j'avais beau penser à elle, sa figure ne m'apparaissait pas. Je n'avais plus que la certitude inutile de son ancienne présence dans la maison, mais aucun souvenir, même celui d'un pas léger ou d'un soupir, ne lui donnait une apparence.

L'absence des êtres familiers qui hantent notre solitude nous laisse sans secours en face des objets matériels ; et nous découvrons le décor qui les attire, seulement le jour où cet attrait est resté impuissant sur eux. Certes je connaissais tous les coins du vaste grenier que j'habite depuis dix ans, et chacun pour moi offre un charme singulier. Mais justement, du fait que tout y jouit d'une vie secrète, rien ne s'en distingue brutalement ; et le moindre cahier, le plus modeste outil, se fondent dans ce petit monde amoureusement composé sur des lois de méditation et de rêverie qui le font graviter sans bruit autour de ma pensée. Je ne les vois pas ; je les vis. Il n'en est point qui sollicitent indiscrètement mon attention épandue seulement sur ces formes morales qui me les rendent d'un commerce si doux et d'un contact si indéfinissable, quand par hasard ils me viennent sous la main. A ma sauvagerie qui redoute les hommes, conviennent ces mystérieuses relations qui des objets à moi établissent des liens affectueux. Je vis dans une société magique où je ne vois plus la matière mais la seule forme des signes qu'elle me propose, et je tiens si intimement à ce monde amical que je n'y trouve plus jamais d'obstacle au mouvement de mes songes.

Je fus donc effrayé, cette nuit-là, de ne pouvoir détacher mon regard qu'avec peine des objets sur lesquels se posaient mes yeux. Car tous s'offraient avec une netteté agressive ; et chacun, isolé, offensait ce regard en voulant s'imposer à mon attention. Je ne trouvai pas d'amitié en ces présences matérielles ; mais une sorte d'âpreté à se détacher de l'anonymat. Le moindre godet de métal soudain prenait une importance inattendue, et plus il s'affirmait en s'imposant à moi, moins je le sentais sociable. Le bois redevenait du bois, le fer, du fer ; et, sur ce monde clos, sentimental, secret, où avait toujours circulé une vie si spirituelle, les éléments, détachés de notre unité familière, tout à coup me semblaient inanimés.

Je me trouvais dans mon grenier, un grand, un confortable grenier ; mais il n'était plus le lieu des rencontres de ma vie invisible. Il y flottait une ancienne odeur de son et de paille qui venait du fond de la pièce, là où, sur le lit de repos, j'avais étendu et cloué, pour cacher une porte, ce vieux tissu dans lequel Madeleine Dérivat avait brodé jadis la croix, la rose, et les colombes familiales.

Derrière cette porte s'étend le reste du grenier, que j'ai coupé d'une cloison de briques pour me ménager en deçà une retraite habitable. Je n'occupe guère qu'un tiers de cette étendue qui s'enfonce loin dans les profondeurs de Théotime, où des échelles et des trappes mettent en communication avec les écuries, les étables, et des communs obscurs, aujourd'hui inutilisés. On appelle ce haut « les granges », quoiqu'on n'y entrepose plus de blé depuis dix ans. Le blé, ce sont les Alibert qui le conservent à la métairie. Ainsi « les granges » restent vides ; mais du froment qu'elles ont abrité si longtemps le parfum imprègne les bois de la charpente. Quand il fait chaud et que l'air se dilate sous les tuiles, cette odeur de meunerie passe sous la porte et atteint mon refuge.

Elle y pénétrait avec une force qui m'étonna ; tellement que je me demandai si la porte s'était ouverte. Mais cela me parut incroyable. Un gros verrou en assure solidement la fermeture ; et ce verrou, je ne l'avais jamais touché depuis mon installation.

Je passai derrière le lit et soulevai l'étoffe. La porte était entrebâillée (à peine d'un doigt, il est vrai). Mais si le pêne du verrou était toujours poussé, la gâche s'était détachée du chambranle (peut-être sous une poussée du vent, toujours violent dans les greniers) ; et je la ramassai par terre.

Je pris une lampe et passai dans les granges.

Il y faisait très chaud, car on se trouvait sous les tuiles. La lampe n'éclairait qu'à peine les profondeurs de ces combles immenses. On voyait, tout à fait au fond, le bout d'une échelle qui sortait d'une trappe. Par là on descendait aux écuries. Au-dessus, dans le mur, s'ouvrait une porte très basse donnant sur le fenil. Au milieu de la pièce on avait bâti avec des planches une petite chambre que fermait un vieux rideau de cretonne. J'y trouvai une sorte de grabat avec une paillasse. A côté, une malle vide et, pendu à un clou, contre la cloison, un fouet court. Là sans doute avait habité, dans le temps, quelque valet de ferme.

Je revins chez moi ; et, du mieux que je pus, j'assujettis le battant de la porte, de façon qu'elle restât close, en attendant qu'on remît la gâche au verrou.

Puis j'allai dormir dans ma chambre. Mais je mis longtemps à trouver le sommeil. Je pensais à ces « granges » dont la présence et la profondeur m'obsédaient.

Si j'en connaissais déjà l'existence, je n'y avais jamais pénétré au milieu de la nuit. Je venais d'en découvrir l'ombre et les communications oubliées. Où donnaient-elles ?... Cette pensée me hanta si longtemps que je l'emportai dans mon sommeil...

Les journées suivantes furent toutes emplies par un dur travail. On achevait de dépiquer.

Un orage monta, le 23. Il s'annonça avant midi par un brusque alourdissement de la chaleur et l'apparition à l'ouest d'un mauvais nuage. On battait alors sur l'aire Théotime. Alibert me dit :

— Nous aurons de la pluie avant ce soir. Il faut laisser là le battage et rentrer les gerbes. On va les abriter chez vous, dans les granges. C'est le plus près.

On remit une corde à la poulie et on hissa les gerbes. J'étais en haut avec Françoise. Elle travaillait sans parler, d'un air bourru, fiévreusement, et il faisait si chaud que nos fronts ruisselaient de sueur.

A sept heures, toutes les gerbes étaient à l'abri. On les avait entassées non loin de la poulie et elles montaient jusqu'aux tuiles.

Françoise s'appuya contre la paille et s'épongea le front. Le grenier était sombre, l'orage descendait sur nous. Je dis :

— Ça va bientôt éclater. On étouffe.

Françoise soupira. Je lui demandai :

— Es-tu lasse ?

Elle s'était laissée aller contre les gerbes et, les bras étendus, la tête renversée, elle respirait nerveusement. Je l'appelai ; mais elle ne me répondit pas. Alors je m'approchai et je vis ses yeux clos, sa figure pâle. Je lui pris la main ; elle ouvrit les yeux et me sourit :

— C'est l'orage, murmura-t-elle.

Elle avait éprouvé, sans doute, un bref malaise, qui pourtant m'étonna d'une fille habituellement si forte. Je pensai : « Il ne faut pas qu'elle descende par l'échelle », et je lui dis :

— Viens, on va passer dans la maison.

Je la conduisis vers mon grenier, dont je dus, un peu violemment, pousser la porte pour qu'elle cédât. Elle se laissait conduire.

Quand elle fut dans mon refuge, je la fis s'asseoir. Elle regarda autour d'elle, avec une sorte d'émerveillement :

— Mon Dieu, murmura-t-elle, je savais bien que vous viviez quelque part...

L'idée me parut si étrange que je lui en demandai l'explication. Elle hésita, chercha, puis finit par me répondre :

— Vous n'êtes pas tout à fait comme les autres.

Cette réponse banale me déçut.

Je lui dis un peu méchamment :

— Un étranger, n'est-ce pas ? M. Pascal...

Elle me regarda avec une expression de peine si vive que j'en fus troublé.

— Oh ! non ! répliqua-t-elle. Pas un étranger. L'ami de la maison.

Elle se leva et sortit de la pièce. Je l'accompagnai jusque dans la cour. Il faisait noir. La nuit était tombée ; et les nuages lourds pendaient sur toute la campagne.

— Je ne dirai rien à personne, murmura Françoise, tout bas.

Son corps avait frôlé le mien. Elle disparut ; et je restai seul devant le portail.

Le temps ne fut pas aussi mauvais que l'avait annoncé le vieil Alibert. Pendant la nuit il tomba une ou deux petites averses ; mais le gros de l'orage éclata plus haut, dans les combes solitaires de la montagne. Je ne dormis guère. On entendait la voix puissante de la foudre qui se répercutait dans les vallons à trois lieues de là. Jusqu'au matin elle parla gravement, vers l'est, au milieu des nuages ; mais ne s'approcha pas de notre quartier.

Quand je me levai, de lourdes vapeurs pendaient encore en franges noires sur les flancs des collines, dans la direction de La Font-de-l'Homme. On n'apercevait pas les crêtes ; mais un violent courant d'air à mi-côte déplaçait la pluie, et on voyait courir rapidement les vapeurs les plus basses à la pointe des pinèdes. La terre exhalait une odeur fade de mauve et d'argile mouillée.

On ne travailla pas. Mais un coup de vent se leva vers le soir, qui éclaira l'ouest, et commença à dégager les crêtes. Pendant la nuit il souffla, à plusieurs reprises, assez fort, et il y eut l'apparition de grandes étoiles.

Le lendemain on put se remettre à l'ouvrage et, en trois jours, on acheva de dépiquer.

Pendant le dépiquage Clodius ne fit rien. Peut-être s'occupait-il de son propre blé.

Mais le 28, il sortit de son inaction en incendiant quelques broussailles ; et, le soir, il tira sur un chien. Jean Alibert le vit tirer.

Trois jours avant, j'avais reçu une lettre de Barthélemy. Ils avaient déjeuné sous le pin, à mi-route :

« ... Geneviève était gaie (écrivait-il), et elle paraissait heureuse à l'idée de revoir Sancergues. » Mais lui, il avait quelques raisons d'être un peu inquiet tout de même.

« ... A la maison, ajoutait-il, tout s'est passé bien simplement. Maria (c'est sa femme) et les enfants ont été intimidés, comme de juste, mais Geneviève encore davantage. J'avais beau leur dire : " Nous sommes tous cousins ", ils n'avaient pas l'air d'y croire. Enfin ça s'est réchauffé au dîner quand on a parlé de toi... »

Il continuait, en me racontant qu'il avait craint d'abord quelques heurts entre Geneviève et les autres parents de Sancergues. Mais tout le monde s'était montré accueillant, discret, et même quelquefois, tendrement Métidieu, comme au bon temps. Le cousin Léonard avait offert une corbeille de pêches ; et tante Aureille une demi-douzaine d'œufs du jour. Mais les choses s'étaient tout de même gâtées par ailleurs. « Pendant trois jours, écrivait Barthélémy, elle n'a pas parlé de sa maison. Moi, je me tenais coi, tout en pensant : le moment viendra bien et il sera certainement pénible. Le moment est venu.

« Elle m'a interrogé, la première. Je n'ai pas pu lui cacher la vérité : " Ta maison, ma fille, a été vendue, il y a un mois. " Elle a voulu savoir à qui. Je lui ai répondu : " A quelqu'un de la ville, mais je ne connais pas son nom. " Alors elle m'a dit : " Je comprends maintenant pourquoi Pascal m'a proposé de l'acheter. Pauvre Pascal!... " Elle était triste. Elle l'est restée. Depuis cette conversation, je ne la reconnais plus. Rien ne l'intéresse. Elle ne veut plus voir personne des siens ; et elle s'enferme dans l'enclos, avec les enfants. Les enfants l'aiment ; elle leur fait construire des cabanes ; ils s'y retirent tous les quatre ; et on ne les entend plus. Jamais on ne les a connus si tranquilles ; ils sont peut-être tristes, eux aussi. Elle s'est attachée surtout à l'aîné, Marcel, qui est pourtant assez sauvage... Figure-toi qu'ils se battent ; et Marcel, qui est déjà fort pour ses douze ans, lui fait des bleus... »

La fin de la lettre dénotait un grand embarras. Je n'y répondis pas tout de suite.

Le dépiquage une fois achevé, j'avais repris ma liberté habituelle. Car si je paie de ma personne, chaque fois que reviennent les grands travaux, moissons, vendanges, le reste du temps, je me réserve des loisirs pour mes études de botanique.

Aussitôt après la pluie, le coup de vent avait transformé la température. Les nuages partis, le ciel avait repris toute sa pureté. En moins de quarante-huit heures, l'air était devenu sec, cassant, le vent était tombé, et la chaleur avait éclaté violemment dans la sécheresse du ciel.

Après tant de jours gris, maussades, l'été brûlait enfin les flancs de la campagne ; et, en brisant le sol sous l'ardeur de sa flamme, il en tirait de grandes colonnes d'air chaud qui sentaient la fournaise. Quand la brise ne souffle pas, la chaleur et son odeur fauve s'accumulent en lourdes masses et restent immobiles. Alors des profondeurs du sol, où l'argile se cuit à feu couvert, jusqu'aux hauteurs du ciel où montent, aspirées, les molécules flamboyantes des poussières, s'élève l'édifice immense de l'été.

Si le gros du jour et les soirées étincelantes vous accablent, de l'aube à huit heures du matin, la campagne jouit d'un état de douceur et d'innocence végétale, qui la rend délicieuse, surtout dans ces quartiers, comme les pentes des collines, où les plantes sauvages, toutes fraîches encore de la nuit, commencent à respirer à travers l'humidité qui humecte leurs feuillages. C'est alors qu'il fait bon herboriser. On enfonce la main dans les feuilles humides, et, quand on les secoue, il vous pleut sur les doigts des centaines de claires gouttelettes d'eau, tandis que le parfum de la petite plante se dégage et se mêle, au ras du sol, à l'odeur des herbes plus basses et aux puissantes émanations de la terre.

Après tant de soucis et de travaux, je ne voulus pas me priver d'un plaisir que je goûte vivement parce qu'il fait le charme de mes études d'herboriste. Je connais le bonheur que donnent, lorsque vient l'hiver, les plantes d'un herbier d'été.

Je partis, le 30 juillet, pour herboriser du côté de La Font-de-l'Homme.

Le jour se levait ; mais déjà, au milieu des genévriers et des houx, les sentiers se dessinaient bien.

J'évitai Micolombe. Geneviève me l'avait demandé en partant. Je cueillis un peu d'origan, de *Satureïa hortensis* et d'hysope. De temps à autre, je rencontrais des traces de foyer : quatre pierres brûlées et un tas de cendres. Là était passé Clodius.

Devant la bergerie de La Font-de-l'Homme, s'étend une petite esplanade ombragée de chênes. Au beau milieu Clodius avait préparé un foyer plus grand que les autres ; mais dérangé dans son travail (sans doute par Jean Alibert), il avait dû l'abandonner avant que le feu eût bien pris. Les broussailles avaient flambé ; mais non pas les grosses branches dont la flamme avait seulement calciné l'écorce.

Je m'assis, un moment, devant la bergerie et je fus frappé par la sauvagerie de ce lieu. Le ravin était clos, encaissé, séparé du monde. Je pensai : « Quand il le voudra, Clodius pourra revenir ici, et mettre le feu aux étables. Tout aura brûlé, quand on verra monter les premières fumées, de Théotime. C'est une chance qu'il ait plu, et que Jean Alibert ait été là. »

J'étais inquiet. La sécheresse maintenant rendait, de nouveau, le terrain propice à l'incendie. Je me promis d'y veiller, puis je continuai ma promenade jusqu'à Saint-Jean où je cueillis un plant d'armoise et quelques fleurs de centaurée médicinale.

Je ne voulus pas redescendre sans avoir visité l'ermitage. Quelqu'un y était venu récemment, à en juger par l'état du maître-autel. On avait mis des bougies neuves aux deux candélabres de bois, rangé les burettes avec soin, et placé un bouquet de genêt d'Espagne dans un vase de porcelaine, à droite de la Sainte Table.

Au pied de l'autel, dans la nef, sur un prie-Dieu de paille, je trouvai un petit missel en mauvais état.

J'étais sûr qu'il n'y était pas lors de ma dernière visite ; aussi je ne pus m'empêcher de penser à Geneviève ; et je sortis de l'ermitage plus triste que je n'y étais entré.

En revenant, je fis un crochet vers Farfaille pour lui demander un petit service. Mais Farfaille n'était pas chez lui. Je remontai alors à Théotime par le plus court, en passant devant Genevet. Genevet m'appela, ce qui m'étonna beaucoup. Genevet n'appelle jamais personne, car il craint comme le feu qu'on l'appelle lui-même. Invisible, tremblant, il épie, et met tout son zèle à passer inaperçu de ses voisins. Pourtant cette fois il m'avait appelé :

— Monsieur Pascal...

J'allai vers lui, d'autant plus cordialement.

Il avait l'air embarrassé, et s'efforçait de remédier à sa gêne en faisant de petits sourires, maladroits. Il me parla de mes melons. Mes melons, je l'avoue, n'avaient pas donné, et il en paraissait assez content.

Je me dis : « Où veut-il en venir avec cette histoire ? »
Mais à ce moment sa femme apparut, un melon sous
chaque bras. Des pièces magnifiques. Je lui en fis
compliment. Elle n'attendait que cela sans doute,
car elle me dit :

— Tenez, prenez-les, sans façon, monsieur Pascal ;
ce sera pour la demoiselle de passage.

Tous les deux ils baissaient les yeux, confus, mais
tremblants de bonheur.

Je n'eus pas le courage de leur apprendre que
Geneviève était partie. Je pris les melons.

En m'accompagnant, Genevet s'excusa :

— Vous comprenez, je vous ai vu. Vous passiez...
Alors j'ai eu l'idée... C'est le hasard...

Je faillis l'embrasser en le quittant.

Au mas, je trouvai de mauvaises nouvelles.

Une deuxième lettre de Barthélémy.

Geneviève continuant à ne plus voir personne,
ils avaient décidé de monter au Pesquié. C'est une
jolie ferme que possède Barthélémy à trois kilomètres de Sancergues, sur le coteau. Geneviève
avait accepté ce déplacement.

Barthélémy la voyant toujours aussi triste, l'avait
chapitrée avec douceur. Elle lui avait donné raison
tout de suite : « Jamais je ne l'ai trouvée aussi soumise, écrivait-il. Cela m'inquiète, je te l'avoue. Je
lui ai dit : " Il faut faire à la fin un établissement
sensé. Tu devrais épouser quelqu'un qui t'aime,
mais qui t'aime pour toi, et pas seulement pour tes
beaux yeux ; quelqu'un de sain, de calme, qui soit
à son aise et qui habite nos pays. Nos pays sont bons
pour le cœur, je t'en réponds. Regarde Pascal, s'il
s'est fait une vie honnête. " Elle m'a répondu :

" Mon bon Barthélémy, je ne suis pas libre. " Elle a dit cela d'une voix si basse, si malheureuse, que j'en ai eu les larmes aux yeux. J'ai voulu cependant tirer cette affaire au clair ; mais je n'ai pu obtenir de grands éclaircissements, car elle est restée, le plus qu'elle a pu, dans le vague. Toutefois, bribe par bribe, je suis arrivé à me faire une idée de son histoire. Je crains beaucoup qu'elle n'ait épousé cet homme, après son divorce. Tu sais qui je veux dire : cet homme qui avait tout quitté, femme, enfants. Mais elle s'est lassée tout de suite de lui et a disparu. Cela se passait, il y a un an environ. Il a dû la rechercher. Elle le connaît bien ; têtu, violent. Il n'a donc pas renoncé à la reprendre ; mais jusqu'ici, il a perdu ses traces. Pourtant elle redoute de le voir surgir un beau jour à sa porte. Cette appréhension la tourmente sans répit. C'est son cauchemar : " Je ne m'aveugle pas, dit-elle : il reviendra. Aussi il vaudrait bien mieux que je parte. Mais où aller maintenant ? " Voilà où nous en sommes...

« J'espère, concluait Barthélémy, qu'un séjour au Pesquié lui fera tout de même un peu de bien. L'air y est bon, l'eau y est bonne, et on voit au levant la montagne de Puyreloubes. En arrivant ici, elle m'a dit : " Chez toi, c'est mon dernier refuge. Après, qui sait ? "

« Je lui ai répondu : " Tu as Pascal. " Elle a secoué la tête : " Non, je n'ai plus Pascal. " Et elle a pleuré. Cela se passait avant-hier matin. Depuis, elle paraît un peu tranquillisée. Aujourd'hui les enfants l'ont emmenée le long du canal, et je les entends rire...

« Il fait beau. La maison est agréable et le jardin plein d'abricots. Maria a mis à sécher de beaux fromages sur les éclisses ; tous les soirs nous mangeons dehors à l'ombre de la tonnelle ; les nuits sont douces, grâce au canal qui passe le long du jardin et qui entretient un peu de fraîcheur sous les arbres. Il y a des moments où on se dit qu'on jouit là d'un vrai bonheur ; mais ce n'est probablement pas un vrai bonheur, puisque Geneviève se sent si triste. Tu nous manques, Pascal. Il faut venir... »

Je repliai la lettre. Je ne voulais pas aller à Sancergues. J'étais libre pourtant, après le dépiquage ; mais à la vive tentation de partir et de retrouver Geneviève s'opposait un obscur mouvement de l'âme qui me retenait à Théotime.

Pour tout dire, c'est Théotime même qui me retenait.

Il s'élève toujours des lieux que j'habite une sorte d'âme exigeante qui me repousse ou qui m'attire à elle. Théotime, que j'aime, s'est attaché à moi, qui l'ai relevé de son sommeil. En dix ans de coexistence nous nous sommes mêlés tellement l'un à l'autre que quelquefois je me demande si j'ai vraiment une maison et une terre ou si, plus vraisemblablement, tout cela n'est pas le pays et le toit familier de ma vie secrète. Ainsi en moi c'est naturellement Théotime qui pense, qui aime, qui veut ; et je n'entreprends rien sans que ses lois n'imposent, peu ou prou, à ma volonté, leurs raisons, qui sont fortes et nobles, j'en conviens, mais dont s'accommode parfois difficilement la violence de mes désirs.

Théotime me conseillait de ne pas aller à Sancergues. C'était le conseil du bon sens, de l'honnêteté. Les nouvelles que m'envoyait Barthélémy concernant le mystérieux mariage de Geneviève éclairaient la situation morale. A persister dans un espoir inavoué, mais puissant, et sans doute bientôt terrible, bien loin de la sauver, en la maintenant dans une vie droite, je contribuais à sa perte. J'entrais, moi aussi, à mon tour, comme un instrument de déchéance, dans la succession de tous ceux qui, attirés, sans doute malgré elle, par l'attrait fatal de ses charmes, n'ayant pas su se l'attacher, n'avaient pu que l'abandonner aux instincts violents et malheureux dont leur propre passion avait attisé l'ardeur.

Il est vrai que, peut-être, elle m'aimait ; mais n'avait-elle pas aussi aimé les autres en leur temps, ou du moins cru à quelque amour ? A parler franchement, je ne le pensais pas ; mais je me méfiais tellement de moi-même que je craignais d'être trompé par mes désirs. De toute façon, mariée (s'il était avéré qu'elle le fût), elle m'échappait à coup sûr ; car je me devais de ne plus la revoir. Il était nécessaire qu'elle n'apparût plus dans ma maison.

Cette pensée, que je formulais avec courage, me déchirait le cœur. Et quand je me disais qu'il ne fallait pas aller à Sancergues, en moi, l'espoir voilé se levait dangereusement que mon absence lui devînt insupportable et que, cédant alors au besoin de me retrouver, elle revînt, malgré moi, à Théotime, peut-être pour m'y perdre avec elle, mais emportée enfin par cet élan de passion sauvage que j'attendais depuis mon enfance, et que je ne me sentais plus la force de repousser.

Ces sentiments contradictoires m'agitèrent violemment pendant deux jours. La chaleur, qui montait depuis le retour du beau temps jusqu'à atteindre à une puissance extraordinaire, commençait à me peser. Fatigué par le dur travail des moissons et les soucis de l'âme, je subissais péniblement cette ruée de lumière, de feu et d'immenses poussières d'été.

Si tous mes points de résistance tenaient bons, par l'effet d'une exaltation encore vive, j'éprouvais cependant un étrange besoin de lassitude. J'aurais voulu pouvoir doucement m'endormir, et tout oublier.

Le 31 juillet, qui était un samedi, les Alibert m'annoncèrent qu'ils comptaient s'absenter le lendemain, tous les quatre. Ils avaient une cousine qui se mariait, à Chevallon, petit hameau voisin. On m'invita ; mais je refusai. Pour me décider, ils me dirent que Farfaille en serait et Genevet, peut-être.

— Il ne restera plus que vous dans le quartier, me fit remarquer Marthe.

— Et Clodius, lui répliquai-je.

Ce nom de Clodius fut mon argument décisif : il fallait que quelqu'un surveillât Clodius. On finit par en convenir.

Ils partirent de bon matin, sur ma propre voiture, qui est un petit break commode et léger en assez bon état.

Farfaille les suivit et même Genevet dans une seule carriole bleue. J'aperçus les deux véhicules, sur la côte qui monte à Puyloubiers.

Une heure après, je vis Clodius, s'en aller à son tour, un bâton à la main, vers le village. Il était endimanché ; il marchait à grands pas et, de temps à autre, il donnait un grand coup de bâton sur les cailloux. Je le suivis du regard jusqu'au col. Quand il l'eut passé, je me trouvai seul.

C'était bien ce que je souhaitais.

Au calme qui m'envahit aussitôt, je le compris ; et cette bonne lassitude à laquelle j'aspirais depuis plusieurs jours se coula dans mon corps et s'étendit jusqu'à prendre contact avec mon âme, sur ces points où l'on peut facilement y atteindre. L'imagination s'évanouit, la pensée s'arrêta sur elle-même, et de ma sensibilité à vif les mouvements peu à peu se ralentirent.

L'immobilité s'établit dans mon vide intérieur et je jouis d'une félicité impersonnelle, cependant qu'au-dehors la solitude des champs, sous le soleil, s'accordait à la paix et au silence de mon âme.

Je passai ma matinée à ne rien faire, allant de la source au verger, des étables à la maison, sans but, mais sans ennui ni souci du temps, satisfait d'être ici aussi bien que là, et prenant mon plaisir à respirer enfin les odeurs de la campagne, en amateur des champs et non plus en cultivateur intéressé.

Mon peu de goût pour l'oisiveté du dimanche, cette fois, ne m'empêchait pas d'accueillir avec ferveur les bienfaits de ces vacances dominicales, et je me promettais de continuer jusqu'au soir à profiter des avantages que m'offrait ce jour de repos confidentiel. Ainsi ma matinée ne fut que douceur ; car tout me paraissait facile depuis que je n'étais plus un obstacle à moi-même.

Je déjeunai agréablement dans la pénombre de la salle basse, tous volets clos, la lumière n'entrant que par la fente étroite des battants de la porte, où tombait un rideau de cordelettes.

Après le repas, je me reposai. La chaleur montait depuis plusieurs heures. Elle écrasait le mas et, tout autour, la croûte durcie des terrains.

Je m'étendis sur un vieux canapé de paille, au fond de la pièce, où la voûte et les murs épais conservaient une provision de fraîcheur. Je m'y trouvai si bien que je ne pus pas m'endormir, tant ce bien-être me semblait reposant par lui-même ; et j'y abandonnai tout ce qui me restait d'inquiétude avec une confiance ingénue qui était elle-même une volupté.

Parfois j'entendais dans les hauts de la maison craquer une planche ou remuer une poutre ; et je voyais danser une mouche, obstinée et maladroite, dans le rai de lumière de la porte. J'étais hors de moi, loin du temps, et pourtant à l'abri, au fond d'une énorme bâtisse qui, même en plein été sous la chaleur torride, conservait ses réservoirs d'ombre et d'humidité.

Le silence m'était sensible par le bruit hésitant du balancier qui, à l'autre bout de la pièce, battait dans l'horloge. J'aime cette horloge, dressée près de la porte, parce que le mécanisme en est doux et qu'un petit marteau de feutre n'en tire que des temps lointains, des heures pures, qui ne comptent pas.

Je sais pourtant qu'elle sonna cinq heures, à un moment donné, et que peu après j'entendis quelqu'un qui marchait dans la cour.

Ce pas me surprit et m'inquiéta, car il était lourd, mais hésitant. On devinait un pas étranger à la maison, le pas de quelqu'un qui ne sait trop où s'adresser, qui cherche.

Je ne bougeai pas.

Une ombre humaine passa devant le rai de la porte, et on frappa avec un bâton contre le battant.

Je ne répondis rien. J'aurais bien voulu savoir qui était là, mais sans me montrer.

Les deux battants étaient retenus l'un à l'autre par un crochet qui permettait, pendant le jour, de les croiser mais sans les joindre, de façon à laisser entrer un peu d'air et de lumière à travers la fente ainsi ménagée.

Du fond de la pièce, je vis une main qui passait à travers cette fente pour essayer d'ouvrir. Elle s'agita un moment, sans doute pour saisir le crochet, mais elle ne le trouva pas. C'était une grande main, une main d'homme, large. Elle secoua le battant puis se retira.

Pendant un moment rien ne remua plus. L'ombre restait immobile devant la porte.

J'éprouvais un malaise, à la fois physique et moral, qui tenait de la peur, sans doute, et qui se manifestait par mon impuissance à rien faire.

Enfin l'ombre se déplaça, et le pas s'éloigna vers le portail.

Aussitôt je pus me lever, et, sur la pointe des pieds, je courus jusqu'à la porte. J'eus le temps d'apercevoir un homme. Il s'en allait. Sur le dos il avait une balle de toile, et il portait une sacoche de cuir en bandoulière. De la balle s'échappaient des bouts de serviettes et de cretonne rouge.

C'était un de ces colporteurs piémontais qui voyagent dans les campagnes ; ils vendent aux fermes isolées du fil, des aiguilles, un peu de toile, et même à l'occasion des allumettes de contrebande. On ne sait d'où ils viennent ni où ils vont ; car ils parcourent quelquefois sept à huit lieues dans la journée, toujours à travers champs et plutôt sur les sentiers que sur les routes. Ces gens-là n'ont pas bonne réputation, quoique dans nos quartiers on n'ait jamais eu à s'en plaindre. Mais à la campagne, un isolé, un passant, n'est jamais vu d'un bon œil.

Celui-ci était grand, fort, à en juger par le volume de sa balle. Comme elle lui cachait la tête, je ne vis de lui que ce dos puissant.

Il hésita sous le portail, puis il prit par la gauche et je pensai qu'il partait du côté de Clodius.

Quand je jugeai qu'il devait être assez loin, je sortis et allai jusqu'à la source. Mais je ne le vis nulle part.

Cette disparition me laissa une inquiétude. Pourtant ce n'était pas la première fois que Théotime recevait pareille visite. Tous les deux ou trois mois, un de ces colporteurs passe au mas et à la métairie ; et on lui achète toujours, soit une bobine de fil à repriser, soit un petit carton d'épingles ou de boutons de nacre.

Je fis quelques pas autour de la maison avant le dîner, et je poussai jusqu'à la métairie que je trouvai

234

close. Les Alibert avaient emmené le chien. « Il aime, lui aussi, les bons morceaux, avait déclaré Marthe ; et il en tombera bien quelques-uns, pendant la noce. »

J'étais vraiment seul. J'avais vu partir, mais non pas retourner, Clodius. Cependant je pensais qu'il avait dû rentrer chez lui ; car, un dimanche soir, qu'aurait-il fait à Puyloubiers où il n'avait ni un parent ni un ami ?

L'air était très chaud. La chaleur vous prenait par la nuque et les épaules. Toutes les fois que je faisais un pas, je me sentais du plomb aux jambes.

Je dînai assez tristement à la tombée de la nuit. J'avais très soif et je bus beaucoup d'eau, sans réussir à me désaltérer. Je n'en fus que plus alourdi.

Dans ma chambre l'atmosphère était devenue si étouffante que je ne pus pas y résister ; j'avais les mains sèches, et la gorge me brûlait.

Je descendis dans la cour. La réverbération de l'épaisse façade et du sol, qui rendaient le feu sourd dont ils étaient gorgés, créait une fournaise. En s'exhalant de ces murailles la chaleur dégageait de puissantes odeurs de pierre calcinée. Je me dis que la nuit serait probablement intolérable, et je pensai à ce hamac que j'avais installé pour Geneviève, à côté de la source.

J'y allai. Par précaution, j'en retendis les cordes, puis je me hissai, un peu maladroitement. Le hamac oscilla et les anneaux de fer grincèrent. J'avais oublié de les huiler. Le grincement m'étant désagréable, pour l'éviter, je me laissai aller dans le filet, de tout mon poids, et, les mains pendantes, je restai parfaitement immobile.

Il régnait un grand silence dans la campagne. Le hamac était suspendu entre deux chênes. Sur ma tête s'étendait leur immense feuillage qui bloquait une masse de chaleur. Pas d'étoiles. La nuit était sans lune, et ces frondaisons colossales me cachaient le ciel.

J'essayais de voir la source. Mais du fond de ces ombres, il n'en partait pas une lueur, ni un bruit. Sous la surface lisse et sombre de ses eaux dormantes, le mystérieux surgeon qui l'alimente ne soulevait pas même une bulle d'air. Pourtant parfois un clapotis décelait l'existence d'une rainette qui venait respirer, un moment, entre les roseaux. Mais n'eût été cette légère éclosion de gouttelettes, rien n'aurait trahi le secret des eaux invisibles.

D'abord j'avais eu de la peine à rester tout à fait immobile, et, sans le vouloir, j'avais agité le hamac dont les anneaux de fer avaient aussitôt grincé. Le frottement, pourtant à peine perceptible, avait traversé ce silence comme un cri qui devait porter très loin dans la campagne. Cette campagne, lourde et close sous ses ténèbres, cachait peut-être une bête issue des collines et qui, perdue au fond de l'ombre, le museau levé dans l'air chaud, attendait le plus faible indice de vie, une odeur, un son ou le moindre souffle, pour se diriger vers lui à pas de loup.

Puis je pensai au colporteur. Où se trouvait-il?... Depuis cinq heures, il avait dû faire du chemin.

Mais, après Clodius, on ne trouve plus qu'une seule ferme, La Jalabière, à une heure de là, et plutôt du côté de la route. Au nord ce sont les bois, la montagne, et les sentes à charbonnier, ou les « carraires ». Là se rencontrent quelques « jas », abandonnés pendant l'été, quand les troupeaux vivent encore dans les alpages ; mais on y peut dormir, s'il reste un peu de paille dans les râteliers. J'y ai couché, moi-même ; on étend la paille sur le sol, et quand on est bien fatigué, on s'endort au bout d'un moment.

Peut-être y avait-il fait halte, soit à La Font-de-l'Homme, soit plus haut, au Jas-du-Milan. Peut-être aussi s'était-il couché par là, dans un fossé, avec son ballot sous la tête ; et, en attendant le sommeil, regardait-il en l'air ce ciel noir, embué. Sans doute pensait-il à ces mas isolés, qu'il avait tous visités vers la fin de l'après-midi et où personne ne lui avait répondu. Mais pourquoi avait-il essayé d'entrer dans la salle de Théotime ? Croyait-il donc la maison vide, quoique la porte fût entrebâillée ? Et n'allait-il pas, cette nuit, revenir rôder autour du mas ?

Depuis son départ il flottait un malaise, comme si quelqu'un eût guetté ma vie dans la solitude. Et la masse de Théotime me semblait si mystérieuse que j'en redoutais la présence non loin de moi. Je me disais, entre ces pensées déjà incertaines et le demi-sommeil, que j'étais mieux placé, ici près de la source, que dans cette maison si sombre où, si quelqu'un s'introduisait, il me chercherait vainement, à tâtons. Qui pouvait s'imaginer que je reposais là en pleine nuit ? Moi-même j'y songeais à peine. Tout était devenu si opaque, si noir et d'un tel silence que je n'étais plus attaché au monde. Je ne tenais en l'air que par deux cordes invisibles, tendues je ne savais plus où, et qui me suspendaient non pas entre ciel et terre mais au-dessus d'un élément immatériel issu de ces ténèbres inconnaissables. Par moments j'oubliais jusqu'à ces cordes et je m'allégeais de mon poids, en montant et en descendant, par un mouvement insensible, d'une veille fuyante à un sommeil précaire et de ce sommeil au monde équivoque du songe.

Je ne sais quand j'abandonnai le sentiment de la nuit pour les vues plus diurnes de cet autre monde ; et je me séparai, sans savoir quand ni où, de ce rivage noir et brûlant, pour glisser sur le fil de ces eaux imaginaires encore sombres et dériver longtemps et loin des bords.

Je n'ai pas souvenir d'un rêve, mais d'une confusion de vies superposées qui se pénétraient et qui, passant l'une dans l'autre comme des nuages, éclairaient mon ombre mentale de reflets éphémères. Cependant dans ce sommeil encore perméable à l'ombre et à la vie nocturne, le malaise qui pesait sur la campagne arrivait à filtrer ; et c'était le seul lien qui me mît en contact avec les présences éparses dans la nuit. Au cours de mon assoupissement je ne perçus que deux bruits sourds, comme deux explosions étouffées, qui détachèrent des brouillards de mon demi-rêve un bout de ciel, une colline au crépuscule, et par-dessus la crête, l'apparition de deux boules de feu retombant aussitôt derrière la colline. Rien ne suivit cette vision intérieure, après laquelle je m'endormis.

Si ce sommeil dura longtemps, je ne sais, car je n'en avais plus conscience, et je ne la repris que sous l'effet d'un trouble intérieur qui me fit remonter quelque part du fond de cet anéantissement. J'éprouvai une gêne au cœur, et, pour respirer, chaque fois, je devais volontairement soulever ma poitrine, comme si le poids d'un objet étrange m'eût oppressé. Je dis bien : étrange, car je percevais, au-dessus de moi, la présence d'une chose impalpable, à quoi nulle forme ne s'attachait ; cependant cela était lourd, mais immatériel. Par moments j'avais la sensation qu'une masse mentale descendait lentement sur moi pour m'écraser. En faisant des efforts pour soulever ce poids, je sentais que je m'éveillais peu à peu ; mais je ne savais pas sur quel point de moi-même j'étais en train de repasser de cette angoisse anonyme à la conscience que l'être reprenait de la nuit, toujours immobile sur la terre. Car lorsque, dégagé de cette somnolence, je compris enfin que je ne dormais plus, j'eus l'impression qu'il faisait nuit et que je venais d'un monde moins sombre. Une nuit épaisse, matérielle. Elle me présentait une masse sans fissure. On n'y distinguait rien, pas même le tronc colossal des arbres auxquels mon corps flottant était encore suspendu. Rien ne bougeait.

Je ne sais, dans ces conditions, pourquoi mon attention fut attirée à gauche, car le noir y était aussi compact que partout ailleurs. Mais il en venait quelque chose ; et, malgré moi, quoiqu'on ne pût y discerner la moindre forme, je tournai la tête de ce côté...

Et alors j'eus peur jusqu'au sang.

Il y avait là un regard. Pas des yeux. Des yeux, je ne les aurais pas vus ; mais un regard. Il me fixait. Un regard personnel, qui peu à peu créait autour de lui son visage. Car, soit qu'il fût formé par mon épouvante, soit qu'il sortît réellement avec lenteur des ténèbres, un vrai visage commençait à apparaître. Un visage moulé dans une sorte de chair noire, prise à la matière même de l'ombre. Un visage osseux, muet ; la figure fatale d'un homme qui se formait à la hauteur de mon propre visage.

D'un homme arrêté contre le hamac, et qui le touchait. De ce masque immobile montait une odeur de sang fiévreux, de sueur animale ; et maintenant je l'entendais qui respirait difficilement.

A mesure qu'il se formait, mon épouvante se changeait en une glaciale certitude, et le désordre de mes sens tombait jusqu'à une peur blanche et lucide qui me dépouillait de toute ma force.

Elle me fut rendue par le sentiment que je pris du ridicule, pourtant dramatique, de ma situation. Devant cet homme droit et grand, j'étais allongé, suspendu entre deux arbres. Ma position horizontale donnait à cette confrontation muette une irréalité de mauvais rêve, mais, malgré la menace et l'ombre, j'étais sensible à une humiliation ; et ce mouvement fut si vif qu'il échauffa ma peur et me rendit, à défaut de courage, une sourde colère.

Je dis :

— C'est vous, le colporteur ?...

L'autre se tut.

Je continuai :

— Je vous reconnais bien. Vous avez essayé d'ouvrir la porte, j'étais dans la maison. Que vouliez-vous ?

L'autre respira violemment, puis il parla :

— Je ne sais pas ce que vous me reprochez. Tout à l'heure, je me suis perdu dans les champs, et maintenant je suis fatigué de chercher le chemin. Je voudrais dormir...

La voix était lente, lasse. On aurait dit que cet inconnu trouvait mes questions inutiles, inopportunes. Il voulait dormir : voilà tout. Mais dans sa voix traînait quelque chose de lourd, de menaçant.

Je dis :

— Pour dormir, il n'y a que le grenier...

Il répondit avec indifférence :

— Le grenier sera bon. Où est-il ?

Je me laissai glisser à terre, et quand je fus debout, je m'éloignai de quelques pas, sans bruit. Sans doute en eut-il le soupçon, car je l'entendis qui bougeait. Il me dit :

— Je ne vous vois pas. Où allez-vous ?

— Chercher une lanterne.

— C'est inutile. Je saurai bien vous suivre. Parlez-moi.

Hors des arbres, on y voyait faiblement. Arrivé là, je l'appelai. Il mit un moment à venir ; et je le conduisis jusqu'à l'échelle du grenier. Il marchait avec peine.

Je lui dis :

— Là-haut, c'est plein de paille. N'abîmez pas trop les gerbes.

Il ne répondit rien. Il gravit l'échelle, en s'arrêtant pour respirer, tous les deux ou trois échelons, puis il disparut dans le grenier sans avoir prononcé un mot de remerciement. Je l'entendis qui remuait de la paille, et il gémit, du moins il me sembla.

Je restai un moment au pied de l'échelle. Mon effroi avait disparu ; mais j'étais inquiet.

— Je ne pouvais pas lui refuser, pensai-je... Mais où diable a-t-il laissé sa balle ?

En fait, je n'avais pas vu sa figure et je le regrettais. Je n'en connaissais qu'une sorte de double étrange, d'émanation, qui me laissait tout à fait incapable de reconnaître l'homme que je venais d'héberger de si mauvaise grâce.

Je ne sais pourquoi l'envie me prit bizarrement de retirer l'échelle ; et plus je la trouvai absurde, plus j'étais tenté d'y céder. A la fin cependant je repoussai cette tentation un peu puérile.

En haut, l'homme ne bougeait plus. A peine ébauché des ténèbres il s'était refondu dans les ténèbres. Il n'avait existé vraiment que par le son ; c'était moins une forme humaine qu'une voix ; et parfois je me demandais si mon désir obscur de retirer l'échelle ne me venait pas du besoin de retenir ce corps, que je n'avais pas vu, pour m'assurer, au jour, de son existence charnelle.

Je finis par m'en aller. Tout en marchant je m'étonnai que cet homme m'eût découvert, à travers une telle obscurité, sur le hamac. Je pensai que le hamac en bougeant avait grincé : et l'homme était venu au bruit. Cette idée augmenta mon inquiétude. Je rentrai donc à Théotime avec l'intention d'aller dormir dans mon grenier. Mais, au moment d'y pénétrer, je me rappelai tout à coup que je n'avais pas eu le temps de réparer le verrou de la porte qui donne directement sur les granges, où l'inconnu était couché. Cette constatation mit le comble à mon malaise. Je restai un moment indécis ; puis j'allai dans ma chambre où je m'enfermai.

Je regardai l'heure. Il était à peu près minuit. J'éteignis et j'attendis le sommeil qui ne vint pas. Cependant rien ne remuait dans la maison ni au-dehors, mais l'atmosphère de ma chambre était irrespirable. Une crainte, à peine distincte, m'empêchait d'ouvrir mes volets sur la campagne d'où, peut-être, il me serait venu un peu d'air. J'appréhendais sans doute d'entendre se poser l'échelle du pailler contre la façade et de revoir l'émanation d'un ténébreux visage dans l'encadrement de la fenêtre. Par bonheur, vers une heure, les roues du break firent gémir les cailloux du chemin, qui conduit à la métairie. Les Alibert rentraient chez eux. Leur présence dut me rassurer, car mon malaise s'évanouit aussitôt ; et je pus, peu après, trouver un sommeil assez calme où je me reposai de mon agitation jusqu'au matin.

X

A la distance de quelques années, c'est le calme
de ce sommeil qui m'est resté le plus sensible. J'en
dus jouir si vivement, m'y délasser avec un tel abandon que, de ce plaisir, éprouvé cependant en dehors
de ma conscience apparente, le souvenir (si l'on peut
employer ce mot, ici), lorsque j'y pense, me revient
dans toute sa fraîcheur.

Je me levai dispos, et je pris tout mon temps pour
achever une longue toilette, comme on a coutume
de faire, quand on s'apprête à vivre une bonne journée. Mes inquiétudes s'étaient si bien dissipées que,
lorsque je pensai au colporteur, ce fut seulement
pour me dire qu'il avait dû partir à l'aube ; et sans
plus m'occuper de lui, je me dirigeai vers la métairie,
où j'allai demander des nouvelles de la noce.

De loin, je remarquai devant le portail, Marthe,
Françoise et Jean, à côté l'un de l'autre. Marthe,
une main au-dessus de ses yeux, contre le soleil,
regardait attentivement dans la direction de La Jassine, à laquelle, moi, en marchant, je tournais le dos.
Les deux autres regardaient aussi de ce côté. Le vieil
Alibert n'y était pas ; cependant je crus reconnaître
un peu plus loin, sur la droite, à l'embranchement

du chemin vicinal, Farfaille et sa femme, arrêtés sur un talus.

J'avoue que cela m'étonna un peu. Toutefois à la campagne on n'est pas curieux, ou du moins, si on l'est, on a une curiosité lente. Qu'il survienne un événement anormal, on cherche à savoir ; mais on prend son temps, comme pour tout.

Les trois Alibert étaient tellement absorbés par leur contemplation qu'ils me saluèrent à peine quand j'arrivai à leur hauteur. Pourtant Marthe me dit :

— Il se passe quelque chose d'extraordinaire chez Clodius.

Je me retournai.

En effet, il se passait quelque chose d'extraordinaire chez Clodius. Devant le bois, on voyait une sorte de break, pareil au mien. Il était arrêté. Çà et là une douzaine d'hommes, par groupes de trois ou de quatre. De loin, ils paraissaient tout noirs. Marthe, qui a de bons yeux, s'écria :

— C'est curieux : je vois deux gendarmes...

Jean voulut plaisanter. :

— Ce n'est pas trop tôt...

Mais sa mère fronça le sourcil. Il rougit et se tut.

A ce moment trois hommes sortirent du bois, où est enfoncée La Jassine ; et, après un bref conciliabule, ils prirent le chemin de Théotime. Les deux gendarmes leur avaient emboîté le pas.

Le vieil Alibert apparut. Il venait du côté de la route. En arrivant, il dit :

— On a assassiné Clodius. C'est le facteur qui l'a trouvé.

Le facteur était en effet passé vers six heures ; il avait une lettre pour Clodius. Le fait valait la peine d'être signalé. Aussi s'était-il arrêté chez Farfaille pour le mettre au courant, et on lui avait offert le café chaud.

— Où l'a-t-il trouvé? demandai-je.

— Juste devant sa porte. Il tenait encore son fusil.

Le vieil Alibert ne paraissait pas très ému. Je lui dis :

— Vous en revenez?

— Non. C'est Farfaille qui m'a raconté l'histoire. Le facteur est repassé en courant, un quart d'heure après, pour avertir le maire. La justice est là.

— Elle est vite arrivée, remarquai-je. Il est neuf heures.

Le vieil Alibert hocha la tête, mais ne répondit rien.

— Les voilà qui viennent chez nous, s'écria Marthe.

Les cinq hommes se trouvaient maintenant non loin de Théotime. Je dis :

— Je vais les recevoir. On aura peut-être besoin de vous. Restez par là.

Et je les quittai.

Comme le vieil Alibert, je n'étais guère ému. Les cinq petits bonshommes noirs qu'on voyait, de loin, marcher péniblement dans les terres, ne me semblaient pas vrais. Ils étaient si peu faits pour traverser ce paysage... Quant à l'assassinat de Clodius on n'y pouvait pas croire. Car Clodius, depuis six mois, avait perdu toutes les apparences de sa réalité humaine. Ses manifestations avaient pris à nos yeux un caractère si étrange qu'elles ne semblaient pas le fait d'un homme ; et d'ailleurs depuis quelque temps on ne le voyait plus. Il était devenu une sorte d'idée du mal ; et, si l'on éprouvait sa malfaisance, lui, demeurait insaisissable. Ses projets nous restaient toujours mystérieux, ses démarches cachées et l'on n'atteignait plus qu'à des signes lointains de sa présence : un coup de feu dans les bois vers la nuit, un appel lointain lancé à ses bêtes, ou bien une fumée qui montait tout à coup d'une ravine solitaire... Pour nous, Clodius n'avait plus de corps...

J'arrivai à Théotime un peu après les visiteurs. Je les trouvai dans la cour, à regarder en l'air, pendant qu'un gendarme frappait à la porte. Je les saluai. Seuls les gendarmes répondirent. Un petit homme gras, qui avait largement dépassé la cinquantaine (il était tout blanc), me dit sans préambule :

— On a assassiné quelqu'un près de chez vous. Vous allez dire ce que vous savez.

Ce petit homme était vêtu d'un veston noir et d'un pantalon rayé. Il portait des bottines vernies. Je fus étonné de le voir si bien habillé, le matin, à la campagne. Car sa tenue, quoique sévère, montrait une certaine élégance. La veste et le pantalon sortaient de l'armoire ; ils avaient le pli. Je me dis : « C'est le juge d'instruction. Il n'a pas l'air aimable. »

Il se méprit sur mon expression d'étonnement, car il s'écria :

— Cela a l'air de vous surprendre. Tout de même, vous n'allez pas me faire croire que vous ignoriez cet assassinat ; on l'a commis à deux pas de votre porte... Quelle heure est-il ?... Neuf heures... A neuf heures, ne rien savoir ?... A d'autres, mon ami, à d'autres !...

Je pensai : « S'il se trompe déjà si lourdement, l'assassin peut courir... » Ce petit homme ne me troublait pas. Je lui dis :

— Il est en effet à peu près neuf heures... Mais je suis entièrement à votre service.

Je poussai la porte et les fis entrer. Mon indifférence choqua le petit juge, qui regarda l'un de ses acolytes. Celui-ci, qui portait une serviette sous le bras, me parut être le greffier. Il avait des lorgnons et un chapeau de paille. Tous s'assirent devant la table, sauf les gendarmes, dont l'un se posta devant la porte et l'autre au pied de l'escalier. Il existe cependant une troisième issue (celle qui mène aux caves), mais ils ne la remarquèrent pas.

Une fois installé, le juge prit la porole :

— Admettons que vous se sachiez rien. C'est parfait. Cependant on voisine à la campagne. Il n'y a pas tellement de maisons dans ce quartier...

Je compris sa pensée.

— Mais non, lui dis-je, on ne voisine pas toujours à la campagne. D'ailleurs je suis brouillé avec mon cousin Clodius.

Il s'épanouit.

— Et voilà! On finit toujours par apprendre quelque chose!

Le greffier sourit discrètement et ouvrit aussitôt sa serviette. Impossible de se méprendre sur les intentions de ces gens. Ils ne pouvaient pas les cacher, tellement ils se sentaient heureux de posséder déjà une opinion toute faite. Certes, elle ne m'était pas favorable. Cependant j'y prenais du plaisir, parce qu'ils se trompaient et qu'ils étaient contents.

Le troisième personnage, lui, ne disait rien. Il me regardait. J'avais beau me savoir sans reproche, je n'aimais point ce regard. Sans doute n'avait-il pas fixé beaucoup d'innocents dans sa vie. J'évitais de le rencontrer. Il partait d'un œil lourd, et à peu près inexpressif, mais il me pesait.

Le juge tapota sur la table et m'apprit bien des choses :

— Une balle au cœur, vous comprenez?... En ce moment, le docteur est en train de l'extraire... Ce Clodius tenait un fusil à la main... Lui aussi a tiré... Deux coups de feu!... Et vous n'avez rien entendu?...

Je secouai la tête.

Il fit semblant de réfléchir :

— En somme, une espèce de duel... Pourquoi pas,

après tout?... Car on n'a rien volé... Pas ça!... D'ailleurs, des voleurs pour attaquer cet antre, où en trouverait-on?... Il faut évidemment chercher ailleurs... Seule une haine personnelle, peut-être... Ce Clodius, à ce que l'on m'a dit, n'était pas très commode... Un mauvais voisin... Vous devez en savoir quelque chose, n'est-ce pas?...

Pour ne pas interrompre son monologue, je fis signe que oui. Il ne put s'empêcher d'en marquer quelque déception ; car il devint nerveux, et me demanda à brûle-pourpoint :

— Ne vous a-t-il pas déjà attaqué, une fois? On me l'a raconté, il me semble...

Le personnage muet ouvrit la bouche :

— Il porte une cicatrice à la tête, dit-il.

J'avoue que je sentis un choc au cœur.

Par bonheur la porte s'ouvrit, et le médecin entra. Il avait extrait la balle. Une balle de revolver, petit calibre.

Malgré la vue de cette balle (à peine plus grosse qu'un pois) je n'arrivais pas à me faire une image concrète de l'assassinat de Clodius ; j'y croyais à peine. Cependant ces trois hommes noirs, ce médecin (venu de la ville), leurs prétentions à vouloir créer cette affaire, me prouvaient bien que je ne flottais pas dans les nuages. Je me surpris à murmurer :

— Je dois rêver, sans doute. Tout ceci n'est pas raisonnable...

Le juge et le greffier échangèrent aussitôt un petit signe d'intelligence qui signifiait à peu près : « Je vous l'avais bien dit... » Et ils me regardèrent avec une sorte d'admiration affectueuse, comme si, détenteur d'un secret qui leur restait encore inaccessible, j'eusse été véritablement un homme à part, un homme dont ils attendaient je ne sais quelle marque de sympathie. Je n'avais, en effet, qu'un mot à dire pour leur conférer une puissance souveraine. Tout au fond de moi je pensais : « Évidemment, si cela était possible, il ne faudrait pas les décevoir. Autrement ils m'en voudraient à mort... » Cependant, mon silence leur paraissait tellement significatif qu'ils avaient la patience d'attendre. Ils ne me posaient plus de questions. A leur idée l'aveu allait sortir, malgré moi, de ma bouche. Mais moi, pendant ce temps, je faisais une étrange découverte : je venais de me rappeler le colporteur. Je l'avais vraiment oublié, puis brusquement, il m'était revenu à l'esprit juste quand j'avais murmuré : « Je dois rêver, sans doute. » Le mot attira la figure. Cependant je croyais si peu à la mort de Clodius que je ne fis pas tout d'abord un rapprochement net entre le meurtre et l'apparition de mon hôte nocturne. « Après tout, me disais-je, je peux bien leur parler de cet homme. Il doit être loin maintenant. Et au train dont ils marchent, il fera encore du chemin avant qu'ils le rattrapent... » Car je ne tenais point à le voir prendre. Cela peut sembler monstrueux ; pourtant je ne puis m'en dédire ; mais pas plus que le voyageur de la nuit, ce drame et ces gens dangereux ne me paraissaient tout à fait réels.

Cet état d'esprit anormal (que ne pouvaient imaginer mes interlocuteurs) me donnait une telle aisance et m'inspirait des réponses tellement imprévues que j'échappais sans difficulté à leurs attaques. Ces attaques d'ailleurs ne pouvaient que sembler puériles à un homme assez sûr de son innocence pour ne pas croire aux paroles qu'il entendait. Car je me disais que moi seul au monde aurais pu tuer Clodius, et je savais bien que je ne l'avais pas tué. De là à penser qu'il n'était pas mort, la distance était courte. Je ne voyais donc pas pourquoi je me priverais du plaisir de tirer de son ombre et de faire entrer dans le drame, pour la confusion de mon petit juge, la figure du colporteur.

Tout en faisant ces réflexions, j'apercevais, à travers un brouillard, le visage gras et rasé du magistrat. Il me souriait avec bienveillance.

— Je sais quelque chose, lui dis-je.

Il plissa les yeux, les baissa sur ses mains, qu'il croisa doucement et attendit l'aveu inévitable :

— Un colporteur est passé ici, vers minuit. Je lui ai donné l'hospitalité dans la grange.

Je vis qu'il sursautait.

— Comment ? Un colporteur ?

Brusquement, il était devenu rouge de colère. Le greffier baissa les épaules ; mais les gendarmes se rapprochèrent, involontairement.

— Un colporteur ? un colporteur ? criait le juge. C'est impossible. Nous ne sommes plus au temps des colporteurs !... Il y a des merceries dans tous les villages... De quoi vivraient-ils, vos colporteurs ?... Et puis un colporteur ne voyage pas à cette heure, il doit...

Il se leva de sa chaise et me tourna le dos.

Alors le personnage taciturne ouvrit encore la bouche et dit :

— On pourrait voir la grange.

— La grange ? ricana le juge. Si ça vous amuse !... On étouffe ici. Je vais prendre l'air.

Il sortit dans la cour. Le greffier le suivit. Et tous les deux descendirent vers la source.

Les gendarmes avaient repris leur poste.

— Nous allons ? me demanda le policier, d'un air assez aimable.

Je fis signe que j'étais à ses ordres ; et je passai devant.

Nous traversâmes lentement la cour et, après avoir

contourné la bergerie, nous arrivâmes devant
l'échelle de la grange.

— C'est là, dis-je. On peut monter.

L'homme s'arrêta cependant au pied de l'échelle.
Il ne paraissait pas pressé de visiter les granges. Il
me demanda doucement :

— Maintenant que nous sommes seuls, pouvez-
vous un peu me le dépeindre votre colporteur ?

— Mal, répondis-je. Il faisait très sombre. Il
m'a paru grand, osseux.

— En effet, il y a des colporteurs qui sont grands
et osseux, murmura-t-il.

Il réfléchit, puis il reprit, de son ton confidentiel :

— A moi, vous pouvez me le dire : Est-ce que
vous n'avez pas trouvé un peu bizarre une pareille
visite en pleine nuit ?...

Ce ton de familiarité complice, ces questions,
cette voix paisible commençaient à me donner un
lourd malaise. Je fis un geste vague. Il n'insista pas.

— Et à propos, où étiez-vous, quand il est venu ?

— Je dormais dehors. Il y a un hamac près de la
source...

— Voyez-vous, me confia-t-il, si vous dites cela
au juge il ne vous croira pas facilement ; et peut-être
il aura quelque excuse. Cependant, à mon sens, ce
n'est pas impossible... Allons voir tout de même le
grenier.

— Je crains, lui fis-je remarquer, qu'il ne soit
vide.

— Naturellement. Mais sait-on jamais ? Voulez-
vous me montrer le chemin.

Il me suivit pesamment sur l'échelle.

Dans le grenier il faisait très chaud. Il ôta son
chapeau noir et s'épongea le front en soupirant.

La paille montait jusqu'aux tuiles. Toutefois vers
le fond, à gauche, on avait creusé une espèce de lit.

L'homme y alla.

— On a pu dormir là, dit-il, j'en conviens. Mais, croyez-moi, Monsieur (il était très poli), tant que nous n'aurons pas ramené le dormeur, en chair et en os, vous resterez sur la sellette. M. Gassard a son idée sur vous...

— Je m'en suis aperçu, lui répondis-je.

— D'ailleurs M. Gassard a toujours son idée. Grâce à ce don il trouve immédiatement un prévenu... Il ne reste plus alors qu'à tirer des aveux... question de patience, de tact... Moi, j'ai d'autres goûts, un autre système. Je préfère qu'on ne trouve personne, d'abord... j'aime chercher : c'est mon faible... Aussi je serais désolé que vous soyez coupable... Vous êtes bien de mon avis... Tout serait fini aussitôt... Alors, à quoi bon ?...

— Mais vous trouvez toujours ? lui demandai-je.

— Souvent. Pas toujours.

— Et dans ce cas ?

— Et bien, dans ce cas, j'ai eu le plaisir de chercher. Cela fait travailler un peu la tête ; car tout est là, Monsieur : la tête !...

Et il se frappait le front.

— D'ailleurs je n'aime pas arrêter. Je me débrouille toujours pour laisser ce soin aux gendarmes. Il y en a deux en bas. C'est leur métier. Un pénible métier, il faut en convenir. Ces gens-là ont du mérite. On les paye si mal !...

Il soupira derechef ; mais, tout en soupirant, il furetait.

— Et le ballot ? demanda-t-il. Comment diable était-il le ballot de votre homme ?

— Ma foi, je n'ai point vu de ballot. Et cela m'a même étonné...

— Évidemment !... J'étais presque certain que votre colporteur n'avait pas de ballot... De là à en conclure...

Il s'arrêta.

— A en conclure quoi? lui demandai-je.

— ... Qu'il est encore ici, parbleu! Un vrai colporteur, cela s'en va tranquillement à l'aube... Tandis qu'un autre...

Il parcourut d'un regard l'immense grenier.

— Que de place, murmura-t-il? Et il n'y a pas que ce grenier...

Il désigna ma porte.

— J'habite là, lui dis-je.

— Eh bien, visitons... puisqu'il le faut...

Il essaya d'ouvrir, mais la porte résista à son effort.

— C'est fermé à clef?

— Non, il n'y a qu'un verrou; mais il ne tient pas...

Je passai devant et poussai. Le verrou céda et un gros plâtras tomba sur le sol.

— Tiens, pensai-je, qui a remis la gâche?

On se souvient qu'elle était déjà tombée; et que j'avais négligé de réparer ce petit dégât.

Je ramassai la gâche par terre.

Le policier s'empêtra dans la tenture des colombes, d'où je le tirai.

— Ma foi, grogna-t-il, du moment que cette porte était fermée, c'est que personne n'est passé par là...

Il resta sur le seuil. Mais il s'avisa que je tenais la gâche.

— Mauvaise fermeture, dit-il. Ça a cédé tout de suite... Voyons...

Je lui passai la gâche. Il se mit à l'examiner.

Moi, je tournai les yeux vers l'autre porte, celle qui, au bout de la pièce, s'ouvre sur l'escalier qui descend à travers toute la maison. A gauche, dans le mur, il y a trois lucarnes; et sous les lucarnes, deux grandes armoires de chêne. Elles sont séparées l'une de l'autre tout au plus par un demi-mètre d'intervalle.

La lumière d'une lucarne tombait d'en haut sur cet espace étroit et projetait une ombre sur le sol.

D'abord je n'y prêtai pas attention ; puis elle me frappa. C'était une ombre étrange : la déformation d'une longue tête. Il me sembla qu'elle venait de bouger. Je crus que j'avais un vertige et je fis deux pas en avant, uniquement pour m'assurer que je tenais debout...

... Je faillis crier : entre les deux armoires, raide, plaqué contre le mur, se dressait un homme. Un homme très grand, fort, avec des yeux pâles ; de grands yeux qui me regardaient. Les bras collés au corps, d'une immobilité de pierre, il semblait ne pas respirer. Il plantait ses yeux dans les miens. Pas des yeux implorants ; mais des yeux durs dans une figure brutale, volontaire ; des yeux cruels, impérieux. Ils me disaient : « Pas un mot. Tais-toi. Passe. » Avec une expression de haine qui acheva de me glacer le cœur...

Derrière moi, le policier se mit à dire :

— Cette gâche ne tenait pas... On a donc pu pousser la porte, la refermer, puis remettre ceci en place, et le verrou dedans... Ainsi on passe du grenier dans cette pièce et de cette pièce dans la maison. Car (si j'ai bien fait mes calculs), cette porte, là-bas, au fond, donne sur votre escalier. C'est un excellent itinéraire... Et vous l'avez échappé belle... Car vous risquiez gros à dormir ici... Mais, par bonheur, il faisait chaud ; et vous avez préféré aller dans le hamac...

Je dus faire un effort extraordinaire pour détacher mes yeux de l'homme et me retourner vers le policier.

— Vous voilà bien pâle, remarqua-t-il. Ce que je vous ai raconté vous a ému?

Je ne pus pas répondre.

— Le fait est, ajouta-t-il avec une indifférence brutale, que ça aurait fait deux cousins sur le carreau, Clodius et vous.

Il me tendit la gâche.

— Reprenez-là. Maintenant, moi aussi, j'ai une idée... Voulez-vous la connaître?... Rien de plus simple... Ce Clodius, on nous l'a abattu par méprise... Voyons! cela saute aux yeux!... Il s'est trouvé là, avec son fusil, sur le chemin de l'autre... C'était un fou... Et il a payé... Reste à savoir, dès lors, qui était l'homme qu'on voulait tuer...

Il releva la tête et me fixa.

— Pensez-vous à quelqu'un? lui dis-je...

Il me fit un signe bizarre, comme pour m'imposer le silence.

— Entendez-vous? On dirait que quelqu'un respire?...

Il allait traverser la pièce, lorsque éclata la voix du juge. Une voix aiguë irritée, qui venait du pied de l'échelle. Le juge criait :

— Par ici! Par ici! Redescendez! Il faut en finir! Allons M. Rambout, assez d'histoires! Revenez près de moi! Le notaire vient d'arriver. Pensons un peu aux affaires sérieuses!... Il est temps!...

— Je m'appelle en effet Rambout, me dit le policier.

Et, sans même hausser les épaules, il repassa dans le grenier d'où nous redescendîmes par l'échelle.

En bas, avec le juge et le greffier, il y avait le notaire Me Gazan, le vieil Alibert, le docteur et le maire.

Mᵉ Gazan me serra la main. Le maire aussi, mais sans beaucoup de chaleur. Quant au vieil Alibert, il quitta le groupe et vint se placer à côté de moi.

Tous les huit, sans parler, nous nous dirigeâmes lentement vers La Jassine où le notaire nous avait priés de le suivre.

Il apportait le testament de Clodius. Une lettre d'instructions impératives lui enjoignait d'ouvrir le testament, le jour même du décès.

« En présence de mon cousin Pascal Dérivat de Sancergues, écrivait Clodius, et d'Anselme Alibert, fermier de Théotime ; et ce, devant mon corps, dans ma maison... »

Nous allions donc à La Jassine.

Le juge avait pris la tête du groupe, en compagnie de Mᵉ Gazan. Il parlait et gesticulait. Mᵉ Gazan ne disait rien ; mais comme il est très grand, il se penchait pour mieux entendre. Derrière eux venaient le greffier et le maire, flanqués du médecin. Tous les dix pas, le greffier butait contre une motte. Pour protéger sa nuque du soleil, il avait mis un grand mouchoir sous la coiffe de son canotier. Alibert marchait à côté de moi. M. Rambout suivait, à vingt pas en arrière, tout seul ; de temps à autre, il donnait aux cailloux un petit coup de pied, pour se distraire, et il sifflotait entre ses dents.

A part le juge, personne ne parlait. On avait oublié les gendarmes à Théotime.

Nous fûmes accueillis à La Jassine par le garde-champêtre et une dizaine de personnes ; des gens du village, qui étaient montés jusque-là, par curiosité. Mais pas un voisin : ni Genevet, ni Farfaille. Le garde défendait la porte. Il détourna la tête en me voyant.

— Le corps est en bas dit le juge.

On entra dans la maison qui était sombre, humide.

Par les volets mi-clos il n'arrivait qu'une faible lumière verte. Les murs exhalaient une odeur de moisissure.

Ils avaient allongé le corps de Clodius sur une table. Il était nu jusqu'à la ceinture, le médecin ne l'ayant pas rhabillé après avoir extrait la balle. A côté, on voyait encore une chemise sale, qui portait une grande plaque de sang caillé. Il y avait si peu de jour dans cette pièce que rien n'y semblait tout à fait réel : le corps surtout. J'étais au pied, et de là, je ne voyais pas la figure, renversée en arrière sur la table. Je n'en apercevais, dans cette pénombre ver-dâtre, qu'un bout de barbe grise broussailleuse. Et aussi les deux narines.

Je trouvai cette vue si pénible que je m'écartai un peu. Le juge, qui surprit mon mouvement, eut un petit sourire et leva le menton d'un air entendu.

Me Gazan s'assit devant un guéridon que M. Rambout, toujours obligeant, avait approché. Il tira une grosse enveloppe de sa poche et la plaça devant lui.

— Allons-y, ordonna le juge. Tout le monde est là.

Me Gazan retira ses lunettes, souffla dessus, les essuya, les remit sur son nez, croisa les mains sur l'enveloppe, et dit :

— C'est Clodius, ici présent, qui vous parle. Avant d'ouvrir le testament j'aimerais qu'on couvrît le corps du testataire. Ce serait plus décent il me semble...

Le juge souleva légèrement les bras, comme pour dire : « Si telle est votre idée... », mais il acquiesça. M. Rambout sortit à point de l'ombre pour placer une vieille veste sur la poitrine de Clodius. Comme les manches pendaient de chaque côté de la table, il y revint, et les arrangea avec soin le long du corps. Puis il alla s'appuyer contre le mur ; et regarda le plafond. On entendait voler une grosse mouche qui cherchait à entrer dans la pièce par l'étroite fente des volets. Mais elle n'y arrivait pas ; et son bourdonnement têtu emplissait le silence.

Mᵉ Gazan glissa son canif sous l'enveloppe, en tira une grande feuille, la déploya soigneusement, posa sa main dessus, regarda tout le monde ; puis ayant pris son temps, il lut :

« Ceci est mon testament, à moi. Ma volonté.

« Je l'ai fait.

« C'est moi, avec toute ma connaissance. Nicolas-Juste Clodius, âgé de cinquante-huit ans, propriétaire. Toute La Jassine m'appartient, 110 hectares, comme sur le cadastre. J'ai les titres. Il y a de tout : des prés, des vignes, des bois... »

Mᵉ Gazan s'arrêta, parcourut des yeux quelques lignes, fronça légèrement les sourcils, fit un petit effort de respiration et reprit :

« Mais pas de femme, pas d'enfant. Quasiment personne au monde, ou tout comme. Car il me reste bien un parent, mon voisin. Mais c'est un mauvais parent, un sale bougre : il n'est pas d'ici, Pascal Dérivat, né à Sancergues... »

Mᵉ Gazan regarda furtivement l'assistance. Tout le monde baissait les yeux, même le juge.

« ... Né à Sancergues, répéta le notaire... »

Puis il continua :

« On se déteste, on s'est battu. Mais il a une qualité : il connaît la terre. Il y a dix ans que je le vois pratiquer. Il la connaît bien ; et il a de bons métayers, les Alibert... »

Le notaire s'épongea le front. Il respirait mieux. D'une voix plus forte il reprit :

« J'ai eu beau me creuser la cervelle, il n'y avait que ça à faire. Je lui lègue tout ; et je n'en suis pas fâché. Avec eux je suis bien tranquille : on ne va pas me faire des parcelles. On me gardera tout entier. Je les connais bien. Ils sont, comme moi, des empié- teurs. Moi, j'ai bien arrondi : en vingt-cinq ans, soixante-trois hectares, voilà ce que j'ai ajouté à ma maison ; et j'ai tout fait tomber autour de moi, sauf lui, Pascal et Théotime... »

Le notaire tourna la feuille :

« Maintenant je suis mort ; et je sais qu'il est là, devant moi, qui m'écoute et il n'a pas que du plaisir...»

J'écoutais en effet ; j'étais de pierre. Je ne voyais plus personne, pas même le mort.

Le notaire éleva la voix, malgré lui :

« Cousin, de mon vivant tu ne m'as rien lâché. Maintenant je suis mort et j'ai su attendre mon heure. Nous y sommes...

« Ce n'est pas toi qui me prends La Jassine. C'est moi qui te prends Théotime. Ma terre a attiré ta terre. Elle te tient maintenant, puisque je te lègue tout, mais tu feras ma volonté.

« A une condition pourtant :

« Je veux qu'on m'enterre, chez moi, au milieu du chemin, touchant la maison. Comme ça, vous me verrez tous les jours ; et il y aura un maître. Les bêtes passeront sur moi, ça me consolera un peu du reste.

« Les Alibert creuseront le trou. La caisse est prête. Vous la trouverez dans le grenier. Je l'ai fabriquée moi-même à ma mesure, il y a six mois. Elle est quasiment neuve.

« Si cette clause n'est pas acceptée, le testament ne vaut plus rien. Je déshérite. On se débrouillera. Mais je suis bien tranquille. »

Suivaient la date, la signature, et un bref codicille, concernant les obsèques. Quoique catholique de naissance, Clodius exigeait qu'on l'enterrât suivant le rite de la religion réformée.

« Ainsi, disait-il, le pasteur vous fera un beau

discours, sur mes vertus. Ici, c'est la coutume. »

Quand la lecture fut finie, le notaire me dit :

— Monsieur Dérivat, vous avez jusqu'à demain matin, dix heures, pour dire oui ou non. En attendant je vais apposer les scellés.

Et il se leva.

Un moment il resta, debout.

Moi je ne disais rien. Je regardais le mort et je n'arrivais pas à croire que, de cette chose immobile, un tel testament fût sorti. Ce paquet raide, sourd, muet, me semblait insignifiant. Car (c'est affreux à avouer, peut-être, mais je l'avoue), ce mort désormais, pour moi, n'avait plus de sens. Je voyais bien un corps, un corps mal habillé, avec des pantalons souillés de terre, mais pas davantage. Et ce corps était là, inutile, passé. Pourquoi étions-nous réunis autour de cette table ? Et que faisait cet objet dur au milieu de ces huit personnes, tièdes, vivantes ? De ces hommes diversement émus ? Car une émotion extraordinaire serrait l'âme de chacun de nous. Mais ce n'était pas le spectacle de cette forme vidée qui nous troublait dans toute notre profondeur. Cette forme, on la regardait sans la comprendre. Car Clodius l'avait quittée, et, sur la table, on n'avait étendu qu'un objet inhumain. Il n'y avait plus de mort dans la pièce. Dans la pièce il y avait Clodius, et il était vivant. On venait d'entendre sa voix, dure, ironique, mais mâle et d'une sorte de grandeur qui nous dominait, même moi, qui l'avais haï, et qui savais pourtant ce que peut inspirer un cœur sauvage. Du mien, une sorte d'amour aussi farouche partait vers lui, et je me disais, tout en moi, avec un orgueil chaud et sombre, que c'était mon sang qui venait de parler.

Tous les autres (sauf Alibert dont je sentais l'épaule), m'importaient peu. Je regardai le juge durement.

Il était écrasé, le juge. Car le testament proclamait que tout cela n'était point affaire de justice, mais passion de la terre ; et qu'il devait quitter les lieux, lui, ce citadin, arrivé en intrus ignorant, à la fin d'un drame où désormais tout avait été dit par Clodius. Il ne s'agissait pas en effet de trouver un coupable, mais bien de savoir, avant le lendemain matin, à dix heures, si La Jassine et Théotime formeraient désormais un seul tènement dans les mains du dernier héritier de la race.

Vivant, Clodius s'était montré farouchement vindicatif ; mort, il ne réclamait pas de vengeance. Il voulait simplement qu'on nous laissât tout seuls, lui et moi, le plus tôt possible, afin de voir si j'étais vraiment capable de porter sur mes épaules le poids moral de la succession qu'il m'offrait.

Ce poids était pire qu'il n'avait pu l'imaginer dans sa malice ; car l'homme qui l'avait tué était chez moi ; je le savais puisque je l'avais vu ; et je ne l'avais pas encore dénoncé.

Cet homme, un moment effacé de ma mémoire, je venais de le retrouver, en moi, profond, caché à tous ; et son apparition me bouleversait l'esprit. Pourtant je ne rêvais pas. Il existait.

Une voix m'interpella :

— Monsieur Dérivat, vous êtes libre...

Je pus tout de même dire quelque chose :

— Et le mort, est-ce qu'on va le laisser seul?

M. Rambout me répondit :

— Soyez sans inquiétude, je m'occuperai de tout. Cette nuit, je le veillerai...

Suivi d'Alibert, je passai devant le juge. Il évita de me regarder en face.

Me Gazan me dit :

— Faut-il avertir le pasteur? Vous avez entendu le codicille?...

— Il faut l'avertir, répondis-je. C'est une volonté.

Je sortis en compagnie du vieil Alibert. Le maire s'éloigna du côté de la route, tout seul, car le notaire était resté dans la maison avec le juge.

Nous prîmes à travers champ pour gagner Théotime.

Françoise nous attendait à la limite. Elle nous dit :

— On vous espère à la métairie. C'est midi sonné.

Pendant le repas, on ne parla guère ; et les femmes, pourtant curieuses de nature, ne demandèrent même pas comment on avait tué Clodius. Tout le monde mangea beaucoup, car on avait faim, et on sentait un grand besoin de nourriture.

Avec le vieil Alibert nous réglâmes les travaux de l'après-midi et du lendemain, à supposer qu'on pût travailler.

Vers deux heures un gendarme vint me chercher de la part du juge, qui avait décidé de siéger en plein air. Je le trouvai à la source où, de sa propre autorité, il avait fait porter une table et des chaises.

M. Rambout n'était pas avec lui, ce qui me contraria un peu. Je le réclamai, pour avoir le plaisir d'indisposer le juge. Il me répondit sèchement que M. Rambout, n'ayant rien à faire, s'était consacré à la surveillance de La Jassine, où il avait relevé de sa faction le garde champêtre. Après quoi il commença un interminable interrogatoire ; je lui répondis de mon mieux. Mais, en lui, un ressort s'était brisé. Il n'avait plus sa verve du matin ; on eût dit qu'il avait perdu toute cette confiance en lui-même qui le rendait si agressif et, peut-être, après tout, fort dangereux. Probablement, se sentait-il à peu près inutile ; mais comme il devait se piquer de remplir ses fonctions avec beaucoup de conscience, il continuait à m'interroger, tandis que son greffier mettait le plus grand soin à transcrire mes réponses.

Ce long dialogue me fit du bien, car il me prit assez d'attention pour me distraire de mes angoisses. C'était une sorte de jeu où je savais bien que j'allais gagner le dernier coup ; mais je m'y appliquais honnêtement, un peu par politesse, un peu pour le faire durer, le plus longtemps possible. Je réussis à le mener jusqu'à la tombée de la nuit. Alors le juge, visiblement épuisé, se retira vers La Jassine, où nous le vîmes s'embarquer sur le break du maire, qui partit au pas.

Jean et Françoise rôdaient non loin de Théotime. Quand le juge et tous ses acolytes se furent éloignés, ils se rapprochèrent prudemment. Je leur dis :

— Ce soir, je m'invite ?

J'avais peur de rentrer tout seul à Théotime.

Nous soupâmes en silence ; mais tous paraissaient attendre quelque chose.

Au milieu du repas, je me décidai :

— Vous connaissez le testament, sans doute, Marthe ?

Marthe me répondit que toute la famille le connaissait. Alibert leur en avait parlé dans le courant de l'après-midi.

— Dans ce cas on va le régler, ce soir. C'est oui ou non. Il faut que je décide, mais je ne veux rien faire sans vous consulter.

Alibert dit :

— On est d'accord, monsieur Pascal. Mais il vaut mieux aller chez vous. C'est plus convenable.

L'idée n'était que trop juste ; pourtant j'aurais payé gros pour qu'on restât à la métairie.

A neuf heures nous partîmes. Il faisait très noir.

Les deux femmes avaient pris les devants pour allumer la lampe. Je marchais entre les deux hommes, le vieil Alibert à ma droite, son fils Jean à ma gauche. Malgré l'obscurité nous avions pris par le plus court, à travers champs, et tous les trois nous connaissions si bien notre terre que nous posions le pied sur les mottes noires, sans jamais broncher.

En arrivant nous trouvâmes deux lampes allumées.

Je priai tout le monde de s'asseoir. Alibert et son fils prirent des chaises, mais les deux femmes restèrent debout. Marthe dit :

— Tout à l'heure j'ai entendu du bruit, en haut, du côté des granges. Pourtant c'est moi, ce soir, qui ai mis à la porte les gendarmes ; et j'avais fermé à clef.

— Tu es allée voir ? demanda Jean.

— Naturellement... mais je n'ai rien trouvé...

— Ce sera un rat...

Jean avait dit cela timidement ; mais personne n'ajouta un mot. Pendant un bon moment tout le monde garda le silence. Françoise était en train de moudre du café ; et l'on entendait l'eau, qui chantait légèrement dans la bouilloire.

Le vieil Alibert avait posé sa main sur le bord de la table, près de la lampe. Une main calme, laborieuse. Le soleil et le maniement de la terre en avaient cuit et durci la peau. Je la connaissais bien. Cependant je ne l'avais jamais aussi bien vue : c'était une main qui me faisait confiance. Rien qu'à la façon familière dont elle prenait le bord de la table, cette confiance parlait.

Moi, je ne pouvais pas ouvrir la bouche ; je mourais de honte. Car cette main m'annonçait ce qu'Alibert allait me dire et je pensais :

« En ce moment l'assassin de Clodius est sur notre tête, dans la maison ; et je sais bien ce qu'ils attendent, tous. Ils veulent que je dise : oui. Je ne peux pas. »

Tous cependant respectaient mon silence. Ils sont patients et ils ne doutaient pas de mon courage ; mais ils voyaient que j'avais mon cœur sombre, et que je n'arrivais pas facilement à m'en détacher. Qu'imaginaient-ils ? Je l'ignore. Peut-être, à leur façon austère, respectaient-ils mon embarras au point de ne pas en chercher les raisons. Il leur suffisait d'être là, pour pouvoir me répondre quand je m'adresserais à eux ; leur rôle, pensaient-ils sans doute, ne devait commencer qu'à partir du moment où je les mettrais en cause. Et je ne savais que trop déjà, comment alors ils me parleraient.

Pour moi, je ne trouvais rien à leur dire parce que j'écoutais. J'écoutais, avec l'appréhension violente d'entendre un pas dans les hauts de la maison, le pas de cet inconnu qui avait tué mon cousin. La fièvre me mangeait la peau, mais ma lucidité devenait terrible. J'arrivais à me voir moi-même, et je n'étais plus un homme un homme libre un homme peut-être ombrageux, dur, mais tout de même un homme ; j'étais un héritier. Car j'héritais de cent dix hectares : des bois, des prés, des vignes. J'héritais du mas le plus gros du quartier après Théotime ; j'héritais du nom, La Jassine, et de l'âme du nom, sa sauvagerie ; il n'y avait personne d'autre. L'héritier, le seul, c'était bien moi. Clodius m'avait tout légué, même son corps ; et pourtant je cachais dans ma maison l'homme qui l'avait assassiné. J'étais le complice du meurtrier ; et j'allais prendre, grâce au meurtrier, de mes mains, hier encore chaudes de haine contre Clodius pourtant de mon sang, cette grande étendue de terres, chargée d'arbres, fraîche de sources, dans toute sa puissance d'été... Non, je ne pouvais pas...

Cependant les quatre Alibert, les yeux baissés, attendaient patiemment. Ils étaient sûrs de ma réponse. Pour eux déjà j'avais dit : oui. Je me taisais parce que les maîtres ont le droit de se taire aussi longtemps qu'il leur plaît, et qu'ils aiment se taire.

Mais qu'avais-je besoin de parler, puisque mon devoir s'imposait clairement aux yeux de tous ?

Je finis par me secouer ; je dis :

— Il y a d'abord Théotime...

D'abord personne ne bougea, ni ne souffla mot. J'eus l'impression d'avoir commis une maladresse. Puis le vieil Alibert prit la parole.

— Monsieur Pascal, vous avez raison : il y a Théotime ; mais il y a Clodius aussi. On s'est bien battu contre Clodius et je ne regrette rien, car il était méchant ; mais il n'avait pas peur et il nous estimait bien. Il vient de le prouver tantôt ; et tout de même, monsieur Pascal, ça a dû vous faire plaisir. J'avoue que moi, sauf respect pour le mort, j'ai été content. On ne se doit plus rien ; et du moment que vous acceptez...

Je fis un geste ; il n'en tint pas compte.

— ... on l'enterrera honnêtement, selon son vouloir, à la place qu'il s'est choisie. C'est un bon choix, et je ne suis pas fâché qu'il reste là, avec nous. Il verra comment on travaille son bien ; et après tout, s'il est encore capable de se rendre compte, il sera peut-être un peu vexé. C'est toujours ça... Je sais bien que toute sa terre n'est pas bonne ; mais il y a des coins (je les connais) qui ne paient pas de mine, des coins tendres sous la croûte ; il suffit de les gratter, monsieur Pascal : ils n'attendent que la vie. Dans ce pays, je ne connais guère de terre qui se refuse à l'amitié ; et celle-ci, foi d'Alibert, monsieur Pascal, en trois ans de courage, on peut la faire chanter...

Il reprit haleine.

Tous l'écoutaient, les yeux mi-clos, lourds, massifs,

et secrètement fiers. De sa vie il n'avait tant parlé devant les siens.

— Jean va se marier, un de ces jours, continua-t-il avec une grande force paternelle ; et le plus tôt ce sera le mieux. Il prendra La Jassine. Ce n'est pas une maison bien avenante, j'en conviens. Mais Jean est sérieux. Et on blanchira à la chaux toutes les pièces, puis on fera brûler du soufre... Ici, Marthe et moi, on continuera à conduire la métairie, et Françoise nous aidera, en attendant. Il vous suffira, si vous le voulez bien, monsieur Pascal, de nous donner un petit coup de main en plus, les jours de presse. Ce ne sera pas de refus... Vous avez la main capable...

Marthe nous versa le café.

On le but sans rien dire. Quand on l'eut fini, le vieil Alibert se leva :

— Maintenant on vous laisse. Il faut être seul pour décider.

Et ils s'en allèrent.

Je les accompagnai jusqu'à la porte. Au moment de sortir Françoise (elle était la dernière) se retourna ; et elle me sourit tristement.

Puis je restai seul.

XI

Je fis quelques pas dans la salle, puis je m'arrêtai au pied de l'escalier. Il régnait un silence pur dans la maison. En moi aussi. Je connaissais le devoir qui m'attendait immédiatement et je me trouvais si lucide que je me demandai si vraiment j'avais peur. Car cette lucidité était telle qu'elle ne laissait pas en moi une parcelle libre. Pourtant j'avais peur.

Je savais que l'homme était resté dans le grenier, qu'il était fort, armé, qu'il avait déjà tué mon cousin. Mais cela ne m'effrayait pas. L'aborder, lui poser la première question, voilà ce qui glaçait mon courage. J'avais peur de la conversation inévitable que j'allais avoir avec lui.

Maintenant je me rappelais : tel que je l'avais aperçu dans le grenier aux plantes, il était habillé de brun, avec une certaine élégance. C'était un homme de la ville, et non pas un vagabond, un colporteur. M. Rambout avait deviné juste. Or il avait tué Clodius, à minuit, dans le quartier le plus désert du territoire, et où, depuis dix ans, peut-être on n'avait pas vu d'autres hommes que les Alibert, les Farfaille, les Genevet. Jamais un citadin. Sa présence, sa figure, son crime, tout de lui demeurait inexplicable ; et j'appréhendais l'explication.

Car j'y avais droit. Du moment où, obéissant à sa muette injonction, je ne l'avais pas dénoncé (pourquoi? je n'osais me le demander encore), j'avais acquis sur lui ce droit, que je payais en prenant une part du crime; ce crime, dont ainsi j'étais le complice, sans en connaître la raison, et qui menaçait de m'enrichir jusqu'à doubler ma fortune.

Je me disais : « L'autre fois, tu as cru avoir tué Clodius, et tu as souffert trois jours d'angoisses terribles. Clodius cependant n'était pas mort. Aujourd'hui Clodius est mort, l'assassin est là, tu le caches, et tu n'éprouves rien de ces affres. Ton cœur est dur. Cependant, si tu caches le meurtrier, est-ce par une obscure gratitude de t'avoir, à si peu de frais, délivré de ton implacable ennemi? Non. Tu ressens maintenant pour Clodius comme une farouche amitié. Clodius, c'est toi, en plus sauvage. Alors que ne le venges-tu? »

Cette idée de vengeance ne m'était pas désagréable. Mais une autre idée, étrange, puissante, m'immobilisait. « Ce matin, tu lui as fait tacitement une promesse, en ne le livrant pas tout de suite. Jusqu'à nouvel ordre, l'assassin de Clodius est ton hôte. » Ce mot d'hôte me troubla. Je pensai : « Il n'a pas mangé depuis hier. Il doit avoir faim... »

Brusquement je quittai le pied de l'escalier, j'allai vers la réserve, je pris du pain, du fromage, une bouteille et je montai au second étage sans hésiter.

Avant d'entrer je regardai sous la porte et je vis qu'il n'y avait pas de lumière dans le grenier. J'y pénétrai. L'obscurité était complète; mais je connaissais si bien les lieux que j'atteignis facilement la table où j'allumai la lampe.

Je savais que l'homme était dans la pièce et qu'il m'avait entendu monter. Maintenant il devait me regarder tandis que je déposais le pain et la bouteille à côté de la lampe.

Je dis :

— Vous devez avoir faim depuis hier. On vous avait oublié.

Et je tournai la tête.

Je le vis étendu sur mon lit, au fond. Une de ses grandes jambes pendait. Il me regardait en effet, sans parler. J'ajoutai :

— Je n'ai que du vin, du pain et du fromage.

Il se souleva péniblement à force de bras, entraînant sa jambe droite, allongée sur le lit.

Il dit :

— Je me lèverai tout de même. Approchez-vous.

J'obéis. Il passa son bras autour de mon cou et il se dressa sur une seule jambe.

— J'ai reçu le coup dans le mollet, fit-il ; cela me gêne.

Nous allâmes jusqu'à la table. Il s'assit et je poussai une chaise, où il étendit sa jambe blessée.

Moi je restai debout.

— Je vous panserai, lui dis-je.

Il se coupa une grande tranche de pain, prit du fromage et commença à manger en silence.

J'allai à mon placard, où je pris de la gaze, des ciseaux, un flacon d'alcool.

L'homme mangeait toujours, un peu brutalement, par grandes bouchées, car il avait faim, malgré la fièvre ; mais il ne levait pas les yeux de son pain.

Je posai les médicaments sur la table et je m'agenouillai pour retrousser le bas du pantalon. L'étoffe, à cause du sang coagulé, était collée contre la chair ; et je dus tirer. L'homme ne broncha pas. Il me dit :

— J'ai voulu me bander la jambe avec mon mouchoir, mais je ne l'ai plus trouvé, j'ai dû le perdre.

Je lavai soigneusement la blessure ; elle n'était

pas très profonde, et aucune artère n'avait été lésée. Dans trois jours il pourrait marcher, en boitant un peu.

Je lui ai dit :

— Vous n'avez pas reçu de plomb (c'est une chance); mais une seule chevrotine. Elle est grosse, d'ailleurs. La voici.

Je l'avais retirée avec mon canif. Il n'avait point paru s'en apercevoir. Il ne la regarda même pas ; il mangeait toujours. Je lui bandai le mollet et rebaissai le pantalon. Il but un grand verre de vin, reposa le verre sur la table, et me dit :

— Comment vous appelez-vous ?

J'étais toujours agenouillé, et je tenais encore sa jambe dans mes doigts. Une brusque colère me saisit ; et je fus pris d'un si farouche désir de le renverser, que j'eus peur de mes mains.

— Pourvu que je n'aie pas trop serré, me dis-je.

Je retirai mes mains et je les étendis toutes deux devant moi pour les regarder.

L'homme s'en aperçut et me demanda avec un certain étonnement :

— Que diable faites-vous là ?

Mais il ne remarqua pas mon trouble. Je me relevai, repris mes ustensiles et allai les replacer dans le placard. Cela me permit de retrouver quelque sang-froid.

Une obscure méfiance m'inspirait. Je revins vers l'homme et je lui parlai :

— Demain, vous déjeunerez tard. Je ne pourrai pas monter avant l'après-midi, à cause de l'enterrement...

— Ah ! oui, murmura-t-il, l'enterrement...

— Il est mort sur le coup, repris-je. Une balle au cœur.

Il soupira, d'un air obsédé et allongea son grand bras sur la table.

— Il faisait noir comme dans un four, remarqua-t-il.

Je me tus un moment, puis je lui demandai :

— C'est lui qui a tiré le premier, n'est-ce pas ?

— Oui. Il m'aura pris pour un voleur. Qui était-ce ?

— Mon cousin.

Il se borna à dire : « Tiens ? » d'une voix bizarre. Puis, au bout d'un moment, il ajouta :

— Je me suis perdu dans les terres. Je venais de la gare.

— En plein jour, lui dis-je, vous ne vous seriez pas perdu.

Son regard se leva sur moi ; puis il baissa les yeux et sa figure devint très sombre.

Moi, je gardais le silence. Il finit par me demander :

— Est-ce qu'ils cherchent encore ?

— Je crois que c'est fini. Le juge s'en ira, je pense, après les obsèques, demain soir. Il est à bout.

— Et l'autre ?

— L'autre, il ne cherche pas.

— Que fait-il alors ?

— Il attend.

La figure de l'homme se plissa et il me regarda de nouveau, en dessous. Il me voyait mal, parce que je me tenais dans l'ombre.

Il s'enfonça dans un long silence.

Je pensais : Pourquoi ne s'étonne-t-il pas que je ne l'aie point dénoncé ? Et comment se fait-il que je ne m'en étonne pas, moi-même ? Cela me semble-t-il si naturel que je n'éprouve aucune envie d'en chercher la raison ? Aurais-je donc agi sous l'effet de sa volonté ?... Mais je me connaissais trop pour croire que je pusse subir à ce point, et en de telles conjonctures, une influence d'homme. Il me semblait plutôt qu'une force plus grande et que lui et que moi m'avait obscurément imposé une conduite.

— Qu'y a-t-il, ici, de plus grand que nous deux, me demandais-je, avec une sourde inquiétude ; mais je ne voyais rien. Nous étions seuls.

Pourtant j'éprouvais un malaise indéfinissable. C'était une sorte d'oppression mentale, mais qui m'affectait aussi physiquement. Cela pesait sur moi, en moi, sans que je pusse situer le lieu d'émission, ni le point de contact avec moi-même, de cette puissance obscure.

L'homme me tira de mes réflexions. Je l'entendis parler.

— Qui hérite ? demanda-t-il.

Cette question inattendue me fit brusquement battre le cœur.

— Moi, répondis-je. J'étais le seul parent.

Il pencha son visage dans l'ombre et réfléchit. Je regardais son poing. Il l'avait posé sur la table et lentement, à son insu, il le serrait. Les muscles et les os se mirent à saillir, jusqu'à un paroxysme de violence qui dénotait un farouche débat intérieur. Puis peu à peu le poing se détendit, les grands muscles rentrèrent et la main élargie resta immobile sur la table.

Il me dit :

— Il faudra que je reste encore ici, deux ou trois jours, jusqu'à ce que je puisse marcher.

Je ne répondis rien. Il ajouta :

— Tout cela est fâcheux...

Mais si bas, qu'il devait se parler à lui-même.

Désormais la situation était telle que j'étais enchaîné à lui, du moins jusqu'à son départ. Je n'arrivais guère à comprendre comment les événements avaient pris ce tour ; mais je les acceptais. Une idée m'obsédait pourtant : savoir qui il était, et ce qu'il était venu faire, chez nous, en pleine nuit, pour son malheur et celui de Clodius.

Les questions me brûlaient la langue ; mais toutes les fois que je voulais parler, un bizarre sentiment de méfiance me fermait la bouche. Un sentiment inexplicable, mais fort ; un choc venu du cœur à la gorge, et qui aussitôt étouffait ma parole. J'avais l'impression inexplicable d'un danger latent. Il aurait suffi d'un seul mot pour le déchaîner.

Ce danger, je l'avais déjà flairé quand il m'avait si brutalement demandé mon nom, et je n'avais rien répondu. Sa question intempestive m'avait mis sur mes gardes et je m'étais promis alors de ne point satisfaire la curiosité de cet homme qui, lui-même, gardait si jalousement un terrible anonymat.

Il interrompit ma pensée.

— Votre maison, dit-il, m'a tout l'air d'être vaste. Vous vivez seul ?

Il ne me regardait pas.

— Voyez-vous, lui répondis-je, il vaut mieux de toutes façons, pour cette nuit, que vous pensiez que je suis seul. Vous n'en dormirez que mieux. Toutefois s'il vous arrivait d'entendre quelqu'un dans l'escalier, je crois que vous agiriez sagement en passant dans la grange. Vous en connaissez la porte, puisque vous l'avez ouverte, ce matin, pour venir ici.

Il se dressa.

— Aidez-moi, je vous prie.

Je m'approchai et je lui dis :

— Il vous suffira de vous appuyer sur mon épaule. Votre blessure n'est pas si grave !...

Il me répondit doucement :

— C'est vrai ; mais elle me fait encore souffrir.

Il était bien plus grand que moi, et certainement d'une force peu commune. Sa main toucha à peine mon épaule, et il arriva jusqu'au lit assez facilement.

— Vous aviez raison, me dit-il. Vos soins m'ont soulagé.

Il sourit. Ce sourire inattendu me troubla. Il se forma non pas sur son visage, mais seulement au fond de ses yeux.

Leur bleu, ordinairement dur, s'assombrissait et devenait d'une douceur inquiétante.

Il murmura avec un certain embarras :

— Puis-je savoir...

Mais il n'osa aller plus loin : j'étais muet. Peu après je me retirai, en emportant la lampe et je le laissai dans le noir, seul.

En bas, j'éteignis la lampe, puis je quittai la maison pour aller à La Jassine.

Je n'avais aucun dessein ; mais le désir de revoir La Jassine, cette nuit-là, me tourmentait. Par ailleurs j'estimais cette démarche nécessaire, après la délibération avec les Alibert et l'entrevue dans le grenier. Je n'oubliais pas qu'il me fallait prendre une décision, à l'aube, car je m'étais fixé cette heure. Jusque-là je ne pouvais que veiller ; et il me semblait que cette veille, je devais la passer avec le corps de Clodius. Je n'appréhendais pas la présence de son cadavre. Pourtant la vue d'un mort m'est toujours pénible ; mais, comme je l'ai dit, rien de lui, à mon sens, n'habitait plus dans cette dépouille.

Le cœur cependant me battit, quand j'aperçus, de loin, sous le bois, une petite lumière. Elle annonçait l'existence de la maison. Cette maison, que j'avais vue toujours éteinte, s'était éclairée, cette nuit-là parce qu'il y avait un mort dans ses murs.

L'immobilité, le poids, l'épaisseur de la nuit écrasaient la campagne. Pourtant, de temps à autre, un grillon chantait dans les guérets.

Je m'approchai de la maison. La lumière sortait

d'une fenêtre, au rez-de-chaussée, à travers les
volets mi-clos. Elle venait toucher le tronc colossal
d'un platane.

Je regardai par cette fente.

On voyait le corps de Clodius allongé sur la table.
On l'avait habillé et sa tête reposait sur un oreiller
blanc.

A ses pieds se tenait M. Rambout, assis sur une
chaise. D'abord je crus qu'il dormait, tant il paraissait immobile. Une lampe à pétrole éclairait pauvre-
ment la pièce. Le verre en était jaune, sale, et la
mèche filait. L'odeur écœurante du pétrole arrivait
jusqu'à moi. Elle dut incommoder M. Rambout qui
se leva pour moucher la lampe, mais sans succès.

Je m'aperçus alors qu'il tenait un livre à la main.
Il le posa sur la commode, s'approcha du cadavre, tira
un mouchoir de sa poche et essuya le front du mort
avec précaution. Puis il reprit son livre, retourna
à sa chaise, s'assit et redevint immobile. Ses mouvements avaient été si doux et son pas si feutré que
rien ne s'était détaché du silence. Cette immobilité,
ce mort, le peu de lumière, les ombres ne me livraient
que l'irréel de cette étrange veillée funèbre. Le sentiment en fut si fort que pendant un moment je ne
discernai plus si j'y voyais encore avec mes yeux
ou si cette vision ne venait pas d'éclore sous un choc
hallucinatoire. Une violente émotion me parcourut.
Alors que la réalité terrible n'avait pu entamer mon
sang-froid, cette fausse hallucination me bouleversait le cœur. Je ne sais combien de temps dura ce
trouble ; mais quand j'entrai dans la maison, j'avais
les tempes encore brûlantes, la gorge sèche, et je
n'osais pas avancer.

Au bout du couloir, à droite, la porte de la salle
où reposait le corps de Clodius était restée ouverte.
On y voyait la lumière de la lampe. Je dus m'arrêter

un moment dans ce couloir, et m'appuyer contre le mur ; j'avais la figure en sueur. Le mur restait humide, gras ; et j'en retirai ma main avec dégoût.

Pas un bruit ne venait de la chambre. La lumière jaune de la lampe ne bougeait pas ; mais par bonheur l'odeur du pétrole était si forte que je ne pouvais pas douter de la réalité des objets, encore invisibles, que j'allais voir dans cette pièce mortuaire. Or si les spectres du songe m'épouvantent, l'horreur du réel, que je sens cependant avec une singulière violence, presque jamais n'offusque ma raison ni ne trouble mon courage.

C'est pourquoi ma défaillance fut brève, et je glissai, à pas légers, le long du mur, jusqu'à cette porte si calme.

M. Rambout, assis, me tournait le dos. Il ne bougeait pas plus que le mort : il lisait. La clarté de la lampe était si pauvre que je n'arrivais pas à comprendre comment il pouvait lire ; et j'eus un moment le soupçon qu'il feignait de le faire ; mais j'en fus détrompé, car tout à coup je vis son doigt tourner la page et j'entendis comme un petit soupir. Je franchis le seuil.

M. Rambout ferma son livre, se retourna sur sa chaise, et me regarda :

— Figurez-vous que je vous attendais, me dit-il. Mais vous venez bien tard. Sans doute, on vous aura retenu ?...

Il parlait à voix basse, et il s'en excusa en me montrant le mort, puis il m'offrit une chaise.

— Les veillées sont un peu longues, m'avoua-t-il. Notez que je ne m'ennuie pas... Je lis...

Il me tendit son livre, dont le titre me stupéfia : « Les jours et les nuits des oiseaux. » Mon étonnement sembla le ravir, car il me dit avec vivacité :

— J'adore ces petites bêtes. Et vous ?

— Moi aussi, répondis-je.

Il se renversa sur sa chaise, cligna des yeux, et chuchota :

— Un nid! Monsieur, un nid!... Qu'y a-t-il de plus beau et de plus touchant au monde?... un nid de pinson, par exemple... En avez-vous vu des nids de pinson?...

Il n'écouta pas ma réponse.

— Les petits œufs reposent sur des brins de laine, continua-t-il, l'air rêveur, il y en a toujours quatre ou cinq, bien cachés, bien au chaud, dans la mousse et dans le duvet...

Il se tut pendant un moment. Puis tout à coup, il sortit de son rêve :

— Ah! gronda-t-il, cette lampe empoisonne l'air de la pièce! Et tous ces fumerons qui montent de la mèche sale! Vous les voyez? Ils vont jusqu'au plafond, puis ils tombent en tournoyant sur la figure du mort... J'ai bien essayé de les enlever avec un mouchoir ; mais ils collent à la peau, et cela y fait des raies noires, de vilaines taches de graisse...

Il parlait maintenant d'une voix morne.

— J'ai eu beaucoup de peine à trouver une paire de chaussures convenables. Votre cousin était nu-pieds. Du reste il avait l'habitude si j'en juge par les peaux mortes. C'est de la corne. Une épine n'y entrerait pas... Mais tout de même il faut des souliers à un mort... Ceux-ci (et il les toucha du doigt) sont vieux et bien sales... et il n'y a pas de cirage dans la maison. J'ai dû les graisser...

Par moments un insecte noir qui volait dans la pièce essayait de se poser sur le visage de Clodius. Alors M. Rambout se levait brusquement et le chassait. Puis il revenait à sa chaise et continuait son discours :

— Personne n'a voulu l'habiller. Les gendarmes

ont refusé de me donner un coup de main : ils ne voulaient pas toucher le corps. Alors j'ai failli aller vous chercher ; puis j'ai pensé que ça vous serait trop pénible. J'ai fini par faire sa toilette ; et ça n'a pas été facile, parce qu'il était déjà raide. C'est tout muscle ; et quoique maigre, je puis vous assurer qu'il pèse son poids...

J'étais horrifié, mais il ne paraissait pas s'en apercevoir.

— J'ai vérifié la caisse ; elle ira. Toute en beau chêne ; il avait même préparé les vis. Je les ai trouvées dans le fond. Elle est là, toute prête, dans la pièce à côté. Je l'ai descendue sur mon dos, après le départ de tout le monde ; et il faisait si noir que j'ai failli tomber dans l'escalier. Il n'aurait plus manqué que ça...

Il se balançait sur sa chaise, l'œil vague, le visage calme.

— Le notaire a trouvé un papier dans le tiroir de la commode. Il paraît que ça vous concerne... Il l'apportera demain... Pour le pasteur, il a fait dire qu'il viendrait enterrer le mort... Vous le connaissez ce pasteur ?...

— Parfaitement. C'est un ami.

— Une difficile corvée, fit remarquer M. Rambout.

— C'est pour cela que le pasteur l'a acceptée, lui répondis-je.

— Et vous pensez qu'il pourra s'en tirer à son honneur ?

— J'en suis sûr.

M. Rambout hocha la tête ; mais je ne sus pas si c'était en signe d'incrédulité ou d'admiration.

Il changea de sujet :

— A la gare de Puyloubiers, personne n'a débarqué avant-hier soir. Mais à celle de Peyrecade, on a vu quelqu'un, au train de neuf heures. Le colporteur a été arrêté à Colovard ; comme il a un bon alibi, on l'a relâché tout de suite. Ce n'est que justice. Le juge partira demain matin, en compagnie de son greffier ; et les gendarmes rentreront dans leur caserne, après l'enterrement... Moi, je reste.

Il se leva, s'approcha du corps et se pencha au-dessus du visage. Je l'entendis qui murmurait :

— Il faudrait le mettre en bière, cette nuit...

Je ne bronchai pas. Je savais ce qu'il allait me demander.

— Voyez-vous, me dit-il, si le juge savait que vous êtes venu, il en tirerait toutes sortes de conséquences...

Et il haussa les épaules.

— Moi, non. C'est pourquoi je vais vous demander un service.

Je n'avais jamais touché de cadavre ; néanmoins je me levai et je dis à M. Rambout :

— Quand vous voudrez.

Nous transportâmes d'abord le cercueil à côté de la table, et nous le plaçâmes sur deux chaises.

M. Rambout en retira les vis qu'il déposa sur la commode ; et il dressa le couvercle contre le mur.

— Je vous laisse les pieds, me dit-il ; c'est moins lourd, et moins désagréable, pour qui n'a pas l'habitude.

Je soulevai le corps par les souliers. Ils étaient tellement graissés qu'ils faillirent me glisser de la main. Toutefois j'eus la force de ne pas fermer les yeux.

M. Rambout arrangea lui-même le corps avec beaucoup de soin dans la bière, glissa l'oreiller sous la tête. Je le regardais faire, la chair glacée.

Quand il eut fini, il me demanda l'heure.

Il était quatre heures.

— L'aube n'est pas loin, remarqua-t-il. Vous

devriez aller prendre un peu de repos. La journée a été rude. Quand vous serez parti, je visserai moi-même le couvercle. Pour ce travail, on n'a pas besoin d'être deux.

— Je voudrais me laver les mains, lui dis-je.

Il me conduisit à l'évier, dans la cuisine. Il connaissait la maison mieux que moi, puis il m'accompagna jusqu'à la porte, et resta, un moment, sur le seuil, pour m'éclairer. Car il avait apporté la lampe.

Il rentra seulement quand je fus hors du bois. Resté seul, je fis encore quelques pas, au hasard, dans les ténèbres, puis ne sachant plus où aller, je m'assis au milieu d'un champ, sur une grosse pierre, pour attendre le lever du jour.

Longtemps je demeurai comme hébété. Rien ne bougeait en moi des pensées et des sentiments que je contiens. Mon immobilité intérieure était telle que seules quelques faibles sensations, incapables d'ailleurs de m'émouvoir, me liaient à la vie. Elles émanaient d'une nuit elle-même immobile. L'étendue des terres incultes, autour de cette pierre où je m'étais assis, pour attendre le matin, gardait le silence. Je ne recevais rien et je ne donnais rien. De ce monde endormi ne se levait parfois qu'un hargneux parfum d'herbe sèche, sans doute détaché d'une touffe épineuse par le rayonnement nocturne de la terre. Ici, terre de houx, de ronces, de chardons aigus. Le néant de ma vie morale s'accordait à l'inanité de la nuit. J'étais mon corps et pas davantage. De moi l'horreur physique avait tout chassé; forme vide, sensible seulement par mon contour charnel à la chaleur nocturne, rien, pas même une vapeur maléfique, ne m'habitait. J'étais là pourtant : je veillais dans la campagne solitaire; mais je ne sentais pas ma présence réelle au milieu de ces champs déserts, tellement j'étais séparé de ma vigilance intérieure par l'épaisseur de mon insensibilité. Je ne souffrais pas ; j'attendais l'aube, non point comme on attend le lever d'un espoir, mais simplement parce que l'aube vient au bout de la nuit, et que je le savais encore faiblement.

Ce fut une légère fraîcheur qui d'abord atteignit ma somnolence. Sans qu'il se fût levé un souffle d'air, toute la campagne se rafraîchit autour de moi et je sentis tomber un peu d'humidité sur mes mains. L'ombre cependant s'étendait encore sur les champs ; mais les quelques étoiles de la nuit, étouffées jusqu'alors par la chaleur, avaient pris de l'éclat en déclinant au-dessus de Théotime. Celles qui touchaient aux collines brûlaient vivement sur les crêtes et les plateaux, où dormaient encore les forêts.

Mon apathie se dissipait ; et, sous ce repos accablant où j'avais sombré à la fin de la nuit, recommençaient à circuler les petits courants de ma vie secrète. Déjà je reprenais çà et là, sous ma chair, quelque contact avec les sources de mon âme ; et j'étais étonné de leur fraîcheur.

Sans que je m'en fusse aperçu, l'ombre avait coulé vers l'ouest, et du sol s'était élevée, pour s'épandre un peu tristement sur les terres, une grisaille pauvre. Cette émanation incolore errait au ras des cailloux, dans le champ inculte où je me trouvais ; et c'est alors seulement que je sentis ma solitude. Autour de moi, des pierres éparses, du gravier, quelques plantes rabougries. En moi, une aride lucidité.

Bientôt je vis le bois de La Jassine, Théotime et la métairie ; La Jassine et son mort, veillé par M. Rambout ; Théotime abritant le meurtrier ; la métairie où dormaient les Alibert. Il n'était plus besoin de réfléchir, de scruter les motifs cachés de ma conduite (j'y aviserais plus tard). Ces trois masses de pierre encore sombres posaient lourdement le problème, à ma volonté. Dans la désolation de cette misérable clarté qui rampait sur les terres, j'étais seul, sans conseil ; et l'humidité du matin, par moments, faisait frissonner mon corps privé de sommeil depuis deux jours.

Je sentais que la décision que j'allais prendre (car l'heure s'approchait) venait à moi dans la lumière la plus triste, au milieu du champ le plus pauvre, et devant l'âme la plus basse que j'eusse connus de ma vie.

Une intelligence exacte et morne des choses m'assurait que j'avais maintenant sous les yeux les sombres éléments de ma situation. Et je la jugeais affreuse. Cependant je craignais le pire. Soit méfiance naturelle, soit ironie amère, j'appréhendais comme une menace encore très vague, un danger réservé. Mais je ne cherchai même pas à savoir lequel. Depuis un moment j'avais les yeux fixés sur Théotime.

Car Théotime s'éclairait. Tout alentour la campagne traînait encore dans la médiocrité du petit jour. Mais déjà un peu de lumière se formait sur les tuiles de Théotime, rondes et douces, où se coloraient le lichen et la mousse des toits. Cette lumière impalpable ne semblait point se refléter sur l'argile cuite des tuiles, mais, en formant des taches rousses, émaner mystérieusement de leur terre poreuse. Tout le mas sortait de la nuit. Du côté de La Font-de-l'Homme, à l'est, on entendait l'appel vif des premiers oiseaux que touchait la clarté de l'aube, dans les bois, aux crêtes des collines. Quelques coulées d'air pur venues des plateaux odorants traversaient la campagne, où déjà une petite calandre voletait.

La vie familière de mes terres, que je surprenais juste à son éveil avant les travaux, pour la première

fois, peut-être, m'apparaissait dans toute son innocence. Et j'aimais l'innocence de la terre. Ce petit
monde dépendait de moi, qui dépendait de Théotime. Car le vieux mas devenait grand à mesure que
le jour montait. Maintenant on en découvrait toute
la force : les murs épais, les contreforts, la masse
bien assise et, tout autour, l'épaulant depuis le sol
dur, les étables, les écuries, les granges, les celliers,
les bergeries immenses, groupement grave et presque
religieux de bâtisses basses, serrées autour de la
demeure humaine où vivait le vieux nom de Théotime.
    Et ce n'est pas un nom banal ; c'est un nom qui
parle. Il signifie : « Tu m'honoreras comme un dieu. »
Je le savais, et, moi chétif, assis sur cette pierre, au
milieu des guérets, le corps brisé, l'âme seule, j'avais,
à moi, ce nom, ce mas, ces terres, et pourtant j'hési-
tais encore... La cheminée de Théotime se mit à
fumer doucement.
    Le chien de la métairie aboya. Je vis Alibert et
son fils qui sortaient de leur maison. Ils se dirigèrent
vers La Jassine. Ils portaient chacun une bêche sur
leur épaule. Un dernier frisson me traversa et je me
levai.

    Quand j'arrivai à Théotime, je trouvai Marthe
qui faisait chauffer mon café. Nous nous saluâmes
familièrement. Elle ne me demanda pas d'où je
venais si tôt, mais elle me servit du pain, du lait,
et quelques fruits.
    J'avais faim.
    Je dis à Marthe :
    — Que tout le monde soit à La Jassine avant
dix heures.
    — Bien, monsieur Pascal, me dit-elle.
    Elle était calme ; on voyait qu'elle avait bien dormi.

Quand elle eut quitté la maison, je passai dans ma chambre, pour changer de vêtement ; puis je sortis ; et j'allai m'asseoir près de la source où j'attendis avec impatience le moment de me rendre à La Jassine.

Il faisait tout à fait jour et il montait une grande fraîcheur de l'eau calme de la source où nageait une carpe solitaire.

Je restai longtemps à contempler cette bête tranquille qui évoluait avec aisance sur les fonds sombres où poussent des plantes un peu mystérieuses ; monde sous-marin qui se perd dans une ombre glauque où afflue le surgeon invisible de la source. Tantôt elle montait vers moi ; mais, à peine touchée d'un rayon de lumière épandu sous les eaux, elle donnait un coup de queue et s'enfonçait en ondulant dans les profondeurs où son corps devenait une tache noire, puis s'évanouissait. Il reparaissait bientôt sur une autre rive et je suivais son ascension silencieuse ; fantôme invisible qui passait, la gueule ouverte, les yeux ronds, et par moments une fugitive lueur sur les nageoires. Les évolutions de ce petit monstre occupaient mon esprit, et je recevais de la source la paix humide du matin et le sentiment d'un mystère. Dans cette conque d'argile si profonde, où l'eau naissait sans qu'on sût d'où, et où se reflétaient les colossaux feuillages des arbres nourris de sa substance, l'apparence seule des choses émergeait à mes yeux d'une vie souterraine qui ne laissait filtrer qu'un filet d'eau inaccessible, chétive et pure émanation des nappes lacustres, cachées sous la masse calcaire des plateaux. Bientôt, je me perdis dans les replis obscurs de ces infiltrations et je fus attiré si loin de moi par les images indistinctes issues de ce miroir où passaient des formes indéfinissables que j'eus un moment de bonheur en accord avec l'eau et le calme du matin d'été.

Ce fut en quelque sorte mon sommeil, le repos de ce corps affaibli par les veilles, l'excessive lucidité et les tourments d'une âme trop vigilante. Je m'y lavai, tant des souillures nocturnes de l'esprit que des contacts funèbres ; et ce délassement, ce pur plaisir, éveilla dans mes sens un tel amour des dons de la terre que j'en oubliai ses secrètes exigences pour m'abandonner aux promesses des fruits et des feuillages.

Je fus tiré du monde imaginaire par un reflet qui toucha la nappe de la source ; et je vis un être debout qui me contemplait au milieu des eaux. Elles gardaient une telle pureté que l'image de cette fille familière ne se déformait pas dans son miroir liquide. Je reconnaissais mon amie douce de la métairie qui était arrivée en silence derrière moi et qui attendait mon retour de ce voyage chimérique. Je revenais de loin, et sans doute le devinait-elle puisqu'elle se taisait amicalement. Pourtant je ne pouvais pas lui parler de ces souterraines demeures ; mais j'étais heureux que la terre m'eût envoyé, à mon retour sur la rive diurne, cette fille aux yeux bienveillants qui sentait le blé.

Elle était la figure la plus douce qui pût venir à l'heure inévitable, et je compris qu'on m'attendait là-bas, depuis un moment.

Je me retournai :

— Ah ! Françoise, lui dis-je, connais-tu ton bonheur, ce matin ?

— Monsieur Pascal, murmura-t-elle, on connaît son bonheur quand on connaît ses peines ; et vos peines sont les nôtres. Nous sommes là.

Je me levai.

— Sais-tu, lui demandai-je, ce que je vais dire tantôt ?

Je lui mis les deux mains sur les épaules et regardai avec émotion son beau visage. Elle ne baissa pas les yeux.

— Je le sais, me répondit-elle.

Nous partîmes vers La Jassine, et elle marchait à ma droite, à travers les terres de Clodius.

A mesure que je m'approchais de La Jassine une obscure émotion se formait en moi ; et plus je m'éloignais de la source plus ce malaise grandissait. Si toute horreur physique, tout souvenir affreux du toucher et de l'odorat étaient partis, une sorte d'angoisse préalable serrait ses nœuds sur ma poitrine où se gonflait la masse de mon cœur dont le sang alourdi circulait mal. Ma décision était prise et je savais parfaitement ce que j'allais répondre ; mais j'appréhendais le choc douloureux de la question et je n'étais pas sûr de pouvoir faire, en homme, et d'une voix intelligible, cette réponse qu'on attendait, devant le cercueil de Clodius. J'évaluais la valeur du mot, du seul mot à dire, et je pensais en bien connaître toutes les conséquences morales et matérielles qui commenceraient à agir dès que je l'aurais prononcé. Pourtant je n'en avais pas peur. Mais je redoutais un danger que je n'aurais pas su définir, une brusque révélation, ou bien l'apparition lente, plus tard, d'une figure encore inconnue de nous tous.

On voyait devant la maison une vingtaine de personnes. Le juge se tenait à part avec son greffier. Les autres formaient de petits groupes. Quand j'arrivai tout le monde s'écarta. Françoise elle-même alla rejoindre sa mère, qui se tenait, avec les femmes de Genevet et de Farfaille et quelques habitants du village, devant les hangars.

Je m'avançai seul sur le chemin. La première

chose que je vis ce fut la fosse que les Alibert avaient creusée, non pas tout à fait au milieu de l'allée, mais plutôt sur le bord. J'y jetai un coup d'œil. Elle me parut extraordinairement profonde. On voyait les grands coups de bêche dans la terre luisante où des racines toutes fraîches pendaient encore, tranchées net. Le fond était bien sec et il y était tombé quelques cailloux.

On avait sorti le cercueil devant la maison, à l'ombre des arbres ; et il reposait sur deux petits tréteaux qu'on avait dû prendre dans le cellier.

De l'autre côté du chemin le notaire parlait à voix basse avec M. Ormel, le pasteur. Les deux hommes Alibert, habillés de noir de la tête aux pieds, se tenaient près de la porte, avec le maire. M. Rambout, très à l'écart derrière les groupes, se promenait lentement de long en large. Il avait bien fait les choses ; car c'était certainement lui qui avait déposé sur le cercueil une branche de chêne.

En me voyant, le pasteur et le notaire traversèrent le chemin et vinrent me serrer la main. Ils étaient tous les deux habillés de noir, comme moi.

— Alors, vous avez accepté ? demandai-je au pasteur.

— Je n'ai vu, me répondit-il, dans le désir de Clodius que le service de Dieu. C'est mon rôle. Et puis je tenais à me trouver auprès de vous, ce matin.

Il était assez grave ; mais sa large figure vivante, au milieu de tous ces visages fermés, épandait une sorte de lumière qui me réchauffa le cœur. Il émanait de lui une noblesse calme : on sentait qu'une âme lucide était là.

— J'ai demandé à M. Ormel de faire d'abord son office, me dit le notaire. Y voyez-vous quelque inconvénient ?

Je fis signe que non.

Alors le pasteur alla se placer, en face de moi, à la tête du mort.

Moi, je restai tout seul sur le chemin, au pied du cercueil.

Le pasteur prit un livre dans sa poche, l'ouvrit, et lentement il promena son regard sur toute l'assistance. Les hommes se découvrirent.

Alors il lut :

« L'homme né de la femme vit peu de temps, et il est rempli de beaucoup de misères.

« Comme une fleur il germe et il est foulé aux pieds ; il fuit comme l'ombre, et il ne demeure jamais dans le même état.

« Et Tu juges digne de Toi d'ouvrir les yeux sur lui, et de le faire entrer en jugement avec Toi ?

« Qui peut rendre pur celui qui a été conçu dans l'impureté ? N'est-ce pas Toi seul qui le peux ?... »

Il lisait d'une voix chaude, chantante et qui tout à coup devenait proche, presque familière.

Je le regardai. Jamais je ne l'avais aussi bien vu. Il est vrai qu'un rayon de soleil tombait sur sa figure. Il éclairait son front large, chauve, ses pommettes saillantes et ce nez droit, cette bouche impérieuse et convaincue.

Cependant il disait :

« Pourquoi m'as-Tu mis en butte à Tes coups, et m'as-Tu rendu insupportable à moi-même ?

« Pourquoi n'enlèves-Tu pas mon péché, et ne me pardonnes-Tu pas mon iniquité ?

« Je vais bientôt dormir dans la poussière et quand Tu me chercheras le matin, je ne serai plus... »

Il s'arrêta.

La matinée était très douce ; et il venait vers nous des hauts quartiers de Micolombe ou de La Font-de-l'Homme, par grandes nappes déjà tièdes, les parfums de la lavande et de l'hysope des garrigues que je connais bien.

Le pasteur se taisait. Il regardait les champs, les fermes, les collines, qui apparaissaient à travers le feuillage des arbres immenses qui nous couvraient. Son silence dura bien peu, mais il y prit sans doute une telle amitié (car visiblement il aimait ce pays si beau et ces hommes) que ses paroles s'élevèrent naturellement de la mort comme s'il parlait de la vie.

« Les voies du Seigneur sont droites, disait-il ; celles de l'homme souvent tortueuses. Mais Dieu les redresse à son bénéfice et au bénéfice de l'homme.

« Il ne nous est pas difficile d'apprécier avec justice le désir du défunt, ici présent, qui a demandé notre ministère. Nous ne le louerons pas d'avoir abandonné sa propre église ; mais il la fréquentait peu, semble-t-il. Toutefois nous devons nous réjouir qu'inspiré par un sentiment, peut-être condamnable, de son pauvre cœur, il nous ait permis, malgré tout, de faire entendre la parole de Dieu sur cette tombe, où il descend si tragiquement. Il lui en sera tenu compte... »

Il fit une pause et me regarda avec amitié :

« Je le louerai donc, ici, devant un homme de son sang ; un homme qu'il n'aimait pas. Pourquoi le taire ?... Mais il le tenait en si haute estime, lui et ses serviteurs, que malgré cette inimitié déplorable, il lui a légué son bien le plus cher, son seul bien : la terre. Nous savons tous ici, dans les villages, ce qu'est pour nous la terre ; et nous connaissons tous l'amour violent, parfois étrange, que Clodius avait voué à la sienne : celle-ci, celle que vous voyez, à travers les arbres, et qui monte jusqu'aux collines ; celle qui soutient la maison ; celle qui va reprendre et ensevelir le corps.

« Écoutons la parole de l'Apôtre, la parole de Jean :

« Ne nuisez point à la terre ni à la mer, ni aux arbres, jusqu'à ce que nous ayons marqué du sceau le front des serviteurs de votre Dieu. »

« Claudius n'a pas voulu nuire à la terre. Voilà sa vertu éminente, car il eut sa vertu éminente ; et sa terre aujourd'hui est tenue par de bonnes mains. La réconciliation est faite.

« Remercions notre Dieu, et prions pour la paix de l'âme. »

Il se tut, ferma les yeux, se recueillit et pria. Ses lèvres ne remuaient point ; mais on sentait en lui le mouvement de la prière. Quand il eut fini, il se recula un peu et attendit.

Le notaire parla ensuite :

— Le moment est venu pour M. Pascal Dérivat de nous faire connaître sa décision. Je pense qu'il est inutile de relire le testament, vous l'avez certainement présent à l'esprit.

Je fis un signe d'assentiment.

Il continua :

— Toutefois, en sus, j'ai trouvé, ici, dans un tiroir, un acte de propriété, qui n'est pas mentionné dans les dispositions testamentaires. Mais comme vous êtes le seul héritier de votre cousin, il va de soi que, de plein droit, cette possession vous revient.

Je n'arrivais pas à comprendre de quelle possession il pouvait s'agir.

— Voici, expliqua le notaire, en quels termes cet acte est rédigé :

« A M. Nicolas-Juste-Clodius, de Puyloubiers, il est vendu contre payement de vingt-quatre mille cinq cents francs, versés comptant entre nos mains, une propriété sise à Sancergues, et dénommée " La Maison Métidieu "... »

Le coup porta au cœur. Le notaire lut encore quelques phrases ; mais je ne les entendis pas. Ma tête bourdonnait affreusement et je fermai les yeux pour ne pas tomber.

— Mon Dieu! pensai-je, c'était donc cela ; j'avais oublié Geneviève...

Le notaire se tut. Ce silence me parut incompréhensible. « Pourquoi ne parle-t-il plus ? » me demandai-je.

La voix s'éleva de nouveau. Elle venait de très loin. Elle disait :

— Monsieur Dérivat, répondez ; acceptez-vous le legs qui vous est fait ici, avec toutes ses charges ?

Je ne savais plus que répondre. Obstinément je gardais les paupières closes, et je me disais : « Tu es seul au milieu du chemin, devant ce cercueil, et certainement tous ces gens te regardent. » Mais je n'osais pas ouvrir les yeux de peur de les voir. Tant que je les tenais fermés, il n'existait que moi au monde. Il est vrai que j'existais. J'étais là, en face de moi, tout près, seul ; je me voyais. J'avais une face dure, marquée par les colères sourdes ; et je me disais : « A qui donc ressembles-tu ? Ce visage, ce n'est pas toi ; c'est Clodius ; Clodius vivant... » Et la ressemblance était si frappante que je ne pus la supporter plus longtemps ; j'ouvris les yeux et je dis :

— Oui.

Puis je me mis sur le bord du chemin, et je m'appuyai contre un arbre.

Le vieil Alibert et son fils, suivis de Genevet et de Farfaille, s'avancèrent vers le cercueil. Comme celui-ci n'avait pas d'anses, ils nouèrent deux cordes, une à la tête, l'autre au pied, et portèrent le corps vers la fosse. Tout le monde se rapprocha, sauf le juge et son greffier.

Je me mis entre le pasteur et le notaire, sur le bord de la fosse. De l'autre côté, M. Rambout, les mains derrière le dos, regardait. Quand la caisse fut au fond du trou, il demanda :

— Et les cordes, vous n'allez pas les laisser, tout de même ?

On n'avait pas pensé au moyen de ramener les cordes.

M. Rambout s'approcha de Jean qui en tenait une solidement roulée à son poignet.

Il lui dit :

— Surtout ne lâchez pas.

Et il se laissa glisser dans la fosse avec une extraordinaire agilité.

Là il défit les nœuds, puis à force de bras, il se hissa juqu'au bord de la fosse, où Farfaille lui tendit la main.

Il n'avait qu'une toute petite tache de terre rouge sur le revers de son veston. D'une chiquenaude il la fit sauter.

On retira les cordes dont on fit un rouleau, puis on combla la fosse et à grands coups de pelle on tassa la terre par-dessus.

— Après les pluies on ne verra plus rien, fit remarquer Farfaille.

Tout le monde s'en alla et je restai seul avec les Alibert.

M. Rambout, qui était allé replacer les cordes dans le hangar, vint vers nous et me dit :

— Je compte rester quatre ou cinq jours dans le pays. Si vous avez besoin de moi, envoyez quelqu'un à l'auberge. Du reste, il se peut bien, si je m'ennuie trop, que je vous fasse une petite visite.

Je l'y engageai. Il nous salua et partit. En passant devant la fosse il souleva son chapeau ; et, quand il fut sur le chemin, il se pencha vers le talus et cueillit des fleurs ; puis il disparut à son tour derrière les haies d'aubépine qui bordent la route quand on monte vers Puyloubiers.

Marthe me dit en montrant La Jassine :

— J'ai laissé tout ouvert pour bien aérer. Je reviendrai cet après-midi mettre un peu d'ordre, nettoyer les pièces.

J'approuvai. Elle ajouta :

— Vous allez manger avec nous, aujourd'hui. J'ai mis votre couvert.

Nous rentrâmes tous les cinq ensemble à la métairie. Nous marchions lentement à travers les terres, moi, le premier, à côté d'Alibert qui se taisait. Les femmes venaient par-derrière et, de temps à autre, elles échangeaient une parole.

Vers la fin du repas je rompis le silence ; car les Alibert, voyant mon air soucieux, par discrétion me laissaient à mes pensées. Ces pensées, je voulais les éloigner de moi. C'est pourquoi je parlai des dispositions que La Jassine allait nous obliger à prendre.

Le vieil Alibert (qui sans doute avait beaucoup réfléchi depuis la mort de Clodius), proposa des mesures sages.

— Monsieur Pascal, on peut d'abord peser le bien : ce qui marche, puis ce qui dort et qu'on peut réveiller, puis ce qui ne vaut rien. Il y a de tout, comme toujours ; mais en gros on sait où penche la balance. Les femmes verront la maison, ça les connaît ; nous, on évaluera la vie des terres. Les moissons sont finies et on a un peu de tranquillité, par bonheur. Après on ouvrira la campagne.

Je tombai d'accord avec lui.

— Mais d'abord, conseilla Marthe, il faut que M. Pascal se repose, un jour ou deux. Nous, pendant ce temps, on commencera.

Je protestai.

Marthe répliqua doucement :

— A votre place, j'irais dormir vingt-quatre heures d'une pièce. Vous en avez besoin. On lit sur votre figure.

Ces derniers mots m'épouvantèrent ; mais j'étais si las que, contrairement à ce qu'affirmait Marthe, rien ne passa, je crois, sur mon visage.

Pendant tout le repas j'avais été torturé par deux pensées. Je me répétais sans cesse : « Tu avais oublié Geneviève ; et c'est l'assassin que tu caches qui te rend héritier de sa maison. » De voir Geneviève entrer dans ce drame et de cette horrible façon m'emplissait d'un amer dégoût. Entre-temps je me disais : « Quoi que tu penses, l'homme est là, maintenant. Il faut lui donner à manger ; tu l'as promis. Mais il ne doit pas y avoir de provisions à Théotime. Voilà deux jours que tu n'y prends plus tes repas. »

Je ne savais que faire.

— Vous avez raison, dis-je à Marthe, je vais dormir un bout de temps ; mais donnez-moi tout de même un quignon de pain, quelques fruits, du fromage. J'aurai peut-être envie de manger, cette nuit, si je m'éveille ; car je m'éveille souvent, la nuit, et alors j'ai faim...

Ce discours dut lui paraître bizarre, car elle cacha mal son étonnement.

— Bon, bon, répondit-elle.

Et elle me prépara quelques provisions que j'emportai dans un petit panier.

XII

Le facteur était passé par Théotime en mon absence et avait laissé une lettre sous la porte. Elle était de Barthélémy. Il disait : « Pourquoi n'es-tu pas venu, Pascal ? Si je te l'avais demandé, c'est que je le jugeais nécessaire ; et Geneviève s'était un peu apaisée à cette nouvelle ; mais en ne te voyant pas arriver, je n'ai plus su quoi inventer pour la distraire, et elle a deviné que tu nous avais nourris de bonnes paroles. Elle en a conçu une inquiétude excessive que rien ne justifie et positivement elle ne vit plus. Tantôt elle suppose que tu avais l'intention vraiment de venir et qu'un événement obscur (mais elle ne précise pas lequel), t'en a empêché ; tantôt au contraire elle raconte d'un air malheureux que tu es bien trop heureux dans ta sauvagière pour en sortir, simplement avec l'intention de nous voir. Les enfants, qu'elle a complètement abandonnés, rôdent autour d'elle, timidement, et ils ont du chagrin. Nous aussi. Si tu veux mon avis, pour moi, tout cela parle ; et quand on a des yeux, c'est pour y voir, et des oreilles, c'est pour entendre. Tu n'es ni aveugle ni sourd ; alors que diable pratiques-tu tout seul dans ton repaire ? Il faut se décider, une fois pour toutes... »

Il y avait encore une page de conseils. Le mot

décider (cela semblait un fait exprès) revenait plusieurs fois. *Décider* devenait ma fonction par excellence. Et je n'en pouvais plus ; car justement j'aurais voulu jouir d'un délai, avoir un temps de répit, et tout de suite. Je tombais de sommeil, j'avais froid, des frissons ; ma tête n'était plus qu'un chaos, mon cœur à bout de forces, semblait incapable d'une haine, d'un amour ; et sans haine, sans amour comment éveiller sa volonté ?

Je mis ma lettre dans ma poche et pensai :

— Dire que maintenant il faut voir cet homme...

Je montai tout de même jusqu'au grenier et poussai la porte. Le grenier était vide. Sans doute, en entendant des pas, l'homme suivant mon conseil s'était réfugié dans les granges. Je me hâtais de déposer les vivres sur la table et de me retirer. En partant je donnai, aussi discrètement que possible, un tour de clef à la porte ; mais, ayant fait cela, j'eus aussitôt le sentiment d'une lâcheté. Je me dis : « On n'enferme pas un hôte, même un hôte pareil... » et je rouvris ; la serrure grinça. Je me retirai dans ma chambre et me jetai sur mon lit où je m'endormis immédiatement.

Je ne m'éveillai qu'à la tombée de la nuit.

Ce n'était pas encore la nuit close. Il errait sur les bords du ciel cette lueur diffuse qui, après la chute du jour, l'été, continue très longtemps à éclairer avec douceur la campagne, où bêtes et gens viennent respirer un peu d'air au seuil de leurs retraites et de leurs habitations. Cette lueur pénétrait jusque sous la voûte des arbres et baignait Théotime. Une rainette coassait, à la source ; des milliers de grillons faisaient vibrer d'immenses étendues. De temps à autre un chien perdu, très loin, dans quelque mas, lançait un aboiement plaintif, puis se taisait, puis appelait encore. La race des chiens est plaintive, et sa plainte tenace. Pendant un long moment, je fus pris par le plaisir de goûter la douceur d'une nuit si calme, d'une vraie nuit à la campagne ; et j'éprouvais cet étrange sentiment de repos parfait et de bienveillance du corps qui accompagne tous les mouvements du réveil quand on ouvre les yeux à la tombée de la nuit. Car ce n'est point l'heure normale du réveil. D'habitude, on y arrive, chargé d'une lourde journée ; et de s'y sentir déjà reposé par miracle étonne et ravit l'être qui s'éveille pour jouir de la vie nocturne.

Mon ravissement fut de courte durée ; car mes soucis s'imposèrent bientôt, mais d'abord sans violence. La satisfaction de mon corps délassé de ses fatigues s'étendait encore à mon âme et l'empêchait à tous moments de s'ébranler vers ses peines immenses, à mesure qu'apparaissaient les images menaçantes de mon nouveau destin. Cette quiétude relative laissait reposer ces images dans une clarté suffisante à les bien voir et à les bien juger.

Je me demandai, avec assez de calme, d'abord, pourquoi je n'avais pas dénoncé le meurtrier de Clodius. Peut-être avais-je obéi à un mouvement instinctif : cet homme était mon hôte. Pourtant je n'avais pas eu conscience de céder au choc de cet instinct qui sommeillait en moi, à mon insu. Jusqu'alors je ne m'étais jamais trouvé en sa présence, et il avait fallu une occasion extraordinaire pour le faire surgir impérieusement d'une retraite dont j'ignorais, en moi, l'existence cachée. J'avais agi. Le sens de l'hospitalité l'avait emporté sur le sens moral. L'irruption en avait été si violente que j'avais fait, involontairement, ce que, de sang-froid, je n'eusse jamais envisagé de faire. Mais l'instinct s'était imposé et avait écarté la réflexion.

J'essaye aujourd'hui d'expliquer par ces raisons

les mouvements étranges de ma conduite ; mais, pas plus aujourd'hui qu'alors, elles ne peuvent satisfaire mon esprit.

Cependant, les conséquences terribles d'un premier geste irréfléchi m'apparaissaient cruellement. Je pensais : « Tu es maintenant son complice : il t'a lié ; son complice pour un meurtre absurde, dont tu es devenu le bénéficiaire et qui te vaut d'attirer sur toi des soupçons infamants. Moralement, par les avantages reçus, matériellement, par ces soupçons qui te menacent, tu t'es placé dans la plus dangereuse situation. En toi, tout maintenant est en péril, la valeur de ton âme, ta liberté. »

Et je me demandais si j'avais perdu mon bon sens, ma sensibilité, mon sang-froid naturels. Je ne le croyais pas, car je me rendais compte que, depuis l'annonce du meurtre, j'avais agi, presque toujours, avec cette lucidité singulière et ce détachement qui, dans les circonstances graves, s'emparent de moi. « Il faut donc, me disais-je, que j'aie été poussé par une force obscure, car, après le premier mouvement fatal, je n'ai pas eu un mouvement contraire. La peur, le regret, le remords ne m'ont pas, une seule fois, conseillé de livrer l'assassin... »

Et je cherchais la nature de cette force dont la poussée continuait à me mouvoir.

Je m'efforçais de raisonner.

« Lorsque j'ai découvert cet homme, qu'ai-je éprouvé ? » Un saisissement : la surprise qu'il ne fût pas tel que je l'imaginais : ce colporteur. J'ai douté aussitôt du meurtre ; il me paraissait impossible. « Ou bien, pensais-je, cet homme n'a pas tué Clodius, ou bien il l'a tué pour une raison inexplicable. » Crime absurde à tel point que j'y flairais un mystère et, par conséquent, un danger plus terrible encore, peut-être, que l'assassinat de Clodius. Cet assassinat n'était-il pas accidentel? J'inclinais à le croire. Mais alors avec quel dessein cet homme, ignorant du pays, était-il arrivé, en pleine nuit, sur les Basses-Terres? Il n'y pouvait chercher Farfaille, Genevet, Alibert, seuls habitants, sauf Clodius, de ce quartier sauvage. Sauf Clodius, et moi. Car moi aussi, après tout, je pouvais entrer dans son jeu terrible. Mais pourquoi m'eût-il recherché? Je n'arrivais pas à le comprendre. Cet homme, qui était armé (et, par conséquent, prêt au meurtre), ne pouvait pas en vouloir à ma vie; car, sauf Clodius, je ne me connaissais pas un seul ennemi au monde...

Cependant une obscure inquiétude m'agitait. Je devinais chez cet hôte inconnu une inexplicable malveillance, qui ne cherchait qu'une occasion propice pour se préciser, prendre corps et se déchaîner, dans cette maison encore calme. Cette occasion, il fallait éviter de la lui offrir. La moindre question pouvait la faire naître. J'étais bien décidé à n'en poser aucune; et, s'il m'interrogeait, à esquiver les réponses nettes. S'il conservait l'anonymat, ne devais-je pas l'imiter; et s'il levait ce voile, n'avais-je pas tout avantage à rester inconnu? Je comprenais bien qu'à la longue cela me serait difficile; et je souhaitais que mon hôte n'abusât pas trop longtemps de mon refuge. Car je craignais qu'il ne s'y attardât au-delà de sa guérison. La blessure était bénigne, et il devait, me semblait-il, être capable de marcher convenablement, dans deux ou trois jours. Mais alors comment partirait-il?

Je n'arrivais pas à l'imaginer; car je ne voyais que peu d'issues à son aventure. Il pouvait se livrer à l'énigmatique M. Rambout qui attendait à l'auberge du village; il pouvait s'enfuir nuitamment et à tout jamais disparaître; il pouvait se tuer. S'il se livrait, parlerait-il de son séjour à Théotime? Je ne le croyais pas, mais en fait je n'étais sûr de rien : tout en cet homme sentait le mystère. S'il s'enfuyait sans laisser de traces, un soupçon affreux pèserait sur moi, pendant tout le reste de ma vie. Pourrais-je le supporter ? S'il se tuait... « Mais, pensais-je, il n'a pas l'intention de se tuer. Il est venu ici avec un dessein passionné, et tant qu'il ne l'aura pas accompli, il restera, et bien vivant, prêt à tuer encore, peut-être... »

Ainsi je raisonnais avec une lucidité et une sécheresse d'âme qui m'apparurent tout à coup et me furent cruelles, tellement que je ne pus supporter le silence de ma chambre. Je m'habillai et je sortis de la maison. Mais le calme de la nuit ne put me pénétrer. J'errai un moment sous les arbres, dont le charme et la puissance paternelle, auxquels j'étais généralement si sensible, ne réussirent pas à apaiser cette stérile agitation de l'esprit. Car ma raison (qui fonctionne à peu près comme celle de tous les hommes) ne me livre jamais que des connaissances stériles. Il me faut le contact chaud de l'âme elle-même pour me donner, à défaut d'une certitude, quelques-uns de ces doutes actifs qui vous mettent du moins en communication avec le frémissement de la vie obscure.

Cependant ce n'est que fort tard dans la nuit que je me résolus à affronter, une fois encore, mon hôte. Malgré ma vive répugnance je cédai au désir (et peut-être à la crainte latente) de tirer quelques clartés de cette rencontre.

Une fois décidé, je montai rapidement au grenier, mais sans faire de bruit. A mon insu d'ailleurs, car je me surpris à gravir les marches sur la pointe des pieds. Sans doute errait-il en moi je ne sais quel besoin d'être furtif, ou peut-être l'espoir inavoué de surgir devant l'inconnu, à l'improviste. L'idée bizarre me hantait qu'il ne fallait pas troubler le silence, car, dans le silence, cet homme n'existait plus. Le moindre bruit le recréerait fatalement ; et j'avais peur de son existence.

J'entrai dans la pièce et je constatai aussitôt qu'on avait tiré les rideaux de l'alcôve. Ils se joignaient si exactement qu'il était impossible de voir si quelqu'un reposait sur le lit. Mais cette précaution trahissait une présence.

Je restai un moment immobile, la lampe à la main au milieu du grenier ; et j'entendis une respiration régulière. « Il dort », pensai-je. Je m'avançai vers le lit, à pas de loup.

Il dormait en effet.

Il était allongé sur la courtepointe et avait dénoué sa cravate et le col de sa chemise. Sa veste était pendue au bois du lit, près de la tête ; et à son poignet droit était lacé un petit bracelet de cuir. Au-dessus se gonflait un avant-bras large, musclé, où le sang bleuissait une grande veine.

Il dormait sans agitation, avec une sorte de mépris, comme si, sûr de lui et de sa grande force, il eût dédaigné le danger d'une surprise. Sa respiration cependant paraissait douce pour la largeur de sa poitrine et, malgré son menton massif, on était frappé surtout par la finesse de ses lèvres. Elles étaient closes, serrées, sous une petite moustache rousse, taillée très court. La face un peu pâle, collait à de grands os qui faisaient saillir les pommettes, et des sourcils larges et fauves donnaient à tout le haut du visage une expression d'orgueil et d'audace.

Cette face, ce corps m'inspiraient une sourde colère que je sentais monter de mon cœur à ma tête avec un mélange de joie et d'inquiétude. Je comprenais que cet homme me faisait peur, peut-être parce que le spectacle de sa force physique m'écrasait, peut-être aussi parce que je le devinais hostile. Ma joie naissait du sentiment obscur de cette hostilité, car elle justifiait l'antipathie dure, sournoise, qui avait animé mon cœur spontanément, dès que je l'avais vu, dès qu'il m'avait parlé. C'était la peur qui soulevait en moi une colère contenue, et d'autant plus vive, dont l'amertume coulait déjà dans mon sang si prompt à s'assombrir. Je le sentais qui s'échauffait rapidement et de là provenait ma bizarre inquiétude, comme si, du plus profond de moi-même, une forme encore bien vague se fût détachée, qui me donnait le sentiment d'une intrusion. Quelqu'un semblait s'être glissé dans les parties basses et peu connues de mon âme, et, à travers l'obscurité qui y régnait encore, il cherchait en tâtonnant à arriver jusqu'à moi, déjà troublé par son approche silencieuse. Peu à peu j'étais pris par le besoin étrange de m'approcher, moi aussi, de la figure du dormeur ; mais je ne bougeais pas ; je résistai avec une horreur grandissante, à mesure que j'y voyais plus clair, en moi.

J'avais écarté un rideau, et ma lampe, que je tenais toujours, éclairait toute l'alcôve. On y voyait, au fond, la tapisserie brune, avec ses deux colombes fanées et au milieu le grand cœur percé d'une croix. Ces figures nobles et calmes apparaissaient à peine sur l'étoffe, tant elles étaient vieilles ; mais de l'effacement de leurs contours le peu qui subsistait n'en prenait qu'une apparence plus étrange. C'était comme l'âme des formes et il en émanait un sens si mystérieux que je fus troublé. Je ne comprenais pas ce sens, inscrit pourtant dans des figures familières ; mais je sentais qu'il y était, et j'étais étonné de le voir apparaître, cette nuit-là, à l'improviste, après tant d'années d'inutiles contemplations.

Quand mes yeux retombèrent sur l'homme, je compris avec épouvante de quel démon cauteleux j'avais été tenté. L'homme dormait toujours, et avec autant d'absurde hauteur. Il donnait envie de le tuer.

Je me retirai avec beaucoup de précautions et je réussis à quitter la pièce sans l'avoir éveillé de son sommeil insolent, car j'ai, quand je le veux, le pas léger.

Jamais jusqu'alors ma vie ne m'avait amené à faire de ma volonté un usage violent. J'en ignorais la puissance et l'étendue. Je n'avais aucune raison de la croire forte ; car si je cache avec beaucoup de soin mes sentiments, c'est plutôt par goût naturel ou par impuissance que de propos délibéré. Mais toujours j'ai perçu, compris, détesté mes faiblesses ; et si je suis incapable de les vaincre, du moins je les connais. En face de cet inconnu dont la présence menaçait des biens qui m'étaient chers, je ne savais donc pas jusqu'où pouvaient brusquement m'entraîner les mouvements si passionnés qui parfois troublent l'équilibre de mon âme. Par contre je savais quel empire sur moi peut prendre une idée fixe. Je résolus donc d'écarter tout de suite celle qui déjà commençait à fasciner mon attention.

Pour en détacher mon esprit, je décidai d'accompagner, dès le matin, les Alibert dans leur tournée à La Jassine. Mais ce n'était là qu'un expédient : il fallait faire plus. « Si tu hais cet homme, pensai-je (et tu le hais), pour couper court aux suggestions de cette haine, tu vas te dévouer de toutes tes forces à son salut. Agis comme si tu l'aimais. Montre-lui l'amitié la plus active. Sauve-le. »

Je comprenais pourtant les difficultés de cette nouvelle conduite. Haïssant, en secret, cet homme, je ne pourrais pas lui offrir une amitié quelconque ; je serais entraîné fatalement à dépasser les bornes, et tous mes mouvements deviendraient excessifs. Peut-être en serait-il choqué. Et (sentiment étrange) l'idée de le choquer par un excès de zèle me faisait frémir de colère et de honte. Je tenais à traiter d'égal à égal avec cet inconnu qui avait l'air de me mépriser ; et sans doute, à servir avec trop de chaleur sa cause criminelle, augmenterais-je ce mépris où ma haine avait jeté des racines déjà si vivaces. « Qu'il parte, me disais-je, et qu'il parte vite. » Car de nouveau je redoutais un accès de violence ; et, sentant qu'il me haïssait autant que je le haïssais moi-même, je craignais qu'un éclat jailli du voisinage de ces haines ne vînt briser ma vie, la sienne, et la grandeur encore intacte de Théotime.

Je m'endormis tard et sans plaisir. Le sommeil ne m'apporta pas de repos ; et si de mon agitation ne surgit aucun rêve, c'est sans doute qu'elle resta jusqu'au jour assez forte pour occuper toute l'étendue de mon esprit. Je m'éveillai avec une âme sèche, nue et je n'en augurai rien de bon pour la journée.

Marthe, qui prépare tous mes repas, sait que je suis très sobre. Aussi m'était-il difficile de prélever de quoi nourrir mon hôte sur ma faible pitance ; et je n'avais aucune raison valable de la faire augmenter. C'eût été provoquer de l'étonnement, et peut-être un soupçon. Je fouillai dans les placards de Théotime ; mais, sauf de petits ingrédients comme le café et le sucre, je ne trouvai rien.

Je m'en allai à L'Aliberte.

A L'Aliberte il n'y avait personne. Je poussai la porte, entrai dans la cuisine, ouvris la huche, pris un demi-pain et quelques poignées de haricots secs que je fourrai dans mes poches. Puis je sortis.

Je ne rencontrai personne à mon retour. Arrivé à Théotime, je fermai la porte à clef, allumai du feu, et mis les légumes à cuire. « Ils sont occupés à La Jassine, pensais-je, je ne risque rien. » En effet personne ne vint me troubler. A neuf heures, le repas étant prêt, je le montai dans le grenier où je ne trouvai personne. Les rideaux de l'alcôve étaient ouverts ; mais sur le lit, dont les matelas affaissés portaient la marque d'un corps lourd, mon hôte avait laissé un livre : une « Flore des îles d'Hyères ». Je le tiens toujours sur ma table. Je m'aperçus aussi qu'il avait déniché une lampe que je garde en réserve dans un bahut. J'en fus extrêmement contrarié. Aussi raflai-je tous les papiers qui traînaient sur la table (simples notes de botanique) et je les mis sous clef. A dessein je fis du bruit, mais l'homme ne se montra pas. En m'en allant, je fis battre la porte, puis je m'arrêtai sur le palier.

Au bout d'un moment on poussa le lit avec précaution et on entra. L'homme découvrait le repas, et tirait une chaise. J'entendis un bruit de couverts, à peine perceptible, et le choc du goulot de la bouteille contre le verre. L'homme soupira à deux reprises, puis murmura. Après je n'entendis plus rien, et je me retirai sur la pointe des pieds.

Je découvris le vieil Alibert dans un champ, loin du mas. Le mas, je l'évitai. Sans doute Marthe et Françoise y travaillaient-elles déjà, aidées par Jean.

Je tombai par hasard, dans un terrain caché. C'était un grand quadrilatère nu, entièrement bordé d'une haute futaie de pins et de chênes. Ces arbres noirs se dressaient sur les quatre côtés du champ, comme une muraille sévère, à l'abri de quoi s'étendait cet espace roux, semé de galets ronds, où se tordaient de maigres touffes de thym et d'aspic. Il n'y poussait rien. Je n'étais jamais venu là ; mais je savais, par ouï-dire, qu'il existait, sur le territoire de La Jassine, un quartier appelé « Vieilleville ». De mémoire d'homme on n'y avait jamais rien récolté. Même les anciens Clodius, plus soigneux de leur bien que mon cousin, n'y semaient pas. Un troupeau y broutait de temps à autre, mais en passant, car l'herbe y est rare, et, après quelques coups de dents, le peu qui verdissait sous les cailloux était tondu. Des tessons de tuiles, de cruches, jonchaient le sol et, vers le Nord, d'un monticule de gravats couvert de chiendent et de pariétaire, surgissait encore le dos d'un gros mur dont la base restait ensevelie.

Par-derrière, au-dessus de la futaie, montaient une dizaine de grands pins parasols, plus hauts que des maisons, et qui étonnaient en ce lieu. Il n'existe pas un seul arbre de cette espèce dans toute la région de Puyreloubes. Il fallait bien par conséquent que quelqu'un les y eût plantés. Mais personne ne savait qui, ni quand ; et, bien que le bois fût très giboyeux, on n'y allait guère. Il avait mauvaise réputation.

Naturellement les gens du pays, depuis bien des années, se moquaient de ces craintes d'un autre âge ; mais, sauf quelques gaillards qui tenaient à s'assurer de leur bravoure, les bergers, les chasseurs et les amateurs de champignons, évitaient ce bois isolé. Là, perdreaux, lièvres, écureuils, ramiers (et disait-on aussi quelques oiseaux étranges), vivaient insouciants, même en automne, quand crépitent partout ailleurs les coups de feu, dans un état de sauvage innocence où ils se multipliaient.

J'atteignis le champ par le sud et j'en découvris brusquement toute l'étendue, jusqu'à ce bois qui le barrait à l'autre bout.

Il était à peu près neuf heures et le sol frais luisait

encore faiblement. Tout se taisait, même le bois, en face. Le soleil déjà haut l'atteignant de côté détachait de son ombre des masses rondes de feuillages qui se doraient ; mais les profondeurs restaient impénétrables.

J'aperçus le vieil Alibert non loin de moi. Il ne m'avait pas entendu venir. Comme moi, il s'était arrêté sur le bord du champ et le regardait. J'évitai d'attirer son attention afin de l'observer, pendant un moment, à mon aise. J'étais assez près de lui pour bien le voir, et son attitude m'avait frappé. Il ne bougeait pas. Il tenait un caillou, posé à plat dans sa main droite, qu'il soulevait très doucement comme pour soupeser et, le cou tendu en avant, d'un air d'extrême méfiance, il examinait l'immense friche. Pas plus que lui l'immense friche ne bougeait et il s'en élevait une telle impression de paix et de solitude que le vieil Alibert lui-même, pourtant si dur aux terres sauvages, semblait frappé d'un respect religieux. Il s'appuyait sur une bêche et l'on voyait qu'il avait essayé de l'enfoncer dans ce sol ingrat. Mais il l'avait à peine égratigné. Devant cette étendue noble et stérile, il marquait quelque inquiétude. Pas un seul épi n'y levait. Cependant il était visible que là jadis étaient venus des hommes, pour tracer au cordeau les bords de cet immense quadrilatère, où rien ne poussait. Car, malgré l'abandon du lieu, le bois ni la broussaille ne l'avaient envahi, au cours des années.

Longtemps le vieil Alibert, immobile, contempla ce terrain inutilisable, puis il mit le caillou dans sa poche, souleva sa bêche et repartit par où il était venu, sans me voir.

Alors j'entrai moi-même dans le champ et me dirigeai vers le bois de pins.

A mesure que j'en approchais il m'arrivait un

bruit de vols et de ramages. Des milliers d'oiseaux habitaient le bois. Le soleil déjà haut l'avait chauffé et les nids commençaient à tiédir, cependant que les pins distillaient leur résine amère. Quand je fus arrivé à cent mètres du bois, tous les oiseaux se turent. Ils m'avaient vu et j'en éprouvai une vive émotion. J'entrai néanmoins sous le couvert des arbres. La lisière était défendue par une impénétrable futaie de houx épineux. Mais je découvris un couloir. A l'intérieur s'étendaient de vastes clairières jonchées de ramilles flexibles. Les arbres étaient vieux et grands et d'en haut descendait une très douce lumière qui faisait fermenter le sol. Il sentait la résine et le champignon. Un sentier s'enfonçait dans le sous-bois où l'épaisseur de la végétation créait des profondeurs plus sombres, des retraites à peu près accessibles. Le silence, tombé si brusquement des branches, à travers l'immense ramage des oiseaux, me paraissait étrange. Parfois un pépiement vite étouffé, un frémissement d'ailes, en décelaient la vraie nature et la fragilité. J'avançais, ravi, dans le bois. Je jouissais de l'amère ivresse des arbres sous les yeux attentifs de ces milliers de bêtes, rampantes ou ailées, qui de toutes parts m'observaient et attendaient de moi quelque signe de haine ou d'amitié avant de reprendre leurs chants et leurs ébats. Mais ce signe, j'avais beau en sentir la nécessité, je n'en trouvais pas la figure ; et pourtant j'étais seul, inoffensif, heureux ; pour quelques instants j'avais oublié toutes mes peines. Mais sans doute portais-je en moi un tel poids de misères que je ne pouvais pas en dégager ce geste, ce mot, ce regard (ou peut-être ce simple sentiment), qui eût aussitôt déchaîné la joie des bêtes. Je devinais, sous moi, autour de moi, et un peu partout sur ma tête, des milliers de petites inquiétudes, et que, malgré mon éphémère innocence, je n'en étais pas moins un homme. Car les bêtes sont payées pour savoir ce qu'annonce souvent une telle présence ; et sans doute depuis longtemps n'avaient-elles rien vu de pareil dans ce quartier. J'avais troublé la paix du site et violé par mon intrusion les accords d'une antique loi de ce refuge. Je sortis du bois, un peu attristé. Quand j'en fus à quelque distance, je m'arrêtai pour écouter si le chant des oiseaux avait repris. Mais le bois gardait le silence. Alors je me mis à la recherche d'Alibert.

Il n'était pas loin. Sans doute m'avait-il aperçu traversant au retour le champ désert de Vieilleville. Il m'attendait, assis au pied d'un olivier. Sa bêche était plantée à quelques pas de lui, et, de ses yeux si pénétrants, il examinait avec attention un petit groupe d'amandiers (pas plus d'une vingtaine) laissés depuis longtemps à l'abandon contre une falaise rocheuse, où l'on voyait aussi deux ou trois ruches en mauvais état. Partout ailleurs la friche, et çà et là d'énormes genêts.

Il me fit un rapport de la valeur des terres. Sur cent trente hectares il y en avait une quarantaine de cultivables : dix en vignes, trente en céréales. Le reste : des guérets, des bois. Beaucoup de bois.

— On n'y touchera pas, lui dis-je.

Il ne répondit rien. Au bout d'un moment, il reprit :

— On va s'occuper d'abord de rentrer le blé. Ça presse. Ce pauvre Clodius avait à peine commencé. Il y en a tout de même un peu. J'ai vu aussi les vignes. Pas soufrées, naturellement. Toutefois on en tirera bien une petite récolte : le raisin est bon. Et puis, il y a l'olivette : six cents pieds. Les arbres sont vieux, pas soignés ; des rejets partout ; mais l'olive y est saine. Du reste vous n'avez qu'à voir...

Et il fit un signe de la tête. Nous étions assis, au milieu des oliviers.

Les arbres étaient bas, noueux. Sur le sol où le roc pointait, ils jetaient de fortes racines qui allaient chercher la vie Dieu sait où. Car l'humus rare, l'eau lointaine ne devaient pas fournir des aliments bien vifs à cette végétation souterraine. Mais cette race d'arbres mord avec une telle âpreté à la terre que ceux-ci en tiraient une sève sèche, robuste, et de petites olives dures, rebelles à la mouche. Le feuillage était mat mais tout argent ; et, s'il ne donnait qu'un peu d'ombre, nous l'aimions, Alibert et moi, même au cœur de l'été, parce qu'il est la couronne la plus ancienne de nos terres.

— Pour le blé, me dit Alibert, il faudra l'engranger à Théotime. Ici, les greniers sont pourris de rats.

Je reçus le coup sans broncher.

— Quand va-t-on commencer ? lui demandai-je.

— Peut-être ce soir, peut-être demain. Le plus tôt sera le mieux.

— En effet, dis-je. Pour moi, je serai au grenier ; je vous y donnerai un coup de main cet après-midi, s'il le faut.

Il réfléchit.

— Ce n'est pas de refus ; mais au grenier, peut-être que les femmes suffiront.

Je fus tellement contrarié de cette réponse, que je ne pus m'empêcher de dire (sans doute un peu sèchement) :

— Les femmes ont assez à faire à La Jassine. Je tiens que tout y soit remis en ordre, sans tarder.

Alibert ne me répondit pas. Il se leva, prit sa bêche et me demanda si je déjeunais à la métairie.

— Ce matin, fit-il remarquer, Marthe m'a dit : « Voilà M. Pascal qui se met en cuisine. Sa cheminée fume. Il doit avoir des invités. Et moi qui avais préparé une si bonne poule! »

Je dus accepter d'aller à la métairie. Et nous rentrâmes à travers les terres brûlantes, sans nous arrêter à Théotime.

Vers la fin du repas il fut décidé qu'on engrangerait dans le courant de l'après-midi le blé laissé par Clodius. Mais aussitôt le vieil Alibert tira de sa poche un inventaire des objets déjà recensés à La Jassine. Il fallut lire quatre grandes pages. Pendant que nous les examinions, Marthe, Françoise et Jean disparurent discrètement.

D'abord je ne remarquai pas leur absence ; puis le temps passa, on discuta, on prit des décisions, et quand tout fut fini, il était plus de trois heures. Je demandai :

— Où sont les autres ?

— Ils engrangent déjà chez vous, me répondit tranquillement Alibert.

J'eus une sueur froide. Je dis :

— Allons les aider.

— Oh! ça ne presse pas, répliqua le vieux. Ils suffiront à la tâche. Clodius a laissé si peu...

Comme je voulais cacher mon trouble, je ne pouvais pas presser le départ. Le vieil Alibert prit son temps ; il était en verve de parler. La prise de possession de La Jassine le mettait en joie. Une joie sobre, contenue, mais qui pourtant le rendait quelque peu loquace.

Quand nous arrivâmes à Théotime, nous trouvâmes une ridelle à demi déchargée. En haut, dans le grenier, se tenait Marthe ; en bas, Françoise et Jean. J'allai rejoindre Marthe qui me dit aussitôt :

— Tenez, j'ai mis de côté votre veste. Vous l'avez oubliée sur la paille.

Elle me montra une veste marron, posée sur un lit de gerbes, où l'on voyait aussi, creusée, la place d'un corps.

— Et vous n'avez pas chaud, à siester ici? me demanda-t-elle. La maison est plus fraîche, tout de même.

Je répondis :

— Je ne sieste pas. C'est l'autre jour que j'ai dû oublier la veste.

Elle parut admettre mon explication... Une balle arriva devant la fenêtre, hissée par la poulie. Nous l'empoignâmes et on la plaça près de la veste.

Je découvris alors quelque chose qui m'épouvanta. Marthe s'aperçut de mon trouble, car elle me demanda d'un air étonné :

— Hé! Qu'avez-vous monsieur Pascal?... Vous voilà bien pâle!...

De la poche de la veste, sortait la crosse d'une arme. Marthe l'avait-elle vue?... Je pris la veste et allai l'accrocher plus loin, à un clou planté dans le mur, tout près de la porte de communication qui mène chez moi.

Nous nous remîmes au travail. La poulie grinçait, la paille fermentait ; il faisait chaud, et le temps devenait plus lourd, à mesure qu'on approchait du soir.

Tout à coup Marthe me dit :

— C'est curieux, on dirait que quelqu'un a bougé, derrière la cloison.

Je n'avais rien entendu.

— On a remué une chaise..., je vous assure, monsieur Pascal. Déjà tout à l'heure, j'avais cru entendre... J'ai failli aller voir...

— Vous n'auriez pas pu, lui dis-je. La porte est fermée au verrou, de l'autre côté.

Vers cinq heures tout était engrangé. Au moment de descendre par l'échelle, Marthe me dit :

— Monsieur Pascal, vous oubliez encore votre veste.

Elle avait déjà descendu trois ou quatre échelons, mais sa tête dépassait le rebord de la fenêtre, et de là elle pouvait voir tout le grenier.

J'allai vivement vers le fond pour prendre la veste. Mais la veste avait disparu.

Le nez contre le mur, je n'osais plus bouger. Marthe attendait, derrière moi, sur son échelle. Par bonheur le vieil Alibert l'appela, et je l'entendis qui descendait.

D'en haut, je criai :

— Je range encore quelques gerbes. Ne m'attendez pas.

Ils partirent, et je restai seul dans le grenier.

J'allai vers la porte et doucement je la poussai. Mais elle tint bon. Je n'insistai pas ; et, comme on entendait encore les Alibert qui parlaient, non loin de là, sur les aires, je m'assis près de la fenêtre et j'essayai de réfléchir.

En moi montait l'orage ; et, de mon cœur sec et fiévreux partaient des flots de sang violents et irréguliers qui ébranlaient les points les plus sûrs de mon âme et déjà dégageaient de mauvaises ombres : la peur d'abord, puis la colère, une colère de haine, étroite, chaude, et dont tout mon être vibrait intérieurement.

En face de moi, sur la campagne, se levaient lentement de gros nuages. Ils naissaient par dilatation du sein de leur propre puissance et ils se gonflaient insensiblement en volutes lourdes, dont les vapeurs s'accumulaient peu à peu, à l'ouest, sur une colline solitaire.

Le soleil en frappant sur ce colossal édifice l'animait d'une vie mystérieuse ; et, sous l'effet de sa chaleur encore forte, des blocs de nuages, épais comme des murailles brûlantes, se déplaçaient avec lenteur d'un point de l'horizon à l'autre, pour se concentrer sur les plateaux et de là menacer la paix des terres agricoles.

Déjà l'épaisseur des nuées bloquait le rayonnement des terrains surchauffés par l'ardeur du jour. Sous leurs réverbérations, des colonnes de poussières impalpables s'élevaient du sol et tourbillonnaient. Les oiseaux volaient bas, en sifflant de crainte ; et de temps à autre, une tuile craquait dans la charpente du grenier, où l'air devenait irrespirable.

L'orage qui s'organisait ne développait ses desseins qu'avec une sorte de prudence, de préméditation et, avant de se déchaîner, il occupait, l'une après l'autre, toutes les positions qui dominent les Basses-Terres. Ainsi silencieusement il nous investissait. Derrière la ligne des bois, au-delà des crêtes, il avait dû pousser déjà des réserves profondes, encore défilées dans le creux des ravins, immobiles, mais prêtes à monter dans la tempête.

Les émanations, qui venaient de la terre à l'appel de ces forces magnétiques, soulevaient en moi un sang plus obscur qui m'échauffait. J'avais les paumes sèches et le palais aride ; et peu à peu la sensation me pénétrait de fermentations animales. Tout mon sang se portait du côté de l'orage et le déplacement de mes forces organiques me déséquilibrait. Autour du jugement de la volonté, terres basses mais sûres, se groupaient ces nuages menaçants ; et, à mesure que montait l'orage, du côté de l'ouest, sur les plateaux, en moi grandissait l'ombre sournoise d'une mauvaise âme dont l'approche me troublait.

Je restai dans le grenier jusqu'à la nuit. L'air,

immobilisé sous les tuiles brûlantes, y était devenu si compact, que je haletais ; ce qui accroissait encore mon malaise. J'aurais dû quitter ces combles inhabitables, et aller respirer près de la source ; mais j'étais si profondément possédé par la puissance magnétique de l'orage que je prenais plaisir à en goûter l'atmosphère étouffante dans le lieu le plus étouffant de la maison. D'ailleurs, si mon intelligence en souffrait, sous le poids de cette torpeur amère, mon pouvoir passionnel s'exaltait d'autant plus, et je jouissais par moments d'une plénitude bestiale.

J'entendis passer Marthe qui m'apportait à dîner ; cependant je ne bougeai pas. Ce ne fut que longtemps après son départ que je quittai, mais à regret, le grenier brûlant.

Le couvert était mis, mais je m'aperçus tout de suite qu'on avait touché à mon repas. Le pain, coupé maladroitement, n'était plus dans sa corbeille, et on avait oublié de recouvrir le plat de légumes. Un tel oubli, en aucune façon, ne pouvait être attribué à Marthe.

Néanmoins je dînai. Sur ma maigre portion par acquit de conscience je prélevai d'abord la part de l'homme, et je la mis dans une assiette. Tout à coup, à la porte, Françoise parut. J'étais déjà devant l'escalier. Elle vit que je tenais l'assiette et que je m'apprêtais à monter. Son beau visage exprimait une inquiétude. Elle me dit :

— Monsieur Pascal, il y a quelqu'un qui rôde dans les champs.

Je la fis asseoir. Elle regardait avec étonnement l'assiette pleine que j'avais déposée sur la table.

— Où, dans les champs ? lui demandai-je.

Elle me répondit qu'en allant fermer l'étable, derrière la métairie, il y avait un quart d'heure environ, elle avait aperçu un homme entre le potager et l'aire. Il faisait déjà nuit, aussi ne l'avait-elle pas reconnu.

Je lui demandai s'il était grand.

— Non, plutôt court, trapu. Il a disparu dans la « carraire ».

Je pensai à M. Rambout.

— J'ai voulu vous avertir, ajouta-t-elle.

— En as-tu parlé à la maison ?

Elle n'en avait pas parlé. Je n'osai pas lui demander pourquoi : il me semblait qu'elle devait savoir quelque chose. Peut-être avait-elle peur ; mais elle n'en laissait rien voir. Néanmoins je l'accompagnai.

Il faisait en effet très sombre. L'orage, depuis la tombée de la nuit, avait dû s'étendre sur le quartier ; et c'est à peine si, à l'est, il restait encore une ou deux étoiles. En rentrant je n'aperçus personne dans les champs ; mais la présence de ce rôdeur m'avait ébranlé les nerfs ; et, comme j'étais aussi un peu angoissé, de minute en minute mon tourment devenait plus sauvage.

La vue de l'assiette garnie acheva de m'exaspérer. Je la laissai sur la table et grimpai vivement jusqu'au grenier.

Comme j'avais chaussé, ce jour-là, des sandales de cordes, j'y arrivai sans bruit. « Je vais le surprendre, pensai-je, et on verra bien. » Je m'arrêtai sur le palier pour écouter. D'abord rien ; puis on remua un tabouret ou une chaise. Alors j'entrai. La porte, dont les gonds étaient huilés, tourna silencieusement et l'homme ne l'entendit pas qui s'ouvrait.

Il se tenait debout sur une chaise, la tête et le haut des épaules passés dans une des lucarnes qui donnent sur le toit. Dehors il faisait noir. Peut-être voulait-il simplement s'aérer un peu : le grenier, ce soir-là, semblait inhabitable. Peut-être aussi cherchait-il un chemin, au cas où l'escalier et les granges, s'il devait fuir, seraient coupés.

Il resta un bon moment dans cette position, puis il retira la tête de la lucarne, referma le volet, et sauta assez légèrement sur le sol. C'est alors qu'il me vit.

Il eut un brusque mouvement de défense et porta la main à sa poche. Je lui dis :

— Vous voilà devenu bien ingambe. Permettez-moi de m'en réjouir.

Il se ressaisit aussitôt ; mais sa figure, qui s'était durcie, garda une expression brutale.

— Je ne vous attendais plus, me dit-il.

Il m'examinait maintenant avec une curiosité bizarre. Ma colère montait.

— Pourquoi avez-vous quitté cette pièce ? Qui vous a permis de descendre et de vous promener dans la maison ?

A cette question, posée rudement, il répondit :

— J'avais faim, voilà tout. Vous ne me donnez rien à manger.

Ce détail matériel (auquel pourtant j'avais tellement pensé) jeté à l'improviste contre ma colère, me démonta. Sans doute s'en aperçut-il, car il laissa passer un vilain petit sourire, vite réprimé. Du ton le plus paisible que je pus, je lui dis :

— Je crois qu'il faut partir...

Il s'assit, croisa les mains, regarda par terre. J'étais appuyé sur la table et, voyant qu'il ne répondait rien, j'ajoutai :

— Vous pouvez marcher maintenant.

Il secoua la tête :

— Mais non... mal, très mal... Vous vous trompez.

Je poursuivis tout de même :

— Il fait très sombre, et il y aura bientôt de l'orage.

Tout le monde est chez soi, à cette heure. Personne ne peut vous voir ni vous poursuivre. Vous n'avez qu'à marcher vers Canneval. Le chemin est désert.

Il réfléchit :

— Et après ?

Cette question me stupéfia.

— Comment, après ?

— Oui, après, où voulez-vous que j'aille ?

— Mais à l'endroit d'où vous venez, parbleu !

— Je ne peux plus retourner en arrière. Il faut que j'achève, tant bien que mal, ce que j'ai entrepris.

— Quoi ?

Il leva sur moi des yeux clairs, calmes, puis il secoua la tête, avec une sorte de pitié :

— Vous aviez pourtant le beau rôle...

Il avait prononcé ces mots à mi-voix, et je dus exercer sur moi un effort extraordinaire pour ne pas lui sauter à la gorge. Mais je réussis à me dominer.

Il ne manifesta en rien qu'il eût vu ma colère et mon effort ; mais je compris que cependant il en avait deviné quelque chose, car il me dit :

— Je regrette de vous irriter, mais je ne peux pas partir cette nuit.

Sauf d'user de violence, je ne pouvais rien faire. Il le savait bien, car il ajouta :

— Vous ne pouvez ni me dénoncer ni me mettre dehors. Alors patientez.

Ce cynisme, pour odieux qu'il fût, m'eût désarmé, si la vue de l'homme lui-même n'eût entretenu ma colère.

Sans doute, malgré son assurance, ne tenait-il pas à l'accroître, puisqu'il me dit :

— Vous m'avez rendu un grand service. Je le reconnais.

Mais aussitôt, comme pris de regret, il ajouta :

— Le cœur n'y était pas, certes. Vous avez agi

un peu malgré vous... Mais enfin, je suis là, libre... et j'essaie d'être juste...

Je ne répondis rien. Je ne voulais ni bouger ni répondre. Le moindre mot, le moindre geste, et se déchaînait la bataille. Nous restâmes un bon moment l'un et l'autre silencieux.

— On étouffe, dit-il enfin à très haute voix. Il n'y a plus d'eau dans la carafe. J'ai soif.

Je pris la carafe et lui tournai le dos. Soudain il murmura : « Chut ! écoutez ! »

Quelqu'un marchait dans la cour. On entendait crisser le gravier. Je fis signe à l'homme de se lever rapidement et d'aller au fond de la pièce. Il m'obéit. Arrivé près du lit, il souleva la tenture, et disparut.

Après avoir hésité un moment, je sortis de la pièce, tirai la porte derrière moi, et, le cœur battant, je descendis sur la pointe des pieds.

Il n'y avait personne dans la grand-salle ; mais j'étais tellement ému que je dus m'asseoir. « Il faut pourtant lui porter à boire », me disais-je ; mais je ne pouvais pas quitter ma chaise.

L'air était devenu très lourd, mais l'orage se réservait. Je tenais toujours la carafe à la main ; soudain je tressaillis : de nouveau on marchait dehors, dans la cour. Je dus faire un effort pour me soulever ; j'avais peur. Je sortis vivement comme si je voulais surprendre ce visiteur nocturne ; cependant mes jambes tremblaient.

A part un faible rectangle de lumière qui venait de la porte, la cour n'était que ténèbres. Quelqu'un se tenait là pourtant, qui me voyait, peut-être, et que, moi, je ne pouvais voir. Qui ? où ? On ne pouvait l'imaginer. Je pensai, ou même je dis, peut-être, à haute voix : « Il ne faudrait pas devenir fou », puis pour secouer ma terreur, je me dirigeai vers la source.

Et c'est alors qu'elle m'appela.

Naturellement je crus que c'était Françoise qui revenait : on n'y voyait rien à deux mètres devant soi. Je ressentis quelque humeur car je m'imaginais que Françoise m'apportait une fâcheuse nouvelle. C'est pourquoi je lui demandai assez rudement :

— Où es-tu ? Qu'y a-t-il encore ?

Comme elle ne répondait pas, je lui criai :

— Eh bien ! Françoise, approche ! Tu ne vas pas jouer à cache-cache...

J'étais tout près de la barrière. Quelqu'un m'appela de nouveau si doucement : « Pascal » que je tressaillis ; mais je ne pouvais pas y croire et je demandai : « Qui est là ? » avec un peu moins de rudesse.

Geneviève vint tout de suite et me toucha le bras.

— Tu n'as pas reconnu ma voix ? me dit-elle... Que te voulait Françoise ?...

Je reçus au cœur un tel choc que, même revenu à moi, tout d'abord je n'eus pas la claire vision de sa présence. J'étais stupéfait, car j'avais oublié Geneviève et cet oubli, d'où son apparition inattendue me tirait violemment, me faisait douter de moi-même. Je chancelais. Elle s'en aperçut, car elle était venue tout contre moi.

— Oh ! Pascal, me dit-elle, ton cœur bat, je le sens. Qu'as-tu ? Je t'ai fait peur ?...

Et elle s'efforça de rire, mais son rire mourut tout de suite.

Je balbutiai :

— Tu es là ? Pourquoi ? A cette heure ! Que fais-tu ici ? Et Barthélémy ?

Questions absurdes, car je les formulais sans y attacher de sens. Elle s'était serrée contre moi et, sans rien me répondre, elle me tenait avec douceur, comme on fait d'un enfant.

Je lui dis :

— Lâche-moi. Il faut que j'aille chercher de l'eau.

Pourtant je réussis à réfléchir un peu, et je lui demandai :

— Mais comment es-tu venue depuis la gare? Qui t'a conduite? Où est ta valise?

— Calme-toi, Pascal, murmurait-elle. Je suis venue pour toi. J'étais malheureuse, sans toi, chez le bon Barthélémy.

Je lui demandai :

— Tu n'as rencontré personne, au moins, sur la route?

Elle s'étonna :

— Mais qui veux-tu que l'on rencontre à cette heure?...

J'eus honte de mon trouble et je cherchai à écarter de moi le corps si doux de Geneviève; mais elle s'attacha avec une fermeté tendre, insinuante, et me dit à voix basse :

— Laisse-moi là, Pascal. Je suis ton amie...

Peu à peu cette voix si chère me calmait; mais à mesure que ce calme s'établissait en moi, je voyais se recomposer les visages terribles qui hantaient et qui menaçaient la paix et l'honneur de ma vie.

— Pascal, murmurait Geneviève, je veux vivre ici, près de toi...

— Comment es-tu partie?

— Je leur ai dit que je m'absentais pour deux jours et que je reviendrais. Barthélémy voulait me reconduire. Je crois pourtant qu'il a compris, car il m'a finalement laissée partir toute seule...

— Ils ont dû avoir de la peine, fis-je remarquer.

— Mais toi, tu aurais dû venir, Pascal, répondit Geneviève. Tu me l'avais promis...

Je me tus. Tout à coup, elle murmura :

— Oh! tu n'as pas l'air heureux de me revoir...
Et moi, qui pensais te faire une si bonne surprise...

Elle se recula un peu ; je la retins. Alors elle me demanda :

— Pourquoi appelais-tu Françoise? Françoise, si tard est couchée, d'habitude...

— Elle est venue me voir, tout à l'heure, à la nuit. Elle avait vu errer un homme dans les champs, et voulait m'avertir... C'est tout...

— Un homme? Mais dans ton quartier, tu as de bons voisins...

Elle s'arrêta, car elle venait de penser à Clodius.

— Il est mort, lui dis-je.

Elle tressaillit. J'avais deviné sa pensée.

— Mon Dieu! soupira-t-elle.

Puis elle me demanda comment il était mort. Je lui mentis :

— D'une attaque d'apoplexie. On l'a trouvé chez lui, inanimé.

— Et pourquoi n'as-tu rien écrit à Sancergues?

— A quoi bon?... C'était une triste nouvelle...

— Oui, murmura-t-elle. Et toi Pascal?

— Moi, dis-je, sincèrement, j'ai du chagrin.

Elle se serra contre moi, et plus doucement, mais garda le silence. Rien ne bougeait dans la campagne. La masse énorme de l'orage, invisible et lourd, l'immobilisait. Le sol exhalait un parfum enivrant de feuilles sèches ; et le rayonnement sourd et noir, qui montait des profondeurs brûlantes, dans son ascension à travers l'air chaud, électrisait les yeux et chauffait un sang noir sous la peau fiévreuse.

Tout restait sombre dans cette nuit close où couvait la tempête.

Geneviève appuyait son front brûlant contre ma joue. Elle me dit :

— J'ai soif. Tu as raison, allons chercher de l'eau.

J'avais oublié l'eau. Elle voulut prendre la carafe ; mais je l'en empêchai avec une telle violence qu'elle se plaignit :

— Pascal, pourquoi cette sauvagerie, maintenant ?...

Ce « maintenant » me tordit le cœur. « Mon Dieu, pensai-je, comment lui cacher ?... Pourvu qu'elle ne découvre rien cette nuit !... » J'aurais voulu qu'elle fût loin, et pourtant j'étais heureux jusqu'à la folie de la sentir là, dans cette ombre chaude. Car je la sentais tout entière. Elle respirait ; elle épanchait son odeur douce ; et je cédais parfois au mouvement involontaire de son épaule qui s'était blottie sous mon bras et qui y vivait.

Pourtant nous descendîmes vers la source. Sous l'accumulation des ombres, la nappe restait invisible, et je dus m'agenouiller pour chercher à tâtons le contact de l'eau. Il me fit frissonner.

J'emplis la carafe et nous rentrâmes à la maison.

Geneviève était venue à pied de la gare de Puyloubiers où elle était arrivée par le train du soir. Elle n'avait apporté qu'un léger sac.

— Je me suis hâtée, me dit-elle ; car je voyais monter l'orage ; mais je crois qu'il ira éclater ailleurs.

Je ne le croyais pas, moi ; pourtant je n'en dis mot. Je savais qu'il était arrêté sur notre tête, silencieux, et je n'en augurais rien de bon.

Elle but un verre d'eau.

Depuis notre retour à la maison, je n'avais qu'une idée : comment porter à boire à l'homme, sans éveiller la curiosité de Geneviève ?

Elle s'était assise et semblait heureuse, quoiqu'un léger tourment inquiétât parfois son visage mobile ; mais il passait vite.

— Maintenant j'ai faim, m'avoua-t-elle. Tu n'as rien à manger?

Elle alla au placard aux provisions qui était vide, et s'en montra déçue.

— Marthe te nourrissait mieux quand j'étais là... Ou bien tu as redoublé d'appétit pendant mon absence...

Tout à coup elle découvrit l'assiette que j'avais oubliée sur la crédence.

— Oh! un repas! Qui attendais-tu?

J'étais au supplice. Elle s'aperçut de ma contrariété; car elle repoussa l'assiette et me regarda d'un air de peine qui, malgré moi, me rendit encore plus désagréable; car, si je ne dis rien, ma figure assombrie ne parlait que trop. Elle ne put s'empêcher de murmurer: « Quel caractère! » sur un tel ton de déception et de reproche qu'elle-même en fut tout émue et qu'aussitôt, venant vers moi, elle me prit les mains et me dit tendrement:

— Pardonne-moi, Pascal! J'ai tort de me plaindre de toi... Mais je voudrais tellement être heureuse...

Son bonheur était tout de me revoir, que je lui gâchais. Je le comprenais bien; et, quoi que je fisse, l'obsession de cet inconnu, qui attendait là-haut, dans le grenier brûlant, un verre d'eau pour se désaltérer, était devenue telle, que tout en moi décelait une gêne bizarre dont les signes n'échappaient pas aux yeux si attentifs de Geneviève.

Elle alla droit au but:

— Tu as une peine, Pascal...

J'essayai de sourire. Elle devina l'effort que je faisais et une expression angoissée bouleversa sa figure. Mais elle se reprit et, après un moment de silence, elle me demanda, du ton le plus calme, ce qu'allait devenir la propriété de Clodius.

Je répondis:

— Elle est à moi. Il m'a tout laissé.

Je la vis tressaillir.

— Et tu as accepté?

— Oui.

J'avais cru percevoir un peu d'étonnement dans sa question. Désapprouverait-elle ma conduite?... et pourtant elle ne savait rien encore de ce drame.

— Que de choses en peu de jours! murmura-t-elle. J'ai eu tort de te quitter...

A quoi pensait-elle en disant ces mots? Nous nous taisions, sans plus nous comprendre; et jamais cependant les racines vivaces de nos cœurs ne s'étaient si passionnément cherchées. Contrairement aux apparences, cette absence en effet avait été mauvaise, et je le sentais, mais je n'en voyais pas les raisons. Si Geneviève avait été présente à Théotime, lors de la mort de Clodius, sans doute la situation se serait-elle compliquée tragiquement; mais un instinct obscur m'avertissait que le danger devenait maintenant plus terrible encore.

— Pascal, me dit-elle tout à coup, il faudra peut-être que je reparte...

Je lui demandai pourquoi.

— Je ne sais pas... L'air est changé...

Brusquement je souffris.

— Mais, moi, Geneviève?

— Toi, Pascal? Sois franc, tu n'es pas content de me revoir.

Ce reproche si net, si matériel me toucha vivement; j'en fus heureux. Toute mon âme se détendit et je m'abandonnai. Je ne dis rien, mais il dut s'élever sur mon visage une telle expression de bonheur absurde, que Geneviève, qui la vit, à son tour fut émue; et elle sourit.

— Nous allions nous quereller, me dit-elle...

La banalité de cette phrase me rassura; et sans

doute le devina-t-elle, car je vis se former comme un vague regret dans ses yeux, soudain plus sombres.

Le regret passa mais il en resta un nuage.

A vrai dire j'étais à bout de forces ; et peut-être, elle aussi, épuisée par l'émotion, la marche, n'en pouvait-elle plus. Notre faiblesse nous sauvait. Je lui dis :

— Il est bien tard. Tu dois être lasse.

Elle se leva et nous montâmes jusqu'à sa chambre.

— J'ai encore soif, me dit-elle. Va me chercher la carafe.

Elle s'arrêta, pour m'attendre, sur le palier.

Je descendis, pris la carafe et remontai en hâte. Je trouvai Geneviève toute pâle :

— Pascal, je viens d'avoir une hallucination... Déjà l'épouvante me glaçait.

— On a bougé dans ton grenier... j'ai bien entendu...

Je la rassurai :

— La fatigue, voyons...

Mon cœur battait à peine. Tout le drame était revenu sur nous ; le moindre faux pas, un souffle, un rien, et il nous broyait. Hésiter ? que faire ? Un vertige me prit et je sentis que j'allai tomber en arrière. Alors je saisis Geneviève et je poussai la porte de sa chambre.

Toute la nuit, nous restâmes, serrés l'un contre l'autre, sans bouger ; et l'orage n'éclata pas sur les Basses-Terres.

XIII

Nous passâmes, Geneviève et moi, la journée du lendemain à nous éviter. Elle s'enferma dans sa chambre, cependant que, malgré mes craintes, je devais m'absenter du mas, car il fallait avertir les Alibert. Je quittai Geneviève au point du jour, alors qu'elle sommeillait ; et, sans prendre le temps de déjeuner, je courus à la métairie.

Les Alibert surent cacher leurs sentiments. On ne vit ni joie, ni regret, ni surprise sur leurs figures. Toutefois je crus bon de leur fournir quelques explications, et je le fis trop longuement, comme si je plaidais. Ils en furent assez gênés pour que je le sentisse, et Marthe finit par me dire qu'un couvert de plus ou de moins, cela n'avait pas d'importance. Cette remarque me vexa, et tout le monde s'en aperçut, si bien que la gêne n'en devint que plus lourde ; je les quittai donc, mécontent de moi, et assez désemparé.

J'aurais aimé accompagner le vieil Alibert, mais il ne m'en avait pas prié ; et je ne voulus à aucun prix lui imposer ma présence. Certes, ne pouvant rien lui révéler de ma triste situation, je n'en aurais tiré aucun secours ; mais sa compagnie est par elle-même rassurante, et j'avais besoin de me rassurer. J'en fus donc réduit à mes propres réflexions. Ne sachant trop que faire, je me dirigeai vers Les Bornes, car je désirais m'isoler de Théotime, pendant une heure ou deux, le temps de remettre un peu d'ordre dans la confusion de mes sentiments et de mes pensées.

Les Alibert étant partis pour La Jassine, toute l'étendue de Théotime restait solitaire.

L'orage qui, la veille avait menacé le pays, s'était replié sur les crêtes, où ses volumineuses vapeurs campaient encore, cependant que planait plus bas, sur la campagne, une brume grise où flottaient des bancs de chaleur immobiles, entre le sol, qui brûlait toujours secrètement, et le ciel bas, plafonné de nuages.

Des Bornes on voit Théotime. A Théotime était la clef du drame. Pour lors tout y paraissait bien calme. Aucun signe de vie ne s'y manifestait. Cependant, sous les frondaisons des arbres séculaires, ce vieux toit aux deux pentes si douces (l'une au nord plus rapide, l'autre au sud à peine inclinée) abritait deux êtres terribles, dont l'un me haïssait un peu plus d'heure en heure et dont l'autre semblait m'aimer.

Ils s'ignoraient encore. L'un dormait juste sous le toit ; l'autre, beaucoup plus bas, au premier étage, du côté de la campagne, vers l'est. Tant qu'ils s'ignoraient, mon salut restait possible. Qu'ils fussent en contact, et tout s'écroulait. Lui, il ne savait pas très bien qui allait et venait dans la maison. Des pas, des voix devaient certainement l'inciter à la retraite. Mais Geneviève, elle, savait que je vivais seul et sa curiosité serait mise en éveil par le moindre bruit insolite. Déjà, la veille, elle avait eu peur. Il fallait, à tout prix, éviter le plus vague soupçon. Mais il me semblait impossible qu'à la longue un indice, même léger, n'attirât pas son attention, toujours si vive ;

et, d'ailleurs quelle précaution prendre qui ne l'intriguât pas aussitôt?... Partir? Abandonner le mas à l'homme, et La Jassine? Emmener Geneviève?... Mais où?... Chez Barthélémy? Ce serait la désavouer d'avoir quitté, pour moi, Sancergues et la bonne maison de nos cousins. Sans doute refuserait-elle. D'ailleurs je ne sais quel instinct m'avertissait que, pour ce cœur si étrange, Théotime et moi nous ne faisions qu'un. S'il était vrai qu'elle m'aimât, c'était pris dans ces vieilles pierres ; et elle se liait à moi autant à cause de la paix que le mas imposait à son âme mobile que par l'attrait de ce sang sombre qui coule en moi. La maison était Clodius, et j'étais Clodius, moi aussi. Voilà ce qu'elle aimait. Elle trouvait enfin, réunis et mêlés comme dans un seul être, de quoi exalter et fortifier à la fois le tourment et la paix du cœur.

Finalement je renonçai à toute initiative. Le plus sage me parut être de ne pas déranger l'économie de la maison, d'entraîner Geneviève au-dehors, par des courses dans les collines, ou dans les bois et de remonter à Micolombe.

Mais, de retour à Théotime, je ne la vis pas. De l'escalier j'entendis qu'on parlait dans sa chambre et je reconnus la voix de Françoise. Elles restèrent longtemps à converser, et Françoise redescendit seule. Elle m'apprit que Geneviève avait l'intention de déjeuner à la métairie ; mais ne m'invita pas à me joindre à elle. D'ailleurs mon repas était déjà déposé sur la table, dans un grand panier que je connaissais bien.

Françoise me parut gênée, et certainement elle me battait froid. J'en fus si peiné que je faillis lui en demander la raison ; mais ma tristesse tout à coup devint si lourde que je n'eus même pas le courage de me révolter.

Après son départ, je subis encore une impulsion violente qui me poussa à mi-chemin de la chambre de Geneviève, dans l'escalier. Mais, par un mouvement contraire, qui me montra le ridicule et la petitesse de mon dépit, je retombai dans ma tristesse et amèrement je repoussai toute démarche.

J'étais malheureux. Je l'étais en toute simplicité, comme il se doit, quand on l'est vraiment. Je voyais mon abandon ; et toute ma peine était nue devant mes yeux. Elle m'apportait une sorte de misère propre et un peu vulgaire, qui tenait de la peine d'amour, car c'en était une, et ne s'élevait pas au-dessus du fait, après tout banal, qui l'avait provoquée si naturellement. Cette peine sentait l'indigence, car c'était une peine pauvre, une vraie peine. J'en jouissais avec une sorte de dérision. Elle enlaidissait tout, et, de moi aux objets familiers qui m'étaient chers, elle avait dissipé cette sympathie réciproque qui accordait à leur présence ma pensée et mon émotion ; de telle sorte que plus rien dans la maison ne répondait à ma détresse chétive, et j'avais beau regarder la lumière du matin qui touchait les meubles, les murs, et quelques fleurs de genêt sur une étagère, rien ne vivait plus.

Je ne pus supporter la présence de ce monde ingrat, et je sortis. Je savais quels dangers je laissais ainsi derrière moi. Mais par un mauvais mouvement de mon âme irritée, je souhaitais presque, en m'éloignant, que la catastrophe survînt tout de suite, pour déchaîner enfin toutes ces menaces qu'un absurde destin avait accumulées sur moi, et dont, malgré ma volonté de résistance, je ne pouvais plus soutenir le poids écrasant.

Je me rappelle que j'errai, mais non point au hasard, comme il eût semblé bien naturel, en un tel désordre de mon âme.

J'explorai les terres de La Jassine et de Théotime, en quelque sorte méthodiquement, mais j'évitai d'en franchir les limites, comme si j'eusse craint, en les dépassant, de céder au désir orageux de me perdre, qui me tourmentait. Ces limites, quoique fictives, me retenaient en moi, me liaient ; et peut-être ne serais-je plus retourné à Théotime, si j'en avais quitté la terre amicale et puissante, pour vagabonder à travers ces ravins et ces bois, où je n'étais plus le maître du sol.

J'évitai cependant de visiter la maison de La Jassine, et le quartier lointain de Vieilleville. Je circulai d'un point à l'autre, comme si j'avais eu un devoir à remplir, mais le seul fait de suivre un itinéraire voulu suffisait à user mes restes d'énergie, et je ne cessais de penser à Geneviève. Plus que le danger menaçant, le parti pris qu'elle montrait de ne pas me revoir accaparait tout mon esprit. Je ne pensais plus qu'à cela, et, tout en soupçonnant les motifs profonds de ce recul, je ne cessais de le juger inexplicable, quand je me parlais à moi-même, avec passion.

Vers la fin de la matinée, je me trouvai non loin de la métairie ; et, comme j'avais aperçu le vieil Alibert et son fils qui y rentraient, j'en conclus que Geneviève ne tarderait pas à paraître. Je la vis en effet qui arrivait à travers champs, en compagnie de Marthe et de Françoise, et je me cachai dans le potager. Marthe parlait avec assez d'animation, Françoise avançait tête basse, et Geneviève se taisait. Toutes les trois, avant de pénétrer dans la maison, allèrent aux remises. Là Marthe appela Jean qui sortit aussitôt ; il rougit en voyant Geneviève et il avait l'air embarrassé.

J'entendis qu'elle lui parlait, en riant, ce qui me fit souffrir ; puis tous les quatre disparurent dans la maison. Je ne comprenais pas la conduite des Alibert.

Je la jugeai tellement discourtoise que je faillis faire un esclandre. Mais ce ne fut qu'une velléité et je cherchai une cachette sûre pour y attendre la fin du repas. Je voulais revoir Geneviève.

Je me couchai dans un buisson, où il faisait très chaud. Ma joue à deux doigts de la terre était brûlante, et des herbes séchées aux odeurs acides m'enivraient.

Le temps me parut long. Les hommes sortirent d'abord, puis Marthe toute seule ; enfin Françoise apparut, mais non pas Geneviève. Françoise traversa la cour et prit le chemin de La Jassine. Je courus après elle. En entendant mon pas, elle se retourna vivement et me dit :

— On vous a cherché partout, pour déjeuner. Vous avez fait de la peine à Geneviève.

— Pourquoi n'est-elle pas sortie avec toi maintenant ?

Françoise hésita, puis me répondit, d'une voix excédée :

— Elle est restée chez nous ; elle se repose dans ma chambre. Laissez-la. Venez à La Jassine.

Je la suivis. Il pouvait être trois heures. J'avais oublié de manger, mais je n'avais faim, ni soif, et une seule inquiétude me préoccupait qui était de rencontrer Marthe.

Le temps restait à l'orage. Pendant la matinée, de grands bancs de chaleur étaient arrivés de la plaine ; et depuis midi on voyait grandir et se reformer les mêmes nuages sournois qui étaient apparus la veille au soir. Pour une raison inconnue, pendant la nuit, ils s'étaient retirés derrière les plateaux, et de là, renforcés par d'autres vapeurs, sous la lente impulsion des courants telluriques et des nappes d'air ascendantes, ils s'élevaient, l'un après l'autre, avec une menaçante majesté, sur le pays.

Marthe ne se trouvait pas à La Jassine. Nous y entrâmes par la cour, de sorte que je ne vis pas la tombe de Clodius.

Françoise me dit :

— Restez avec moi. Je vais vous montrer la maison. Elle est déjà plus propre; mais il y a encore beaucoup de travail.

Nous restâmes dans l'intérieur de La Jassine jusqu'à six heures.

On avait balayé et lavé les carreaux, nettoyé le plafond, les vitres, frotté les meubles et rejeté dans la cour de gros tas de gravats, de vieux linges, d'immondices. En plein soleil séchaient les matelas et les paillasses qui exhalaient une odeur de feuilles de maïs et de laine moisie. Les bois de lit étaient dressés contre les murs, et, dans des assiettes de faïence, sur le sol, on voyait de petits tas de soufre. Les placards grands ouverts avaient été vidés, et, de bas en haut, à travers toute la maison aux fenêtres ouvertes, des colonnes d'air chaud circulaient lentement, où montaient de minuscules poussières. Partout s'affirmait le passage d'une volonté saine, et la prise de possession était si forte que fugitivement j'en fus jaloux. Ils n'avaient respecté qu'une aile où se trouvaient deux pièces, un petit cabinet fermé à clef et la chambre de Clodius.

— On vous attendait pour y entrer, me dit Françoise.

Ce respect de mes droits, quoiqu'il me parût dérisoire, me donna une obscure satisfaction. Je n'avais nulle envie de pénétrer dans ces deux pièces ; mais le reste de la maison était devenu tellement inhabitable que j'eus la curiosité de savoir ce qu'était, avant notre intrusion, le coin de La Jassine où habitait mon cousin, le maître. Je poussai la porte.

334

Il faisait très noir dans la chambre. Je dis à Françoise :

— Va ouvrir les volets.

Elle les ouvrit, et l'air chaud, en entrant, souleva de vieilles odeurs tristes de vêtements usés, et d'homme.

Sur le lit encore défait, les draps étaient déchirés, sales, et dans la poche d'un vieux calendrier pendu au mur on voyait la photographie d'une femme. Je la pris. La femme était assez belle, calme ; mais je ne la connaissais pas.

J'ouvris l'armoire. Il y restait un peu de linge ; et, dans un tiroir, je trouvai un vieux portefeuille contenant seulement des reçus et un petit bout de ruban fané.

Cette visite m'avait rendu triste et Françoise ne me parlait pas. Je la regardais à la dérobée ; par moments il passait sur son visage comme une expression de désespoir qu'aussitôt elle contenait, mais difficilement, car ses traits, d'ordinaire si calmes, se crispaient sous l'effort.

En m'en allant, j'avisai trois cartouches sur la table de nuit.

Je tirai la porte derrière moi et je la fermai à clef.

Françoise me suivit à travers la maison, jusqu'au seuil. Toujours en silence. Comme j'avais tout visité, je ne savais pas que lui dire, et je voulais m'en aller ailleurs ; mais un indéfinissable sentiment me retenait près d'elle. Il me semblait qu'elle attendait de moi un geste, un regard, un mot, comme si, dépouillée de sa naïve confiance, elle eût imploré mon secours pour le combat obscur qui la déchirait au secret de son cœur.

Mais je ne devinais pas quel secours. Et je ne savais rien que répondre par le silence le plus vulgaire au silence si douloureux qu'elle m'adressait.

Je la quittai donc, et je me retrouvai seul dans le bois de La Jassine.

Les bois aiment l'orage, mais alors leur séjour est dangereux. Dans les masses d'air chaud qui pénètrent sous les arbres, le fluide s'accumule. A peine est-on entré dans le sous-bois, qu'on est saisi par cette matière électrique, et une étrange exaltation des cellules vivantes irrite les nerfs. La peau se sèche, le sang brûle, une angoisse étreint la poitrine ; l'âme jouit d'une volupté trouble et se gonfle d'un désir brûlant mais sans objet. Le jugement paralysé faiblit et l'on perd toute sa lumière, cependant que, sous la clarté d'une phosphorescence intérieure, de vagues images se pressent comme des nuées et traversent l'âme, où elles soulèvent les premiers tourbillons de la tempête.

Peut-être eus-je tort de m'attarder dans le sous-bois. Quand j'en sortis mon exaltation avait atteint à une sorte de mauvaise ivresse, faite d'attente, d'anxiété et d'un désir inavoué de violence. Je marchai vers Théotime, qui déjà s'était resserré sur lui-même, regroupé, enfoncé dans la terre et qui offrait sa masse sombre, violette, toute pleine de force humaine et de volonté dure, à l'approche de l'orage.

Dans la salle basse je trouvai l'inconnu qui achevait de manger. Il était encore assis, et ne se leva pas en me voyant. J'eus immédiatement la certitude que Geneviève n'était pas encore rentrée ; mais aussitôt une peur atroce me prit qu'elle survînt. Il était tard. Elle pouvait arriver d'un moment à l'autre.

L'homme me dit :

— Comme personne ne s'occupe de moi, j'ai commis une imprudence.

— Ce sera la dernière, répliquai-je. Cette nuit, il faut que vous partiez. Je vous le répète pour la dernière fois.

Il se versa un demi-verre de vin, le but lentement, s'essuya la bouche, et me répondit :

— Non. J'ai bien réfléchi. Chez vous, je ne crains pas grand-chose. Je suis votre hôte. Mais une fois dehors, je ne pourrai plus compter que sur moi. Alors je reste.

Il se leva :

— Je reste, répéta-t-il. Vous le voyez, je me contente d'une médiocre nourriture. Personne au monde ne peut maintenant soupçonner que je me trouve ici. Et, du moment que vous êtes tout seul dans la maison, je n'ai rien à craindre.

Dehors quelqu'un parla. Des voix arrivaient de la source. Je devins blême. L'homme dut s'en apercevoir, car il s'arrêta au pied de l'escalier, et me regarda ; je craignais follement qu'il devinât la vraie nature de mon angoisse, et son regard était devenu si étrange que je crus qu'il lisait en moi. Mais, s'il y découvrit un reflet de l'image que je tenais par-dessus tout à lui cacher, il dut y voir brûler aussi une telle haine que, malgré sa force et son assurance, il fit un mouvement en arrière sans me perdre des yeux. Et, à reculons, il disparut dans l'escalier.

J'étais resté debout au milieu de la pièce et je n'en bougeai pas, que je n'eusse entendu se fermer la porte du grenier.

Jean Alibert m'appela de la cour. J'y allai et il me donna une lettre, qu'un enfant du village avait apportée à la métairie.

Je lui demandai :

— Comment va Geneviève?

Il me répondit :

— Mieux que ce matin. On vous a regretté à midi. Venez dîner avec nous, ce soir, après vous la ramènerez ici tranquillement.

J'acceptai, mais je voulais lire la lettre et je rentrai dans la maison en disant à Jean Alibert que je le rejoindrais. Il s'en alla.

La lettre venait de M. Rambout qui m'écrivait longuement :

« Il faut, Monsieur, que vous me pardonniez d'avoir, sans votre permission, poussé hier soir, à la tombée du jour, une petite pointe sur vos terres. Elles sont admirablement tenues et vous pouvez en adresser mes compliments à votre métayer. Il n'est d'ailleurs que de le voir : c'est un homme sérieux.

« L'auberge du village n'offrant guère de ressource (j'en suis l'unique client), j'étais parti avec l'intention de vous faire une visite, à la seule fin de bavarder un peu. Mais arrivé en vue de votre logis, il m'est apparu si fermé et si noir que je n'ai pas osé troubler une solitude parfaite. Il n'y brillait pas la moindre lumière, et l'on montre toujours quelque indiscrétion à frapper chez des gens qui n'ont pas allumé leur lampe. Je me suis donc tenu à bonne distance de votre demeure, et, après un tour dans les champs, j'ai repris le chemin du village. Mais le mouvement de la marche ayant éveillé mes idées (un peu endormies à l'auberge), je me suis remis à penser à cet incident douloureux qui me retient ici. Et peu à peu mes réflexions m'ont amené à croire que le meurtrier de votre cousin est encore dans le pays. Je ne puis vous donner (car il serait fastidieux) le détail de mes réflexions ; mais, celles-ci, je les juge assez solides pour vous en livrer tout au moins le résultat. Je suis sûr, absolument sûr, que l'homme n'a pas quitté votre quartier. Comme il n'y était pas venu (j'en jurerais) pour y nuire à votre cousin, mais qu'il portait pourtant une arrière-pensée d'où il n'excluait pas la pire violence, je crains que le meurtre accidentel qu'il a commis, ne soit pas le point terminal de ses méfaits. A vous dire toute la vérité, j'appréhende un second drame.

« C'est pourquoi je nourris quelque inquiétude. L'homme se terre dans vos parages. Où ? Je ne sais. Sans doute dans un cellier, dans une grange inoccupée. On peut d'ailleurs se demander comment il y subsiste, du moment qu'on ne lui connaît pas de complice. On dit, avec raison, que la faim fait sortir le loup du bois. Or le loup ne sort pas du bois ; et, s'il y reste, c'est qu'il mange. Qui lui donne à manger ?... Là est tout le problème. Et il semble à peu près impossible à résoudre parce qu'il n'existe personne qui ait intérêt à nourrir un assassin, dans ce quartier.

« Du moins, je le suppose ; mais, après tout, je n'en sais rien. Qui pourrait m'éclairer ? Personne, sauf vous peut-être, qui connaissez bien et les lieux et les habitants. Mais je n'ose vous le demander ; et d'ailleurs les honnêtes gens, surtout à la campagne, n'aiment guère collaborer avec les représentants d'une justice qui les trouble toujours un peu, et dont, à tort, ils n'attendent rien que des ennuis.

« Toutefois si, pris du désir de venir en aide à quelqu'un qui a su vous manifester un peu de sympathie, vous consentiez, le cas échéant, à m'éclairer, j'en serais extrêmement aise. Car, faut-il vous l'avouer sans façon ? *Obscurus eo per noctem...* Je me déclare tellement incapable d'y voir clair que je ne compte plus que sur vous, cher Monsieur, pour me permettre de mener à bien ce que la Justice et le devoir exigent de moi, et de vous, naturellement.

« C'est pourquoi vous pouvez me croire, si je

vous assure que je nourris, à votre sujet, des sentiments de bien haute estime.

« Sylvestre Rambout. »

Pendant que je lisais la lettre, une peur noire m'envahissait. Je ne discernais pas jusqu'où M. Rambout avait porté son regard si pénétrant ; mais qu'il soupçonnât (ou même qu'il sût) quelque chose, cela me semblait indiscutable. D'ailleurs ses manières, sa politesse, et ce détachement, peut-être affecté, où s'inspiraient toujours ces phrases lentes et insidieuses, qui se glissaient en vous pour vous troubler, eussent suffi à me donner un sourd malaise. Mais la lettre apportait, en plus, des allusions ; et même çà et là, on y voyait pointer une menace encore vague, qui, plus encore que tout le reste, m'épouvantait. Je cédai à une poussée panique et, montant en hâte jusqu'au grenier, j'ouvris violemment la porte.

L'homme debout devant le lit, regardait attentivement la tapisserie aux colombes. Il se retourna et me dit :

— Vous le voyez, j'admire. Car vous avez là de bien étranges broderies. Toutes ces figures sont parlantes et pourtant on ne comprend pas ce qu'elles disent...

— Vous comprendrez facilement ceci, lui répondis-je, avec colère.

Et je lui donnai la lettre.

Il la prit, la retourna, et se mit à la lire. Quand il l'eut achevée, il me la rendit, non sans l'avoir bien repliée en quatre.

— Ce M. Rambout écrit bien, avoua-t-il. Et il est perspicace. Je crois en effet que j'aurais tort de m'attarder sous votre toit.

Il se tut. Tout à coup il releva la tête et regarda le mur où s'étalait la tapisserie :

— Pourtant, murmura-t-il, je voudrais bien savoir, avant de m'en aller d'ici, ce que signifient ces curieuses images...

Je crus qu'il se moquait, et je le lui dis avec violence. Il ne s'en émut pas.

— Vous vous trompez, répondit-il, je parle tout à fait sérieusement. Après tout, moi aussi, je suis un homme, et il m'arrive d'avoir peur, tout comme vous : car en ce moment M. Rambout vous fait peur. Eh bien! moi, voyez-vous ce qui me trouble d'une façon inexplicable, c'est cette croix plantée dans un cœur...

Il la contempla un bon moment, puis il ajouta, avec une sorte d'inquiétude :

— Si toutefois cela est bien un cœur...

Il montrait un visage si tourmenté que je ne sus quoi lui répondre, mais je pensai qu'il avait un peu perdu la tête. Il le devina, et m'en avertit du ton le plus calme :

— Ne croyez pas que je devienne fou, et allez vous coucher tranquillement. J'ai toute ma raison. Je passerai encore cette nuit dans votre grenier. M. Rambout ne fera rien avant demain, si j'en crois sa lettre ; et demain je serai parti, sans doute...

Il s'était appuyé contre le lit, et regardait du côté de la porte que j'avais laissée ouverte. Tout à coup sa figure devint attentive, et il me dit :

— Quelqu'un est entré dans la maison, en bas. Avez-vous entendu?

— Je vais voir, répondis-je.

Et je le laissai.

En bas, je trouvai Geneviève.

Elle se tenait au milieu de la salle.

— Avec qui parlais-tu? me demanda-t-elle.

Je sentis que je pâlissais, mais elle ne put pas le voir car la lampe n'éclairait pas mon visage.

— Avec personne, répondis-je.

— J'ai entendu des voix, cependant...

— Une seule voix, Geneviève, la mienne. Je suis un vieux maniaque, tu le sais; et quelquefois je me parle. C'est absurde...

Je m'efforçai de rire, mais si mal qu'elle secoua la tête d'un air mi-incrédule, mi-fâché.

— Allons dîner! lui dis-je. Les Alibert nous attendent. Je te croyais chez eux.

Je lui pris le bras et l'entraînai dehors un peu trop vivement sans doute, car elle me le fit remarquer.

— Tu es brusque, Pascal. Lâche-moi...

J'eus honte et je posai la main sur son épaule. Elle céda alors à un mouvement très tendre et vint se blottir contre moi si doucement que mon cœur se mit à battre.

Nous marchâmes. Soudain elle tressaillit.

— Quelqu'un a traversé l'allée, chuchota-t-elle... Là-bas, au bout, entre les deux marronniers... je l'ai vu...

Je dus tressaillir à mon tour, et elle sentit la secousse :

— Mon Dieu! Pascal, s'écria-t-elle, tu es nerveux, ce soir...

— C'est l'orage, répliquai-je. Mais tu as rêvé...

— Peut-être. En venant, aussi, j'ai cru voir une ombre qui se glissait derrière la haie, près de l'olivette... J'ai eu peur, j'ai failli me retourner...

Je l'entraînai plus vite et nous arrivâmes sans encombre à la métairie. On nous attendait depuis un moment.

342

On dîna, mais presque en silence. Geneviève me parut très pâle, et les Alibert, graves, préoccupés, surtout Marthe.

Françoise avait peut-être pleuré. Et Jean avait un air entrepris, malheureux.

Le vieil Alibert prononça tout de même quelques paroles. Moi, je pensais : « Il faut que Geneviève couche ici, cette nuit et demain. » Mais je ne voyais aucun moyen, ouvertement ou non, de l'y obliger. En parler aux Alibert me paraissait tout à fait impossible, et même pis. Comme le repas touchait à sa fin, je sentis que le temps pressait, et je ne savais où donner de la tête. Mon trouble était devenu si intense qu'il me sembla soudain que Geneviève et les Alibert lisaient en moi. Je baissai la tête, confus, et alors je m'aperçus que tout le monde se taisait. Ce silence m'écrasa. Il était bas, volumineux, comme cette pièce fermée, cette cuisine sombre, où nous mangions. Rien ne semblait pouvoir en soulever le bloc épais. C'était un silence durable, un silence sans espoir, comme il s'en établit seulement dans les lieux clos. (Celui des champs est toujours vaste, et traversé d'impalpables vibrations aériennes.)

Dans cette pièce, où tous les six, muets, nous nous tenions, ce silence prenait corps dans une pâte humaine. Il était charnel comme nous, étant vraiment notre silence, car nos six arrière-pensées vivaient autour de la table, et on n'entendait plus aucun bruit dans la maison, parce qu'elles brûlaient secrètement en nous et que nous avions peur, les uns aussi bien que les autres, de laisser échapper quelque lueur de ce feu sourd.

On frappa à la porte et Genevet entra. Il semblait plus craintif encore que de coutume. Sa visite inopinée, à cette heure, étonna tout le monde. On n'en laissa rien voir, mais il flaira, et il a le flair si sensible qu'il décèle le moindre signe. De plain-pied il entra dans le malaise collectif et il eut un léger haut-le-corps. Avant d'oser s'avancer dans la pièce, il nous regarda timidement tous d'un coup d'œil rapide, effaré.

— Entrez donc, lui cria Marthe, heureuse de trouver quelqu'un à qui parler.

— C'est bien tard, répondit-il.

Il se réfugia sous la pendule, où il trouva une chaise et là il s'assit. Je craignis un moment qu'il ne fût saisi dans notre silence, car il se taisait, en baissant les yeux. Mais Marthe ne le laissa pas se pétrifier. Elle versa une tasse de café et la lui porta. Il but. Tout le monde se demandait : « Qu'est-il venu faire ici, à cette heure ? »

— Le temps est lourd, n'est-ce pas ? déclara Marthe. Et cet orage, qui ne veut rien savoir... On est hanté !...

— C'est ça, c'est ça, s'empressa d'ajouter Genevet, très nerveux, et quel ciel ! ce soir... J'ai buté dix fois avant d'arriver ici... et pourtant ça me connaît...

Il hocha la tête :

— ... J'avoue que j'ai failli retourner chez moi...

Il nous regarda à la dérobée.

— Qu'y a-t-il ? lui demanda Marthe, d'un ton brusque.

Genevet tressaillit douloureusement :

— Ah ! soupira-t-il, il fallait que je vous avertisse... Mais peut-être que, vous aussi, vous l'avez vu ?...

Il était à la torture, ce qu'il allait dire l'effrayait.

— Nous n'avons rien vu, affirma Marthe. De qui parlez-vous ?

— Il y a un rôdeur, murmura Genevet... Depuis deux jours, il circule, la nuit, dans notre quartier...

Tout à l'heure même, en venant, il m'a semblé l'apercevoir... Vous comprenez, j'ai peur pour les arbres... Ils tentent... Et mon chien m'a quitté... Ni vu ni connu, parti au diable... Si vous pouviez, pour un soir ou deux, me prêter le vôtre... Il y a une bonne cabane... En l'attachant...

Il s'arrêta, ébaucha un tout petit geste, comme pour dire : « Il faut bien... », puis s'excusa d'un air désolé.

— Pour une nuit ou deux, il s'en contentera, peut-être...

Il fit un effort, avança la tête et enfin proféra d'une voix blanche :

— Depuis l'assassinat de ce pauvre Clodius...

Mais il ne put pas achever. Tout le monde, sans le vouloir, s'était tourné vers Geneviève.

Elle se tenait au bout de la table, assise. Son regard me fixait, large, plein d'épouvante.

J'eus la force de ne pas baisser les yeux.

Elle ne dit rien.

— Jean, va prendre le chien, grommela le vieil Alibert.

Genevet se retira, en remerciant tout le monde.

— Vous allez dormir ici, ordonna Marthe à Geneviève. Vous avez le visage fatigué. Demain ça ira mieux.

Françoise se leva, puis Jean. Je pris congé et quittai la métairie.

Je fis d'abord quelques pas au hasard, puis d'instinct je m'acheminai vers Théotime. Je m'orientais en moi-même, guidé sur ce sens intérieur qui me donnait la direction du mas dont l'image me hantait. Car si l'ombre impénétrable me le dérobait, en moi, je le voyais, immobile et déjà sombre, tel qu'il m'était apparu au crépuscule, et tel qu'il se montre souvent, pour peu qu'on nourrisse en soi-même une pensée sérieuse en accord avec sa sévérité.

Je ne pensais à rien, je savais tout. L'homme occupait ma maison et ne voulait pas en déloger. Il avait entendu la voix de Geneviève, qui avait entendu sa voix. Maintenant, grâce à Genevet, elle savait que Clodius, enterré à trois cents pas de là depuis trois jours à peine, avait été assassiné. M. Rambout rôdait autour de la maison. Tout le monde l'avait vu, sauf moi. Les Alibert se méfiaient, et rien qu'à la façon dont ils protégeaient Geneviève on voyait sur qui se portait leur méfiance.

J'étais suspect.

La nuit lourde, et en quelque sorte étoffée, m'enveloppait le corps et l'âme ; et, sous ce vêtement énorme, qui m'accablait de son poids et de sa chaleur, j'avançais péniblement vers le mas. J'en sentis la proximité à cette odeur de paille et de pierre brûlante qui s'élève, l'été, pendant la nuit, des fermes solitaires où fermentent les gerbes de la moisson. Je ralentis le pas et je louvoyai. Je distinguai mal les abords de cette île noire où ne brûlait pas une lumière, et dont je cherchais à atteindre le port invisible. Bientôt il me parut que, cette nuit-là, je ne pourrais pas y aborder, et qu'à trop errer sur ces bords je risquais quelque fâcheuse rencontre. Je me retirai donc vers une meule qui, non loin de la maison, m'offrait à la fois un bon refuge et une guette, d'où je pourrais surveiller les parages de Théotime.

Je me couchai dans la paille, assez haut au-dessus du sol, et là je me creusai une sorte de lit où je m'étendis sur le dos. La paille craqua sous mon poids et un immense bruissement anima la meule tout entière. Les pointes des tiges brûlantes me piquaient la nuque et les oreilles et j'entrai soudain en contact avec leur obscur fourmillement. Sur moi, j'avais beau écarquiller les yeux, le ciel restait clos, étouffant, sans astre. Je dus bientôt renoncer à fixer ces ténèbres.

Elles bloquaient ma vue entre la meule et la maison, de telle sorte qu'il m'était impossible de savoir ce qui s'y passait ; et cependant j'étais anxieux de le connaître.

Incapable de voir, je concentrai toute mon attention sur mon ouïe, et, comme je l'ai fine, au bout d'un moment, je commençai à percevoir çà et là quelques bruits.

Les uns venaient de la campagne, mais restaient si discrets qu'il m'était impossible de les situer dans l'étendue des champs. Peut-être un vol velouté de rapace nocturne aux plumes silencieuses, ou peut-être parfois un soupir, ou un imperceptible gémissement aussitôt étouffé... Puis au bout d'un moment, la maison se fit entendre... D'abord elle ne livra que des craquements connus.

Il y avait des tuiles qui bougeaient dans la toiture, sous le mouvement lent d'une poutre maîtresse qui cédait, dans le mur, à la chaleur des pierres calcinées. Quoique ces signes fussent émouvants dans les ténèbres, je les avais si souvent entendus sur ma tête qu'ils ne me troublaient guère plus que d'habitude. Mais quelquefois tous les bruits se taisaient, et alors en tendant intensément l'oreille, je percevais une vibration très basse, et si grave qu'elle devait rester imperceptible à mon sens auditif habituel, car les sons ne descendent pas en de telles profondeurs ; et je la captais au-delà de l'ouïe humaine, sur des cordes sensibles aux plus lents messages. Je ne saurais donner un nom à ces ondes indéfinissables dont le rayonnement nocturne pour la première fois m'atteignait, sans doute par le privilège d'un accord précaire, dû au concours de cette nuit ardente, des tourments anormaux de mon âme, et peut-être d'une puissante expression du génie caché de Théotime. J'en étais bouleversé. Car c'était là mon sang qui montait avec lenteur, en roulant mes angoisses et mon épouvante, dont les violences ne parvenaient pas à briser le rythme large, le chant intérieur de cette vie commune, où Théotime et moi, en fondant la chair à la pierre, nous ne formions plus qu'une seule âme, anxieuse de son salut, et peut-être, déjà en quête de son dieu secret. Mais de ce dieu je ne discernais pas encore le visage, que je pressentais cependant rustique et dur.

Longtemps je m'absorbai dans cette étrange communion. Puis peu à peu s'affaiblit et se dissipa la faculté communicative et je me retrouvai tout seul, dans la nuit sourde, avec ma crainte, ma pauvre volonté, et la menace du Matin inévitable.

Jusqu'à minuit, à part les petits bruits dont j'ai parlé, tout resta immobile. Je ne dormis pas. Mon attention, pourtant résista sans faiblir à la pression des ténèbres, du silence accablant, et de la chaleur.

Vers minuit une bête traversa les aires, sans doute un renard. Il se dirigea vers la source et remonta du côté de La Jassine, par le chemin creux. Je pus suivre sa marche au frémissement des buissons qui s'agitaient à son passage.

Un peu plus pard, un autre animal vint boire à la source ; un sanglier, je pense, car tout à coup l'eau clapota brutalement ; puis la bête s'ébroua. Elle repartit, elle aussi, par le chemin creux, et tout retomba dans le silence.

La maison ne donnait aucun signe de vie et alentour pas une feuille ne remuait, depuis le passage des bêtes. La nuit dura longtemps. Du moins il me sembla, quoique je n'eusse aucune envie de voir se lever l'aube. L'orage suspendu sur nos têtes écrasait tout sous cette menace ; la vie se traînait au ras du sol, et le temps lui-même. J'attendis le matin sans bouger de la meule toute fourmillante d'insectes invisibles ; et, quand il se leva, triste et gris, à l'est, j'étais brisé de fatigue, mais éveillé.

La campagne reposait dans une buée basse. Vers les bois, à travers les terres, on voyait s'enfuir une bête, sans doute le renard qui avait visité, pendant la nuit, les abords de Théotime. Mais à cause de la buée on le distinguait mal.

Une ou deux alouettes s'envolèrent, lourdement, au milieu des vignes. J'avais soif. La chaleur de la paille m'avait séché la langue, qui était amère, et le gosier, mis à vif, fendillé. Les paumes de mes mains brûlaient de fièvre ; et une lucidité anormale me faisait voir un monde sec. Sous cette buée de chaleur tous les objets avaient perdu leurs couleurs matinales, leur volume et leur poids familiers. Rien ne vivait ; pas un relief ne s'échappait de ce dessin ténu de buissons, d'arbres et de bâtisses tracé sur la surface plate d'un écran de lumière où ne passait pas une vibration.

A sept heures, Marthe apparut. Elle entra à Théotime, pour y préparer mon déjeuner. Peu après elle en ressortit et partit vers La Jassine. J'attendis un moment, puis, ne voyant arriver personne d'autre, je me laissai glisser du haut de la meule et je descendis vers la source.

Je m'agenouillai sur le bord et plongeai doucement ma tête dans l'eau, qui était fraîche et limpide. J'en bus même quelques gorgées qui me parurent très bonnes et d'une incroyable légèreté.

A huit heures, j'allai déjeuner à la maison. Le café

était froid, et le pain cassant. J'en mangeai quelques bouchées sans aucun plaisir.

Autour de moi rien ne bougeait. Quoique la matinée fût triste, ce silence m'était agréable. L'air sentait le café, le pain, la cendre tiède, et le balancier de l'horloge frémissait légèrement, chaque fois qu'au bout de sa course, la tige de métal vibrait un peu, avant de retomber dans le vide.

Je restai assis très longtemps, repris par la douceur de ces murs familiers, et cependant, en moi, amer et d'un médiocre courage. Aussi quand Geneviève entra je ne pensai pas même à me lever. Elle vint s'asseoir, sans parler, en face de moi, de l'autre côté de la table, où j'avais machinalement émietté du pain autour de ma tasse. Elle me regardait avec beaucoup de tendresse et un peu de pitié, sans qu'il fût possible de voir, sur son visage fatigué par l'insomnie, ce qu'elle pensait maintenant de moi. J'essayai de lui sourire. Elle secoua tristement la tête et continua de se taire. Enfin elle se leva et je m'approchai d'elle.

Elle me dit :

— Maintenant monte dans ta chambre. Il faut te reposer. Je le veux.

Je lui pris la main : elle était brûlante. Pourtant je lui obéis et je montai.

— Ce soir, je dormirai à Théotime, me dit-elle. Je ne te quitte plus.

Je l'attirai vers moi, elle céda, mais comme à regret. Puis s'étant détachée, elle ajouta :

— Tâche de dormir une heure ou deux. Je reviendrai.

Et elle sortit de la chambre.

D'abord je restai éveillé, car je l'entendais qui, en bas, rangeait la tasse et la cafetière que j'avais laissées sur la table. Je me levai sans bruit et me glissai jusqu'au grenier. Il était silencieux. Je donnai un tour de clef à la porte et revins me coucher. Au bout d'un moment Geneviève alla dans sa chambre. Elle y resta longtemps, sans doute, car m'étant assoupi, je perdis la notion exacte de ce qui se passait dans la maison ; mais j'en gardais pourtant, dans mon fragile sommeil, une conscience lumineuse, car il me semblait par moments que quelqu'un errait d'une pièce à l'autre, et c'était moins un corps, pour mes sens atténués, qu'un fantôme de l'inquiétude, furtif et tendre.

Bientôt, réels ou non, ces mouvements dégagèrent de moi un souci diffus qui s'épandit à travers ma somnolence, où il effaça les images paisibles qui commençaient à naître ; et, si vague que fût encore ma pensée, la hantise de l'inconnu finit par se fixer en moi jusqu'à y susciter une peur d'autant plus angoissante que, dans la torpeur où j'avais sombré, je n'en pouvais plus briser l'obsession. Il fallut qu'un bruit réel me réveillât : celui d'une porte qu'on fermait. Je me dressai, en sursaut, car soudain j'avais pensé que la clef du grenier était restée dans la serrure. L'homme ne pouvait pas sortir de sa cachette, venir dans la maison ; mais de la maison, on pouvait entrer dans son refuge.

Je me levai ; j'allai sur le palier, je gravis quelques marches. Dans l'escalier il faisait sombre. Comme j'étais pieds nus on ne m'entendait pas marcher.

En haut j'aperçus Geneviève qui, la main appuyée contre la porte, tendait l'oreille.

Mais le grenier restait silencieux. Au bout d'un moment elle se retira. J'eus le temps de me cacher dans ma chambre.

En bas elle trouva Marthe et Françoise qui apportaient notre repas. Elles parlèrent avec animation.

Puis la mère et la fille s'en allèrent, et je descendis à mon tour.

Dans un panier posé sur la table, Geneviève rangeait des verres, des assiettes, un pain, de la viande, des fruits, au milieu d'un grand linge blanc. Son visage sérieux ne trahissait aucun souci, et ses gestes semblaient calmes. Elle me dit :

— Nous allons déjeuner à la campagne.

— Et où? lui demandai-je.

— Où tu voudras, Pascal. Dans les bois, peut-être...

Je pensai à « Vieilleville ».

— C'est une bonne idée, je connais un endroit...

Elle prit le panier, et nous sortîmes.

Le temps restait lourd, le ciel bas, et l'on marchait avec peine à travers les terres.

Geneviève ne parlait pas. En arrivant en vue de « Vieilleville » je lui dis :

— Tu le vois, ici, rien ne pousse.

— Je le vois, me répondit-elle.

Et elle retomba dans son silence.

A la lisière du bois, elle s'arrêta pour regarder les arbres :

— Les oiseaux se taisent, remarqua-t-elle.

— C'est midi, répliquai-je, et il fait très chaud. Les oiseaux sont las, comme nous...

Elle soupira :

— Oui, l'orage...

Nous entrâmes dans la forêt. L'air y était étouffant.

Une odeur de feu et de fibres s'élevait des milliers de feuilles sèches qui jonchaient le sol. Nous cherchâmes pendant longtemps un site agréable et commode. A la fin nous nous installâmes sous un roc couronné de chênes, où suintait un fil d'eau à peine de quoi alimenter de fraîcheur et de vie une botte de cresson et deux boutons d'or.

Pendant le repas, Geneviève resta taciturne, pensive, et son regard, baissé avec obstination, fuyait le mien. Nous étions malheureux l'un et l'autre. Sur l'arrière-pensée qui assombrissait son visage, je ne pouvais avoir que des soupçons, mais ils suffisaient à créer un tourment affreux.

Je finis par lui dire :

— Pauvre Geneviève, tu es revenue me voir dans un bien mauvais moment...

Elle secoua la tête :

— Mais, non, Pascal, puisque je t'aime...

J'aurais voulu lui parler davantage ; mais je ne pouvais rien lui raconter sans lui mentir ; et alors, de dégoût et d'effroi, je me taisais. D'elle pas un reproche. Cependant elle me voyait réticent, gêné. Sans doute avait-elle compris que je lui cachais quelque chose ; et un secret, concernant Clodius assassiné, ne pouvait être que terrible.

— Tu as soif, me dit-elle doucement. Cela se voit à ta figure. Il fait si chaud...

Elle emplit mon verre et me le tendit. Nos regards se croisèrent. Le sien me parut clair et étrangement interrogatif. Mon cœur en reçut un coup sourd qui l'ébranla. Je grondai :

— Non, Geneviève, pas cela!

Et je voulus me lever. Mais elle me prit par le bras et me força à me rasseoir, devant elle.

Un pas fit craquer les feuilles et M. Rambout apparut.

Il avait dû s'approcher de nous avec quelque précaution. Geneviève tressaillit. Il leva poliment son chapeau.

— Je me suis égaré, affirma-t-il...

Tout noir, aussi large que haut, massif, le regard doux, il se dressait contre le roc, et ses larges pieds avaient écrasé un bouton d'or.

Je lui dis :

— Soyez le bienvenu. Asseyez-vous. Voulez-vous un peu de café?...

Il accepta. Je le présentai à Geneviève.

— C'est bien par hasard, reprit-il, que je viens de tomber sur vous, car vous ne faisiez pas de bruit...

Il parlait d'une voix monotone, indifférente.

— Un beau bois, remarqua-t-il, en buvant. Il est à vous, je crois...

Je fis un signe de la tête.

— ... Et plein d'oiseaux!... J'y suis venu l'autre matin. Des milliers! J'en ai entendu des milliers!... Il est vrai que c'était de loin... Car ils se taisent, dès qu'on approche... Quel dommage!...

Il avait reposé sa tasse, et il nous regardait, Geneviève et moi, tour à tour, de cet œil sans chaleur qui semblait ne rien voir.

Je comprenais que Geneviève en était incommodée ; mais il continuait à parler des oiseaux avec une éloquence impersonnelle, qui augmentait le malaise. On ne pouvait douter qu'il aimât beaucoup les oiseaux ; et c'était bien ce qui donnait à ses propos une allure équivoque ; car on savait aussi qu'en parlant d'eux, il ne perdait pas de vue l'accomplissement de son dessein. Il jouait, et il jouait tristement, car au fond il était un homme triste, mécontent de soi.

— Nous avons effrayé les tribus de l'air, déclara-t-il.

Geneviève, d'un air maussade, rangeait les assiettes. Elle voulait quitter le bois et M. Rambout. M. Rambout, de son côté, eût peut-être quitté le bois sans déplaisir, mais il tenait évidemment à notre compagnie ; et je ne me souciais pas de le ramener à Théotime. Cependant il parlait :

— Du temps de M. Clodius, votre prédécesseur, ces bêtes ne devaient jamais recevoir de visites... C'est pourquoi aujourd'hui notre présence les effarouche... L'homme tue pour un rien, pour tuer... Vous le savez comme moi ; et les oiseaux s'en doutent un peu... Ils nous épient certainement du haut des arbres, et attendent notre départ pour se remettre à chanter... Mais je crains qu'ils ne chantent plus avec une telle insouciance... Désormais ils vivront dans l'inquiétude ...

Il soupira une ou deux fois et il répéta d'un air malheureux :

— Quel dommage!

Je lui proposai de monter jusqu'aux bergeries ; et je me levai. Il se déclara prêt à visiter « ces bâtisses ». A la sortie du bois, Geneviève dit brusquement :

— J'ai trop chaud. Je rentre au mas.

Nous la quittâmes ; et en silence, nous prîmes le sentier de La Font-de-l'Homme. Le ciel restait couvert ; et, sous cette calotte basse, on étouffait. Aussi M. Rambout était-il en grande transpiration ; mais il marchait sans traîner la jambe ni se plaindre. Dans le creux de La Font-de-l'Homme, la chaleur, écrasée entre les falaises, brûlait les mains, les joues, angoissait le cœur surchauffé par la marche, et on haletait. M. Rambout ne cessait d'éponger son gros front, sans dire un mot.

Je lui ouvris la bergerie. Il y entra.

— Je mets là quatre cents moutons, pendant l'hiver, lui dis-je. C'est un coin bien abrité...

Il admira, comme de juste, les crèches, le fenil et l'habitation du berger. Je ne lui fis grâce de rien, car je voulais le retenir le plus longtemps, et le plus loin possible, de Théotime, où cependant la présence, sans moi, de Geneviève m'inquiétait affreusement. Mais entre deux périls, j'avais choisi celui qui me semblait le moins redoutable.

A la fin, on s'assit près de l'abreuvoir, pour souffler un peu. M. Rambout prit la parole :

— Cette affaire, dit-il d'un ton bizarre, maintenant j'en saisis très bien le sens... Oh! certes j'ai sué, c'est le cas de le dire, et sué sang et eau, à le trouver... Tout cela ne tenait qu'à un fil, et un fil invisible... mais ce fil, je l'ai aperçu miraculeusement pendant que vous parliez de vos moutons... Je m'en excuse...

Il me regarda. Comme je restais impassible, il crut bon d'ajouter :

— Je vous le donne en mille!... Vous ne devinez pas?...

Je fis signe que non.

— Eh bien! le meurtre inexplicable de votre cousin Clodius, n'est autre, cher Monsieur, qu'un crime passionnel. Tout simplement...

Il en paraissait profondément désolé. Je lui en fis la remarque.

— Je crains, me répondit-il doucement, je crains que vous ne m'ayez pas compris...

Il parlait sur un ton presque affectueux, qui m'irrita.

— Mais, voyons, Clodius!... m'écriai-je... Clodius!...

Il m'interrompit :

— Clodius n'est pas en question. Il ne s'agit pas de Clodius. Clodius était là, on l'a tué. Bien malheureusement pour lui, car il a joué de malchance, le pauvre homme!... Mais on ne le cherchait pas, cela saute aux yeux... On cherchait un autre... et comme l'assassin n'est pas du pays, il ne peut s'agir d'intérêts... D'ailleurs, les gens du village l'ont compris tout de suite... Crime passionnel, monsieur Dérivat, crime manqué... L'assassin est là, j'en suis sûr, et pas très loin de sa victime...

Il s'épongea les cheveux qui ruisselaient :

— Bien vivante, pour le moment (je vous l'accorde volontiers), cette victime ; mais ce soir, qui vous dit ?...

Il s'arrêta :

— Vous me comprenez ? murmura-t-il. C'est comme si j'avais charge d'âme. On a conscience tout de même...

J'étais glacé d'horreur. En effet j'avais compris. Je dus pâlir si terriblement qu'il me tapa sur l'épaule.

— Je suis là... Tant que je suis là, il reste une chance... Mais il faut que je parte demain soir... Ce sont des ordres... Et alors...

Il n'acheva pas. Je me redressai.

Nous nous séparâmes, à la hauteur de La Jassine. Il fit un grand détour pour ne pas repasser devant la maison, et il s'éloigna sur la route, sans se retourner une seule fois.

Pour étrange que cela paraisse, à peine eut-il disparu que je le regrettai. Il m'avait abandonné au milieu des champs. Sa présence me réconfortait ; son absence me laissait sans soutien (je le reconnaissais, à l'improviste, avec étonnement). Sans lui, je restais, indécis, en vue de Théotime, dont les murs, déjà assombris par l'arrivée du soir, mais encore tranquilles, recelaient l'orage. A la fin je m'acheminai pourtant vers la maison. Je fus porté par un besoin fatal d'apprendre quelque chose plutôt que par mon courage. Je savais maintenant qui était l'homme et ce qu'il était venu chercher.

L'homme, je ne le craignais plus ; mais j'appréhendais ses actes ; et tout en marchant, je me disais qu'il fallait fuir. Je ne pensais pas au danger, à la mort, mais j'étais pris d'une peur blanche à l'idée qu'il pourrait (si ce n'était fait), rencontrer, d'un moment à l'autre, Geneviève. Fuir la mettrait provisoirement à l'abri de ce malheur, car je comprenais vivement que, de cette rencontre, éclaterait un drame, où l'homme, Geneviève, moi, nous nous briserions.

Geneviève se tenait dans la salle du bas. Il faisait presque nuit. Elle avait allumé une petite lampe, posée sur le rebord de la cheminée, et elle m'attendait.

A peine fus-je entré, qu'elle parla :

— Pascal, tu as beaucoup tardé. Tu savais cependant que j'étais seule ; et cette maison est bien triste, maintenant...

Je lui dis :

— Il faut partir tout de suite, Geneviève.

Elle ne montra aucune surprise.

— Je partirai. Mais toi ?

— Moi, je t'accompagne...

Elle réfléchit.

— Ah ! Pascal, murmura-t-elle, si nous partons d'ici, où te mènerai-je ?

Elle releva la tête :

— Depuis mon retour, tu ne vis plus. Un souci te torture. Tout le monde le voit. Il faut être franc. Parle, ne me cache rien. Qu'est-il arrivé, ici ?

Je lui dis :

— L'assassin de Clodius est dans la maison.

Elle ne broncha pas :

— C'est donc lui que j'ai entendu dans ton grenier.

Je fis un signe affirmatif.

— Qui est-ce?

— Je ne sais pas.

Elle me regarda, étonnée; puis soudain, se leva, pâle comme un linge. Elle gémit :

— Mon Dieu!...

Je voulus aller vers elle, car elle semblait défaillir ; mais elle se reprit, et me fit signe de ne pas bouger.

J'obéis.

— Pauvre Clodius! murmura-t-elle.

Je dis :

— C'était la nuit. Il a cru voir un rôdeur. Il a tiré. L'autre était armé, naturellement...

Elle me demanda avec rudesse :

— Et toi, Pascal?

Je haussai les épaules, irrité :

— L'homme est là-haut. Tu peux l'interroger...

Elle me regarda :

— Ah! Pascal, si tu savais...

Je l'interrompis :

— Je sais, Geneviève. Voilà pourquoi tu dois partir, cette nuit même.

Je crus qu'elle allait tomber. Mais encore une fois elle se ressaisit. Nous parlions bas, d'un ton qui semblait calme, naturel, tant nous avions peur d'un éclat ; et nous maîtrisions notre cœur jusqu'à garder cette voix blanche, sans timbre, impersonnelle ; car nous ne souffrions pas ; on ne souffre pas en plein drame. On se trouve au-delà de la douleur, et la fatalité y apparaît tellement écrasante que l'âme, sous son poids, ne peut plus remuer. Elle attend la mort.

Geneviève reprit :

— Non, tu ne sais pas tout... je l'ai épousé : il a des droits.

Je résistai bien à ce coup. Maintenant la situation était nette : j'étais plus lié que jamais.

Elle continua :

— Il me cherchait... Il ne partira pas sans moi ; il nous tuerait plutôt...

Je lui dis :

— Et tu l'aimes ?

Elle baissa la tête d'un air farouche. J'eus un geste d'impatience ; mais elle étendit la main et m'arrêta :

— Oh ! Pascal, murmura-t-elle.

Son regard m'émut et je lui dis :

— J'espérais te garder, voilà tout...

Nous étions séparés par la largeur de la table, et cela suffisait déjà à nous rendre étrangers.

Pendant quelques instants nous gardâmes le silence. Puis Geneviève soupira :

— Il faut tout de même le voir. Je vais monter...

Je fis le tour de la table et coupai le chemin de l'escalier.

A ce moment quelqu'un traversa la cour et s'approcha de la maison. On appela :

— Monsieur Pascal ?

Je reconnus la voix de Françoise. Sans attendre une réponse, elle entra et nous vit ; mais son visage resta impassible. Cependant d'un coup d'œil je compris qu'elle savait tout.

— Les gendarmes sont sur les terres, annonça-t-elle. Il y en a six. Jean les a aperçus tout à l'heure ; deux sont postés à la « carraire », deux sur le chemin vicinal et les deux autres près de La Jassine. Ils ont l'air de vouloir passer la nuit dehors, malgré le temps qui menace. L'orage va peut-être éclater, cette nuit. Il y a des éclairs du côté de Canneval, derrière les crêtes.

— Et M. Rambout ? demandai-je.

— M. Rambout, personne ne l'a vu.

Geneviève alla vers Françoise qui lui sourit tristement.

— Veux-tu nous laisser un moment ? me demanda Geneviève. Il le faut.

Sa voix était douce, son regard tendre : j'obéis. Je sortis dans la cour et allai jusqu'au portail. Là je m'appuyai contre le pilier et j'attendis. La chaleur était étouffante. On voyait, faiblement éclairée par la lampe, la porte ouverte sur la cour. Tout le reste plongeait dans le noir, muet, mort.

Françoise sortit de la maison et vint vers moi. Elle avait deviné que je l'attendais près du portail. Elle me dit :

— J'ai voulu vous avertir. Venez, je vais vous montrer où ils sont.

Je refusai. Elle en parut contrariée.

— Si vous avez besoin de moi, monsieur Pascal... même cette nuit...

— Je n'ai besoin de personne, répondis-je.

Elle hésita, puis doucement, elle murmura :

— Je le sais...

Il faisait si sombre que je l'entrevoyais à peine, appuyée contre le portail. Nous nous taisions. Je voulais rentrer ; mais elle, cependant, avait quelque chose à me dire, je le sentais bien, sans deviner quoi. De temps à autre, un grand éclair s'élevait du côté de Canneval, derrière les crêtes, très loin, mais il n'en arrivait aucun grondement de tonnerre.

— Il ne se passera rien, dis-je, à Françoise. C'est de la chaleur.

Comme elle gardait le silence, je la quittai et retournai à la maison.

La salle était vide, en bas ; Geneviève l'avait quittée. Malgré mon calme affreux, je sentis que mon cœur venait de tordre un gros paquet de sang, puis le rejetait. Ma tête trembla un peu, mes oreilles bourdonnèrent. Je me dis : « Il faut monter voir... »

Je gravis l'escalier sans bruit. Dès le palier, je vis une lueur qui éclairait l'étage : le grenier était ouvert. Je dus m'arrêter. Ma poitrine battait, j'avais le cou brûlant, les mains moites.

Il me fallut un moment de repos pour reprendre souffle. Mais je réussis à dominer ce halètement épouvantable qui me coupait bras et jambes, et j'arrivai jusqu'au grenier.

La porte était ouverte. Ils ne m'avaient pas entendu.

Geneviève se tenait debout contre le lit et me faisait face. L'homme tournait le dos. Ils se taisaient. Aucun d'eux ne m'avait vu. L'homme parla :

— Nous allons partir, cette nuit même. Toi, d'abord, moi, un quart d'heure après. J'ai confiance en toi, naturellement, quoi que tu aies fait. Car aujourd'hui ma vie et mon bonheur sont entre tes mains. Tu m'attendras au point que je t'ai indiqué. Même la nuit il est reconnaissable : à cause du carrefour, de la croix et des quatre cyprès. J'arriverai, et tu n'auras plus qu'à me suivre... J'ai des moyens de sortir du pays sans qu'on le sache. Nous nous embarquerons demain... Maintenant tu peux descendre et revoir ton cousin. Tu lui feras part de nos décisions. Pas un geste douteux, surtout... Tu me comprends...

Il y avait une arme sur la table.

Geneviève demeurait immobile, les yeux baissés.

— Eh bien ? demanda-t-il, tu ne bouges pas ?

Elle semblait de pierre. Alors il s'avança vers elle, et lui saisit le bras.

J'entrai dans le grenier. Je ne fis aucun bruit, mais Geneviève leva brusquement les yeux et m'aperçut. Elle ne tressaillit pas. Rien ne montra sur son visage qu'elle me vît. Je pris l'arme et la mis dans ma poche, puis je dis aussi lentement que je le pus :

— Laissez Geneviève.

L'homme ne tourna que la tête, et me regarda par-dessus son épaule. Il tenait toujours écrasé le poignet de Geneviève.

Je lui répétai :

— Lâchez-la.

Cet écrasement avait quelque chose de palpable, de matériel, qui alluma ma jalousie. Mais je la contins. Pourtant elle me déchirait la peau et la chair, comme une bête.

L'homme lâcha le poignet de Geneviève et fit un mouvement vers la table. Il s'aperçut que l'arme avait disparu et gronda sourdement ; mais je lui dis :

— Soyez tranquille. Je n'ai pas l'intention de vous tuer. Pourtant il faut partir. Les gendarmes sont dans les terres ; je vous en avertis. Le temps presse. Toutefois vous pouvez tenter votre chance, et je vous y aiderai.

Il fit un effort et me répondit d'un ton calme :

— Si Geneviève part, je partirai. Je ne suis venu ici que pour elle ; ne vous y trompez pas. Dès le premier jour, j'ai découvert chez qui j'étais tombé, après cet absurde accident ; et si j'ai tardé à m'enfuir, c'est que je l'attendais, elle. J'ai bien vite compris qu'elle ne se trouvait pas dans la maison. Maintenant elle est revenue. Je suis son mari, elle doit me suivre.

— Elle choisira, répondis-je, et je ne ferai rien pour la retenir. Mais partez d'abord. Si quelqu'un doit être arrêté, c'est vous, et non pas elle. Geneviève doit rester à l'écart de votre crime.

Il me regarda avec haine ; mais c'était un homme fort, et il réussit, une fois encore, à se dominer. Il s'éloigna du lit, et parut réfléchir. Tout à coup il me dit :

— J'ai besoin de mon arme.

— Pour vous défendre? demandai-je.

— Non. C'est mon arme, voilà tout. Mais croyez-vous qu'elle vous aime?

Je me tournai vers Geneviève. Je vis ses yeux. Ils étaient larges, fixes, étincelants. Pourtant ils ne regardaient rien; mais derrière sa tête sombre, contre la muraille se levaient les colombes pâles et la croix plantée dans le cœur.

Je rendis l'arme.

— Je m'appelle Jacques Lebreux, dit l'homme. Et il mit l'arme dans sa poche.

— Êtes-vous prêt? lui demandai-je.

— Ma foi!... répondit-il, puis il fit un geste évasif. Je dis :

— Je vous conduirai moi-même hors d'ici. Je connais parfaitement bien le carrefour dont vous parliez tout à l'heure. Venez.

J'allai vers la porte. Il sortit sans se retourner; mais une fois sur le palier, il dit d'une voix forte :

— Je t'attendrai jusqu'à onze heures, là-bas. Si tu viens, tout ira pour le mieux : nous disparaîtrons. Passé onze heures, je me livre... Tu me connais...

Et il descendit, le premier, l'escalier de Théotime.

En bas, je l'avertis :

— Il faut me suivre aveuglément. Je connais un chemin sûr pour aller jusqu'à la croix. Le difficile est de sortir de la maison. Attendez-moi; je reviens.

Je passai dans la cour. J'étais toujours chaussé de mes sandales et on ne m'entendait pas marcher. Arrivé au portail, je chuchotai :

— Françoise?...

Elle vint.

— Ils se sont rapprochés, me souffla-t-elle. Il y en

364

a un à la source. Tout à l'heure je l'ai entendu remuer.

— Quoi qu'il arrive, attends-moi là ! lui commandai-je.

Elle me demanda :

— Et Geneviève ?

— Elle est restée dans la maison. Adieu.

Je rentrai. Je fis signe à l'homme de me suivre. Nous passâmes dans le cellier et de là, à travers la porcherie, dans une étable, au fond de laquelle un portillon s'ouvre sur la campagne. Le fossé qui traverse les champs non loin de cette issue conduit jusqu'au ravineau de La Jassine. Par le ravineau on atteint facilement un bois de pins, et, dès lors, on marche à couvert.

J'eus quelque mal à déverrouiller le portillon qui ne sert jamais ; cependant, avec beaucoup de patience, je réussis à le faire jouer, sans qu'il grinçât.

Une fois dehors, nous trouvâmes sans peine le fossé ; mais je pris peur dans le ravineau, car le fond en était couvert de feuilles sèches qui se mirent à craquer sous nos pas. Nous dûmes marcher sur les bords, dans l'herbe.

J'appréhendais un peu le bois de pins, mais nous n'y relevâmes rien de suspect au passage. D'ailleurs il faisait très noir. Par moments cependant un long éclair bleuâtre électrisait les crêtes, vers Canneval, et une nappe de clarté balayant la campagne illuminait tout. Alors j'étais effrayé. Mais la pinède nous abritait bien, et nous atteignîmes la croix, sans encombre, après trois quarts d'heure de marche silencieuse.

La croix se dresse sur un socle au croisement de deux sentiers dans un petit vallon désert. On y faisait jadis un pèlerinage. Le pèlerinage est mort et personne ne revient plus dans le vallon. L'herbe a mangé les deux sentiers, mais les quatre cyprès centenaires, plantés là lors d'une mission, sont devenus énormes, et la croix tient bon.

On appelle ce lieu « L'Épi-de-Saint-Jean ».

Je ne demandai pas à l'homme comment il le connaissait, ni par quel moyen il pensait, à partir de là, se tirer d'affaire.

Il reconnut la croix et alla s'asseoir sur le socle; puis il voulut savoir l'heure : il était neuf heures et demie. Il me dit :

— C'est bien. J'attendrai ici. Et vous?

— Je rentre, répondis-je.

Il hésita un peu et finit par me demander si j'allais revoir Geneviève. J'hésitai à mon tour; mais je crus qu'il fallait répondre : *non*. Et je le fis.

Il se tut alors pendant un moment; sans doute s'interrogeait-il pour savoir s'il pouvait me faire confiance. A la fin, il me dit :

— Comme vous voudrez. Vous pouvez partir. Je n'ai plus besoin de vous.

Je le quittai avec un bizarre regret de le laisser seul.

J'avais le cœur serré. Il faisait très chaud; et j'avançais à travers la pinède en me demandant ce qui allait arriver. Car depuis mon départ de Théotime je vivais hors de moi. De là je voyais les événements rapides qui se déroulaient dans la nuit, comme s'ils n'eussent pas entraîné ma vie avec eux. Tous mes actes devenaient purs, dégagés qu'ils étaient soudain de leur matière passionnelle, car j'avais été, sans un choc, si bien séparé de mon âme qu'en vain elle me suivait dans ma course, incapable d'atteindre sa douleur.

J'avais hâte de rentrer et, pour arriver plus vite à Théotime, maintenant que j'étais seul, au lieu de suivre un itinéraire détourné, je pris par le sentier, plus court. A la hauteur de Vieilleville, que je laissai à droite, j'entendis du bruit devant moi, et je me jetai à travers champs, ce qui me porta assez loin, car je m'égarai.

J'atteignis La Jassine seulement vers onze heures ; mais j'en évitai les abords. Toutefois je craignais en rentrant à Théotime de tomber sur une embuscade.

Par ailleurs, je voulais respecter ma promesse de ne pas revoir Geneviève pendant la nuit. Je préférai donc me tenir loin du mas jusqu'au matin ; et j'allai me coucher dans une petite meule que les Alibert avaient élevée, la veille, avec les gerbes de Clodius, entre la maison et les bois.

La meule était bonne, mais très chaude ; cependant je m'y étendis, car on y semblait à l'abri de tout : un lieu rêvé pour le sommeil ; mais j'étais trop agité pour dormir. La fatigue m'avait abattu au point que je ne savais plus que souhaiter. En fait je ne désirais rien, pas même que Geneviève restât. Peut-être avait-elle quitté le mas à cette heure ; mais nul cri ne montait en moi pour la rappeler. Non que je fusse indifférent, car je savais que je souffrais, quelque part, en moi, dans les profondeurs ; mais je n'avais plus la force de le sentir.

Je dormis quelques minutes, un peu avant l'aube. Je me rappelle qu'en me réveillant je me dis qu'il valait mieux en finir tout de suite, et je me levai brusquement pour aller à Théotime, avec le désir de n'y plus retrouver Geneviève. Je souhaitais qu'elle fût partie sans esprit de retour. Je le souhaitais tout simplement par besoin de repos et de paix. Je constatais mon détachement, mon calme et, après l'avoir fugitivement regretté, je me dis que cela était bien, qu'il valait mieux.

La porte de Théotime était close. Mais j'eus beau chercher Geneviève, je ne la trouvai plus. Elle était partie.

D'abord, apparemment, je n'en parus pas très touché ; mais aussitôt, avec une clairvoyance bizarre, je compris que j'allais tout de même souffrir.

La souffrance se fit un peu attendre ; mais elle vint. Elle vint d'en bas, du fond. Ce fut cette masse de chair, de sang, de vie, tout humide encore, et qui fume habituellement au-dessous de mon âme, qui monta. Dès qu'elle m'atteignit, un choc sourd ébranla mon cœur encore calme et une petite amertume s'infiltra dans mes veines, puis s'étendit. De mon corps, saisi peu à peu par ce poison actif, le mal s'éleva jusqu'aux parties obscures de mon âme, et tout l'édifice fut ébranlé. D'un point noir situé en moi, qui se mit à vibrer, de grandes ondes se formèrent avec une rapidité croissante ; et, au bout d'un moment, leur intensité devint telle que, sous ces vibrations, ma lucidité vacilla et je fus aveuglé par les vapeurs d'une ivresse sombre, cruelle, chaude. Je souffrais bien. Plus j'allais, plus ma souffrance se rapprochait de moi. Bientôt elle m'enveloppa de la tête aux pieds ; et je sentis qu'elle me touchait, me palpait, pénétrait, imprégnait, occupait les lieux vides de mon être, jusqu'à chasser irrésistiblement de ma conscience épouvantée tout ce qui n'était pas elle. Cette douleur, ce n'était plus la douleur de Pascal, c'était Pascal. Pascal souffrait. En deçà, en delà de lui il ne restait plus rien. Mais là où brûlait sa douleur Pascal vivait. Aucun lien ne m'attachait plus à ma personne ; car je n'avais plus de personne. J'habitais un délire, une onde, qui me faisait tourner rapidement, et, du cœur de ce tourbillon, l'acuité d'une pointe de feu me transperçait.

Je me souviens que, de temps à autre, je tapotais contre le chevet de mon lit ; car je me trouvais dans ma chambre, où j'étais venu avec l'idée absurde que, peut-être, Geneviève s'y était réfugiée. D'abord j'avais couru au grenier. Le grenier était vide. J'avais alors frappé à la porte de Geneviève. Personne ne m'ayant répondu, j'étais entré. C'était là que j'avais commencé à souffrir. Du palier j'avais appelé ; mais ma voix m'avait fait un effet si étrange que j'en avais eu peur, et je m'étais tu.

Alors j'avais exploré, une à une, toutes les pièces de l'étage, visité les combles, puis le cellier, les caves. A la fin, je m'étais introduit dans ma chambre, le cœur battant, car c'était là mon dernier recours, et il était absurde. Je le savais si bien que j'avais hésité un moment à ouvrir, pour garder une raison d'espérer. Pourtant j'avais déjà compris que Geneviève avait abandonné la maison ; mais j'agissais toujours comme si elle eût encore été là ; je me promettais de lui faire des reproches ; et je lui parlais en moi-même, comme il arrive que l'on parle à une personne familière qui, d'un moment à l'autre, peut apparaître devant vous, avec son corps, sa voix, son regard et la puissance de son âme. Geneviève était bien partie, je le savais, et cependant l'absence qu'elle avait laissée créait une extraordinaire présence. Partout où, la cherchant, je ne la retrouvais plus, je la voyais surgir du vide matériel, pour prendre corps ; et plus je découvrais de points d'où elle était absente, plus sa présence se multipliait. Je ne la voyais nulle part et elle était partout ; cependant je ne pouvais plus l'atteindre. Si elle n'avait pas disparu, elle s'était rendue inaccessible.

Cette étrange impression me rendit le séjour de la maison intenable, et je descendis de ma chambre, comme un fou, pour gagner les champs.

En bas, je rencontrai Françoise. Elle se tenait debout entre l'escalier et la porte, au milieu de la salle. En me voyant venir elle ne bougea pas. Je lui dis :

— Où est Geneviève?

Elle haussa légèrement les épaules.

— Qui l'a conduite à la Croix-de-Saint-Jean? C'est toi?

Elle ne répondit rien. Je la laissai là, je sortis. Une colère basse m'échauffait le sang. A mesure qu'elle montait je sentais bien que je perdais le peu d'influence sur moi que je gardais encore; et, dans ce sang qui fermentait, des germes lourds, entraînés par les battements de cette fièvre, arrivaient jusqu'à mon cœur, où ils se plantaient. Germes vils, arrachés tout à coup de la boue qui couvre les bas-fonds de l'âme.

Je marchais dans les champs, à grands pas, vers Les Bornes. Je ne savais pas trop ce que j'allais faire, ni pourquoi j'avançais si vite, par ce chemin, qui est le plus court pour aller au village, car la « carraire » coupe tout droit. Mais je devinais bien que, n'ayant plus de volonté à dresser contre ma douleur, je fonçais tête basse, vers un acte encore caché, mais vil, sans aucune doute.

En arrivant aux Bornes, je vis devant moi la « carraire » qui grimpe droit dans le coteau pour retomber, derrière la crête, sur Puyloubiers. Au bord du chemin, à deux cents mètres, se tenait immobile un petit homme noir, arrêté à l'ombre d'un chêne. Il semblait attendre. Je pensai à M. Rambout. Je compris aussitôt ce que je cherchais. « Il faut aller vers lui, me dis-je, et vite! Ils sont loin, mais je vois bien par où ils sont passés. » Je fis un pas ; mais, quoique je n'eusse pas honte, tant je brûlais de douleur et de jalousie, je fus arrêté. Une brise m'avait apporté une odeur de fumée que je connaissais bien. Il était six heures, et Marthe venait d'allumer du feu à Théotime pour mon déjeuner du matin.

Malgré moi je me retournai pour regarder ma maison.

Un peu de brume flottait sur la campagne, mais la brise la dissipait. Du toit calme de Théotime la fumée s'élevait droite, bleue. Et, au-delà, au milieu des champs, une grande charrue était déjà au travail.

Je la reconnus ; c'était la charrue du vieil Alibert.

— Que fait-il là ? me dis-je.

Car la charrue était arrêtée au milieu de ce terrain inculte qui s'étend du mas Théotime aux limites de Clodius.

Tout à coup le vieil Alibert se pencha. Les quatre bêtes tendirent le poitrail. Le soc s'enfonça péniblement, la charrue s'ébranla d'un coup, écorchant cette terre maigre ; puis peu à peu l'acier disparut dans le sol, et un premier sillon creusa l'argile rude, où l'acier tintait clairement quand il rencontrait un caillou de silex qu'il rejetait.

Le vieil Alibert traçait droit, et il se dirigeait vers Clodius. En avant des quatre chevaux marchait son fils, un rameau de chêne à la main. Pas un cri, pas un mot aux bêtes. C'était un labour silencieux.

— Où veut-il en venir ? me demandai-je ; et quelle idée le prend, ce matin, de défoncer ce champ où rien ne pousse ?

Tout à coup je compris. Car, arrivé au ras de Clodius, il arrêta son attelage. Là se dressait une des grandes pierres limitrophes qui séparaient les deux propriétés. Jean Alibert prit une bêche. La borne s'abattit. Alors le vieux revint à la charrue et, le corps penché en avant, il poussa le sillon chez Clodius.

Je quittais brusquement la vigne, et je descendis en avant, vers la charrue.

Quand j'arrivai près des deux hommes, le vieil Alibert avait achevé son sillon. Nous étions à l'orée de La Jassine.

Les deux hommes me saluèrent, puis le vieil Alibert me dit :

— Monsieur Pascal, à votre tour. Cela vous revient.

Je saisis les mancherons ; Alibert se mit à ma droite et son fils devant les chevaux, son rameau de chêne à la main.

Je parlai aux bêtes très doucement. Leurs oreilles pointèrent, puis se rabattirent vers moi, en arrière ; un frisson hérissait leurs larges encolures ; leurs jarrets gonflés se tendirent vigoureusement et toute l'enflèchure trembla ; puis le soc pénétra en grinçant dans la terre, une terre froide, sauvage. Le long frémissement de l'acier du versoir secoua le timon et je le sentis dans mes bras, qui se durcissaient sous la vibration. Je baissai la tête en avant pour appuyer de tout mon poids sur les deux mancherons de chêne, et l'énorme attelage s'ébranla.

Je me souviens qu'il faisait déjà très chaud, et que je traçai mon sillon en marchant droit vers Théotime.

Désormais mon récit sera bref, car je n'ai plus guère d'événements à raconter.

Quelques lettres et les notes de mon *Journal* m'y aideront.

Les lettres, ce sont celles que j'ai écrites alors à mon cousin Barthélémy. Il me les a rendues et j'y ai joint les siennes.

Le *Journal*, je l'avais commencé depuis plusieurs années, mais toujours j'ai été bien inconstant à le tenir. Quand Geneviève habitait au mas, je n'y ai pas tracé une ligne. Mais aussitôt son départ, je l'ai repris.

Il a été mon confident et quelquefois mon consolateur.

Octave de la Pentecôte.

JOURNAL DE PASCAL DÉRIVAT

Ce fut deux semaines environ après le départ de Geneviève que je reçus une lettre de Barthélémy.

Je n'avais pas tenté de la rejoindre ni même de savoir ce qu'elle était devenue.

Le sens de son départ m'était apparu immédiatement : il n'était pas une fuite, mais une irrévocable séparation. Le destin avait parlé et je n'avais plus qu'à obéir.

Certes je souffrais, mais je ne goûtais guère à ma douleur. Je fus servi alors par une âme très sobre, qui se contentait de peu, chaque jour, et qui ne voyait pas le lendemain. Quant à ma douleur, elle se tenait dans une sorte de réserve sombre, qui m'inspirait de la méfiance, car je n'étais pas encore bien sûr de sa pureté. Il n'est que prudent, au moment de l'épreuve, de ne pas se juger, d'abord, avec trop de faveur. Mais sans doute avais-je tort de craindre un éclat, car au lieu de chercher une issue par la violence, ma douleur s'enfonçait en moi secrètement. C'était une douleur qui ne déchirait pas la chair, mais qui mordait bien à l'âme. Elle ne visait pas à me détruire, mais à trouver en moi un refuge sûr, où survivre au malheur qui m'avait frappé.

Les travaux des champs m'occupèrent bien. Je ne

m'y livrai pas avec cette ardeur insolite qui annonce plus de désespoir que de volonté. Je réglai mes tâches, non pas sur mes désirs mais sur les nécessités de la terre. Je me suis toujours bien trouvé d'accorder ma conduite aux exigences des saisons.

Les Alibert se tenaient silencieusement autour de moi. Le vieil Alibert restait calme. A peine si parfois un geste, ou un mot plus dur, décelaient sa méditation. Marthe s'efforçait d'être gaie, et si par moments sa gaîté sonnait un peu faux, elle s'en apercevait elle-même et son visage devenait soucieux. Jean respirait toujours la force et l'innocence, avec un je ne sais quoi d'étonné et de doux qui, dans ce grand corps loyal, révélait la prépondérance du cœur. Françoise se taisait.

Quand on eut abattu toutes les bornes, qui jusqu'alors avaient séparé Théotime de Clodius, le vieil Alibert alla les planter plus au nord pour marquer fermement nos nouvelles limites.

Les bornes se dressèrent au fond des ravins, dans les bois, à travers la solitude des collines, de Micolombe à La Font-de-l'Homme et plus loin jusqu'aux hautes futaies de Vieilleville. Elles touchaient partout à la forêt domaniale, et le vieil Alibert était content.

La Jassine fut aménagée. Les femmes l'ayant lavée, briquée, aérée, séchée vigoureusement, nous la blanchîmes au-dedans avec de grands laits de chaux. On remit en ordre les communs et on répara l'outillage agricole.

Puis on commença les labours. Il y fallut trois charrues, car cette année-là, je dus me donner entièrement au travail des champs, jusqu'à l'automne. Je pris à mon compte un grand attelage. Les premiers jours, le labour me fatigua, mais par la suite je m'y accoutumai assez bien. Il avait plu, le lendemain du 15 août. Le sol étant de bonne prise, nous nous mîmes tous à l'ouvrage.

On ne toucha pas aux terres novales de Clodius. Je leur laissai porter leurs herbes courtes et leurs petits taillis de ronces, où nichent les perdreaux. Mais nous attaquâmes avec force les terres grasses, argileuses qui, ombragées au nord par la ligne des bois, conservent plus facilement leur humidité.

Nous travaillâmes avec soin. Partout où passa la charrue, le sol fut ameubli profondément, mélangé, et ouvert à la pénétration de la lumière. Comme le soleil était fort, quelquefois, vers le soir, la terre fumait.

Là où elle n'a que peu de fonds, dans les quartiers sauvages, on réserva pour le bétail des espaces incultes, en pensant à l'hiver.

Pendant les labours les charrues travaillèrent bien et les bêtes furent bonnes et courageuses.

Les Alibert se firent un devoir de le dire, une fois ou deux, pour marquer leur satisfaction.

Ces travaux nous menèrent jusqu'aux premiers jours de septembre et c'est alors que Barthélémy m'écrivit.

Je me rappelle que, lorsque le facteur arriva, j'étais assis sous la treille de la métairie, en compagnie de Marthe et de Françoise. Elles préparaient notre nourriture ; car, à l'époque des labours, on mange, à midi, en pleins champs et, le matin, il faut emporter son repas, comme quand on part à la chasse.

Je reconnus l'écriture de Barthélémy mais j'eus la constance d'attendre jusqu'au soir et mon retour à Théotime pour lire ce qu'il m'écrivait.

Il avait reçu la visite de M. Rambout :

« ... C'est un homme instruit et courtois, me disait-il. Il a voulu visiter le jardin et nous sommes montés jusqu'à la ferme. S'il n'avait pas un peu effrayé les enfants, je l'aurais invité à déjeuner avec nous ; car il a jugé nos fruits avec compétence et n'a pas caché son admiration. En partant il a emporté un petit panier d'abricots-muscats... »

M. Rambout avait parlé ; il avait dit :

« Nous avons dû arrêter l'homme, c'était notre devoir. Mais, dans la nuit du samedi au dimanche (je n'étais plus là, naturellement), il a réussi à s'évader de la gendarmerie ; et on n'a pas pu le rejoindre... Cela vaut peut-être mieux... »

M. Rambout avait raconté tout le drame, et ses révélations, « faites pourtant avec délicatesse », avaient épouvanté Barthélémy :

« Pourquoi ne m'as-tu pas écrit ? Je serai accouru à ton secours... »

C'était là justement ce que j'avais craint.

Tout d'abord M. Rambout n'avait fait aucune allusion à Geneviève, et ce pauvre Barthélémy, quoique mourant d'inquiétude, n'avait pas cru prudent de le questionner. Mais M. Rambout, qui lit dans les âmes, avait conclu négligemment :

« Maintenant l'affaire est classée ; l'homme est parti Dieu sait où ; la femme a disparu (elle est d'ailleurs hors question) ; votre cousin, M. Pascal, va pouvoir consacrer tout son temps aux travaux de la terre, car il a une bien belle propriété... »

C'est dans sa propre carriole que Barthélémy avait accompagné M. Rambout jusqu'à la gare.

Et pour finir, il m'écrivait :

« Après les labours, viens nous voir ; et si jusque-là le temps te pèse, écris-moi, Pascal, et j'irai d'une traite chez toi, avec Marie et les enfants ; car je crois qu'il doit faire noir dans ton ménage ; et si le pain qu'on y mange y est toujours le pain, quand on se trouve tout seul à le manger, il paraît quelquefois bien amer... »

Juste après les labours j'allai passer quatre jours à Sancergues.

Ce furent quatre jours très doux. En arrivant je compris que Barthélémy avait une confidence à me faire, mais il hésitait. Nous montions chaque soir jusqu'à la ferme, dans les collines, près du canal d'arrosage, au beau milieu des pins d'Alep qui, brûlés par l'été, embaumaient la résine amère.

Les enfants nous accompagnaient. On arrosait le verger, un peu avant la nuit, et ensuite on dînait sous la tonnelle. L'eau qui descendait du canal irriguait les arbres fruitiers disposés dans des creux ou sur de petites terrasses. On mangeait paisiblement dans le demi-jour. L'odeur de l'eau, qui imbibait l'argile des rigoles, se mêlait au parfum des fruits mûrs et à des coulées d'air qui glissaient jusqu'à nous, à travers les arbres, depuis une gorge boisée pleine de plantes aromatiques. Quand Maria et les enfants s'étaient assis autour de la table, où fumait la soupe du soir, et que le saladier sentait l'huile fruitée, tous les visages devenaient heureux, et Barthélémy me regardait en souriant. J'admirais la paix de ces âmes et la pureté de la nourriture. Maria était une femme calme et laborieuse, faite pour les soins familiaux et l'amitié inaltérable d'un homme bon ; et je la trouvais encore jolie, quand, une corbeille sous le bras, elle cueillait des abricots dans le verger. Les enfants étaient heureux et sans turbulence. Pendant que nous étions à table, je ne pouvais m'empêcher quelquefois de les regarder avec un peu d'attendrissement. Ils avaient de si bonnes natures qu'ils perdaient contenance et levaient les yeux vers leur mère, tout en rougissant de confusion. Ils semblaient, comme leurs parents, nés pour vivre dans les jardins. Quand je pensais, en les voyant, à la dureté et à la force de mes terres, j'avais le regret que mon sang, en ses jours de jeunesse, n'eût pas pris au sang fraternel des Métidieu, dont eux étaient l'image grave et tendre, plus de facilité à vivre et d'aptitude à goûter le bonheur. Comme j'avais ce bonheur devant moi, je le désirais par moments avec une telle innocence que je me demandais si vraiment j'étais incapable d'être heureux. Sans doute ces sentiments purs se peignaient-ils sur mon visage, car je surprenais les enfants à me regarder, en cachette, avec des yeux tout à fait émerveillés. Et leur mère avait beau leur dire de se bien tenir devant moi, leur étonnement était tel qu'ils n'entendaient pas ses paroles de tendre reproche.

— Pascal, disait alors Barthélémy, tu nous manquais.

Et nous sentions bien que nous nous aimions, à cause du sang Métidieu.

Ce fut le jour de mon départ que Barthélémy me parla. Nous étions montés seuls jusqu'à la ferme et nous nous promenions, dans le verger. Je lui disais :

— Je reviendrai, Barthélémy. Ici, je suis bien.

Il fit deux pas et me répondit doucement :

— Nous n'avons peut-être pas le bonheur ; mais nous connaissons la tranquillité.

Le soir tombait. La journée avait été chaude ; mais l'eau du canal donnait un peu de fraîcheur au jardin.

Barthélémy me dit :

— J'ai revu Geneviève. Elle est aux Trinitaires de Marseille.

Je ne répondis rien.

Il m'apprit alors que son mari avait réussi à partir, à passer outre-mer, et qu'il la laissait libre.

— Mais elle a renoncé à tout, ajouta-t-il. Ce sont ses propres paroles.

Comme je me taisais toujours, il murmura :

— Elle te dit adieu. Voilà, Pascal, j'ai fait la commission.

Il était très ému. Nous fîmes encore quelques pas sous les arbres, puis nous rentrâmes au village, et je repartis, le lendemain, pour Puyloubiers.

De retour à Théotime, je repris mes herborisations, en attendant les vendanges. Je vécus quelque temps à part, à cause de ma peine et du besoin que j'éprouvais de purifier mon cœur d'un désir désormais inutile. Je ne voulais y parvenir que par le seul effort du travail de mon âme, sans recours porté du dehors ni intrusion, même amicale, dans un monde où remuaient encore tant de forces redoutables.

Ce que j'ai dit, ce que j'ai essayé alors, pour m'affranchir d'une passion dont j'avais le secret espoir de conserver pourtant la douceur épurée, nul ne le sait que moi, car je n'ai jamais fait à d'autre qu'à moi-même, de vraie confidence.

Mais à moi, j'en ai fait, car de moi j'avais grand besoin, alors. Beaucoup se sont perdues : nous ne retenons que des bribes de nos douleurs et de nos joies. Le peu que j'ai pu conserver, se trouve ici, dans les notes de ce *Journal* que je recopie fidèlement. Elles compléteront le récit que j'ai fait, avec toute la sincérité dont je suis capable. L'homme d'aujourd'hui doit se taire : il est à l'abri. C'est à l'homme d'hier de parler à son tour, car, lui, a dû marcher longtemps avant d'atteindre le refuge.

La terre m'a sauvé, et je suis resté attaché à la

terre. Mais la terre m'est douce, et je ne puis long-temps vivre loin d'elle. Je me suis appliqué aux travaux convenables pour qu'en sa saison le blé nourricier emplît mes granges jusqu'au toit.

J'ai semé, labouré, moissonné nu (je veux dire pur de souillures passionnelles) et j'ai achevé en leur temps tous les travaux du grain, de l'huile et de la vigne.

Cependant je ne voudrais pas qu'on vît, dans l'énumération de mes tâches obscures, l'orgueil de l'homme qui se sent désormais maître de soi. Je ne suis sûr de rien, sinon de ma bonne volonté.

6 septembre.

Ce matin j'ai herborisé. Je suis parti de très bonne heure, et j'ai exploré les terrains qui s'étagent sur les premières pentes des collines un peu au-dessus de La Font-de-l'Homme. Comme j'avais l'intention de passer la journée dehors, j'avais emporté des provisions, et j'ai déjeuné sous les chênes, dans un ravineau où coule une toute petite source. Elle ne tarit pas pendant l'été, mais ce n'est qu'un fil.

Je n'ai pas rapporté une grande récolte : deux achillées extrêmement amères et trois brins de fenouil du Portugal que j'ai découverts par hasard, très haut, sous une roche, dans un terrain mêlé de sable et de coquillages fossiles.

L'été a brûlé la montagne et les plantes y languissent. Quelques « chardons bénis » ont bien résisté, et ces clématites odorantes qu'on appelle ici « jasmin des ânes ».

Les collines m'ont paru tristes et le bois sec y grésillait sous la chaleur.

J'ai passé cependant une bonne journée.

J'ai fait lever quelques perdreaux et un lièvre, mais ils ne paraissaient pas effarouchés. Bien que la

chasse soit ouverte et qu'on entende, çà et là, cré-
piter des coups de feu, ce quartier n'est pas fré-
quenté par les chasseurs. Le souvenir de Clodius
agit encore et suffit à les écarter, même de la forêt
domaniale qui touche à nos bois, au levant et vers
le nord.

Je ne m'en plains pas, car j'aime les bêtes.

8 septembre.

Aujourd'hui : la nativité de la Vierge.

« *Ante colles ego parturiebar* », dit la liturgie de ce
jour : « J'étais enfantée avant les collines. » Et elle
ajoute, en faisant parler la Sagesse : «*Qui me invenerit
inveniet vitam.* » « Celui qui m'aura trouvée trouvera
la vie »... Quelle vie?...

Maintenant, moi, je vis tout seul.

Silencieux et serviables, les Alibert paraissent
puis disparaissent, et c'est à peine si nous nous par-
lons tant nos âmes sont devenues communicatives.

10 septembre.

Il fait encore très chaud. L'été s'enfonce dans
septembre avec ses grandes poussières, ses buées
du matin et, le soir, ses parfums immenses d'herbes
sèches, de pins, de rocailles brûlantes et de bois
calciné.

Il faut que je pense aux prochains travaux agricoles : le raisin est presque mûr.

12 septembre.

Genevet m'a envoyé un panier de pêches. Comment le remercier? Mes voisins se montrent peu,

384

mais manifestent toujours une bienveillance méritoire, si l'on pense à l'humeur sévère des Alibert et à ma sauvagerie.

Farfaille a ramené les trois moutons de Clodius : ils s'étaient égarés après l'accident.

Farfaille les avait recueillis sans en rien dire à personne.

Il les a bien nourris.

La laine leur est revenue, un peu. Ils ont quelque embonpoint et ne claudiquent presque plus.

Quand ils me voient, ils se serrent l'un contre l'autre, et attendent que je m'approche.

Dès que je m'éloigne, ils se mettent sur mes talons et me suivent silencieusement partout où je vais.

Cet attachement me trouble beaucoup.

13 septembre.

Chaque matin, Marthe et Françoise vont ouvrir toutes les portes et toutes les fenêtres de La Jassine. L'air y circule jusqu'à la tombée du jour. Alors on referme la maison, sauf les lucarnes des combles, qu'on laisse ouvertes même la nuit. Marthe prétend que jusqu'à la fin de septembre, les nuits sont douces aux vieilles maisons, et que l'aération nocturne, s'il ne pleut pas, a une bonne influence sur le mobilier.

Je ne vais que rarement à La Jassine. Mais elle est maintenant habitable. Il n'y manque que l'habitant. Tout y est prêt pour le recevoir : la table, la huche, la vaisselle. On a porté du bois dans le bûcher. Le peu de linge que l'on a trouvé a été mis en place, propre, plié, raccommodé, bourré de fleurs de lavande. Pour préparer les lits, il ne faut qu'un quart d'heure, et toutes les lampes sont garnies, mouchées, luisantes. Sauf la chambre de Clodius qu'on tient fermée (tel est mon désir), partout l'air de l'été a chauffé les murs et transporté de la lumière.

Pourtant la maison ne s'est pas livrée. On dirait qu'elle se méfie de nous. On a beau librement y pénétrer et aller des caves aux mansardes, il semble qu'on y soit toujours en visite. On ne la possède pas, on la parcourt. Elle vit, cependant, mais ne confie point son secret.

Je ne sais si elle nous est hostile. Peut-être attend-elle de nous une marque singulière de bienveillance, ou, plus profondément, quelque mystérieuse preuve de nos droits de domination.

Cette réserve, tout le monde la sent. Marthe m'a dit :

— On y est gêné, monsieur Pascal. Même quand on travaille. Et je n'aimerais pas y dormir.

Pourtant Marthe sait bien (c'est notre accord) que, le jour où Jean se mariera, je le logerai à La Jassine avec sa femme.

Jean ne dit rien pour le moment. Il travaille dans l'ombre de son père.

15 septembre.

Je ne demeure guère au mas. Le soir, j'y mange ; car, dans la journée, quand je le peux, je déjeune en plein air.

J'ai fait réparer la porte de communication du grenier aux plantes et j'ai moi-même recloué par-dessus le battant la tapisserie aux colombes.

J'ai eu assez de force pour chasser les visages qui commençaient à hanter cette pièce, si utile à mes études. Aussi ai-je pu y revenir et y travailler.

Je ne prétends pas que j'y sois toujours calme,

car je n'ai pu dissiper ces fantômes qu'en les contraignant à rentrer en moi. Ils y manifestent quelquefois leur présence.

Je ne crois pas que Geneviève reste longtemps aux Trinitaires de Marseille. Après un temps de repos, elle reprendra son pauvre voyage sur la terre.

Généralement je dors bien ; il y a des nuits cependant où tout mon sommeil m'abandonne. Alors je me sens seul. Mais je ne pense à rien, et j'attends, sans fermer les yeux, le lever du jour.

17 septembre.

Le curé de Puyloubiers, M. Janselme, est venu me voir cet après-midi. Il m'a paru un peu vieilli, mais il est toujours d'un commerce agréable. Sans doute avait-il quelque demande à m'adresser, car je l'ai trouvé moins naturel que de coutume.

Comme de juste nous nous sommes entretenus d'abord de la saison, puis des récoltes. C'est lui qui le premier m'a parlé des vendanges ; et il m'a cité un proverbe :

Pour Notre-Dame-de-Septembre
Tes grappes de raisin, tu les pends dans ta chambre.

Il fait son vin lui-même (à peine une barrique), et il prend grand soin de sa vigne, qui est petite mais bien exposée au soleil, près de la cure.

J'ai été content de le voir. Il vient rarement à Théotime, car Théotime est loin du village, les chemins sont mauvais, et ses jambes à lui déjà bien vieilles.

Il m'a dit :

— Mon arrière-grand-père maternel, Adrien

387

Canneberge, était, comme vous, natif de Sancergues...

On a retrouvé des cousins et, je ne sais comment, on a parlé de Barthélémy. L'abbé le connaît, paraît-il, ce que j'ignorais. Il m'en a fait l'éloge.

Avant qu'il s'en allât, je lui ai offert des fruits. Il a accepté une pêche qu'il a fourrée dans sa soutane, et il a bu un verre d'eau à la source.

Je l'ai accompagné un bout de chemin. Tout en marchant, il s'est mis à parler des Rogations qui se célébraient jadis dans les villages cinq semaines après Pâques. La procession partait à travers la campagne. Le curé portait une étole et une chape violettes. Il était accompagné de deux chantres en surplis empesé et d'un clergeon. Les autres venaient par-derrière. Quand on rencontrait une croix dans les champs (car alors on dressait des croix au bord des chemins), on y faisait une station pour bénir la terre.

— Seigneur, à la couronne de l'année votre bénédiction et votre bienveillance, disaient les chantres.

Et tout le monde répondait :

— De leur fécondité, que nos champs regorgent !

Après quoi le prêtre aspergeait d'eau bénite les quatre points cardinaux, d'où viennent les nuages et les vents.

L'abbé m'a dit :

— La procession montait là-haut jusqu'à Saint-Jean, à travers toute la colline, car alors Saint-Jean était honoré, je ne sais trop pourquoi, comme le protecteur des eaux souterraines et des sources. Et vous savez que toute vie nous vient des sources. C'est donc là qu'on disait la messe, le mardi à dix heures du matin ; et on y lisait un bien bel Évangile. Vous le connaissez sans doute : « *Petite et dabitur...* Demandez et on vous donnera, cherchez et vous trouverez, frappez à la porte et on vous ouvrira... *Pulsate et aperietur vobis*... »

L'abbé a soupiré, puis il a ajouté tristement :

— Tout cela a disparu. Plus personne ne monte à Saint-Jean, aujourd'hui. Pas même moi qui le devrais, en somme...

Je lui ai dit :

— J'y monte quelquefois.

Il a hoché la tête.

— Mais le toit? m'a-t-il demandé, comment tient-il, le toit?

— Mal, ai-je répondu, très mal. La poutre maîtresse est à moitié pourrie, et il manque passablement de tuiles. Tout cela peut tomber d'un moment à l'autre : un coup de vent, ou un peu trop de neige, en décembre...

L'abbé a soupiré plus fort :

— Il faudra que j'y aille, un jour, avant l'hiver. Si le cœur vous en dit, monsieur Pascal...

J'ai accepté, mais j'ai éprouvé aussitôt un sentiment confus, qui tenait du désir et du remords, puis j'ai pensé à Geneviève...

L'abbé m'a regardé et il a souri amicalement :

— Nous nous reverrons d'ici-là, sans doute.

Je l'ai prié de revenir. Il a bougonné quelque chose, et, comme je l'entendais mal, je lui ai demandé ce qu'il voulait dire :

— Rien, rien, a-t-il murmuré, un peu plus fort. Je me rappelais ce bel Évangile : *El pulsanti aperietur*. A mon âge, on rabâche... Mais ce sont là tout de même de belles paroles! *Et on ouvrira à qui frappe*... Certainement!... Quelquefois cependant, monsieur Pascal, on ne pense pas à frapper, et la porte s'ouvre tout de même. Quelqu'un a demandé pour nous, à notre insu. Cela se voit! Et l'on est tout étonné de cette lumière du ciel qui nous illumine brusquement...

C'est tout ce qu'il m'a dit.

Puis il s'en est allé du côté du village, sans m'avoir éclairé sur la raison de sa visite.

30 septembre.

Les vendanges sont terminées.

A la Saint-Cyprien, on a soufré les tonnes, nettoyé le pressoir, lavé les cuves. Et on est entré dans les vignes, une semaine après, en avance sur la saison ; car le raisin, à cause des chaleurs de septembre, a été, cette année, étrangement précoce.

On a vendangé en silence. Les vendanges, chez nous, restent toujours austères ; et d'ailleurs trop de souvenirs douloureux nous prenaient au cœur pour que nous eussions, cette fois, le goût du plaisir.

Néanmoins on se sentait forts ; car le raisin a été bon, dur, quoique peu abondant ; mais il donnera un vin noble.

A voir la grappe aussi serrée qui sentait déjà le miel et l'alcool, nous avions une grande idée de la puissance de cette terre Théotime, et cela, par moments, en allégeant ma peine, me consolait. J'ai montré aux vendanges autant de courage qu'aux labours.

Les Genevet et les Farfaille nous ont aidés comme tous les ans. Les deux nièces de Genevet, venues de Comberelles, ont donné aussi un bon coup de main.

Nous étions onze dans la vigne. J'ai toujours travaillé entre Françoise et Marthe. Quelquefois, en levant la tête, je regardais toute l'étendue du vignoble et j'étais secrètement heureux qu'il fût à moi.

390

L'une des nièces de Genevet est une fille grande et presque aussi belle que Françoise. Elle s'appelle Catherine Clastre. Elle m'a paru plaire aux Alibert. On l'avait placée au travail entre Jean et sa mère. C'est une créature calme, qui montre du cœur à l'ouvrage, se tait à table et, quand on lui parle, rougit, mais ne baisse pas les yeux. Je l'ai appréciée.

2 octobre.

Il y a juste un mois que j'étais chez Barthélémy à Sancergues.

Il m'a écrit. Il parle des enfants, de Maria et de l'eau du canal qui a baissé ; car en amont, au bief, la rivière est tombée très bas au-dessous de l'étiage. Il n'a pas plu depuis longtemps, paraît-il, sur les Alpes ; et, dans l'immense lit de la rivière brûlé par la chaleur, on voit maintenant se former, entre les oseraies, des plages de cailloux ou de vase blanchie que la chaleur fendille et qui luisent comme du sel sous le soleil.

Barthélémy me demande des nouvelles des vendanges et m'invite à revenir, avant la fin de l'automne, à Sancergues.

Il termine en disant :

« J'ai fait désherber ton jardin et poser quelques tuiles à la toiture. Pour ce qui est de la maison de Geneviève, qui maintenant t'appartient, je n'ai rien osé entreprendre sans tes ordres. Mais les ronces y poussent si fort qu'on ne peut plus guère y circuler, tant les allées sont obstruées par toute cette broussaille d'épineux... »

Bien qu'il fasse encore chaud, l'été décline. Déjà la lumière est plus basse, elle se charge de couleurs, surtout le matin et le soir, quand l'humidité de la nuit a purifié l'air et imprégné les terres.

De temps à autre j'herborise. Quand on se penche sur le sol, on sent déjà l'approche de l'automne. L'odeur des cailloux et de l'argile n'est plus la même qu'en août, ou qu'en juillet, alors que les racines brûlent et que les silex sont ardents. Maintenant la vie se défait dans les profondeurs de la terre.

La racine séchée faiblit et les aliments souterrains ne montent plus jusqu'à la pointe des feuilles qui bientôt vont commencer à devenir friables.

Rien n'a bougé encore, ni la forme ni la couleur des végétaux, mais une sourde lassitude alourdit la vie des campagnes ; et, à mesure qu'elles s'abandonnent, le charme des prés et des vignes devient plus sensible.

Je tiens à ces variations du ciel, des eaux et de la terre par des liens mystérieux. Les mouvements qui les transforment me transforment aussi. Au ralentissement de mon sang alourdi par les fatigues de l'été, qui active ses fièvres, je pense que déjà s'accorde une langueur dans la sève des bois encore chauds.

Ainsi tout se tient en ce petit monde des campagnes ; et c'est avec mon cœur que bat le cœur de la terre, suivant les hauts et les bas de l'année, le point saisonnier du soleil quand il se lève sur les crêtes, et la position des astres nocturnes.

Mais lui-même à quel cœur tient-il, et autour de quel axe inaccessible tournent ces prés, ces bois et ces collines, sous les vieilles constellations.

Cette nuit, je suis seul dans mon grenier ; et, tout en classant quelques plantes, je pense à l'ermitage de Saint-Jean, dans la solitude des collines ; à Saint-Jean dont le cœur et la croix disparaîtront, si je ne fais, avant l'hiver, étayer les murs de la chapelle.

Pourquoi ce cœur et cette croix plantée au milieu de l'image, dans cette pauvre église de montagne consacrée à l'Ami de Dieu ?

Ni le cœur ni la croix ne bougent, comme s'ils se tenaient au centre invisible du monde.

Ils ne bougent pas plus que, devant moi, sur le mur sombre de mon grenier, le même cœur, la même croix, que je vois se former entre les deux colombes, quand je lève les yeux de mon travail, pour les délasser.

6 octobre.

Nous avons commencé les semailles en travaillant chez Clodius.

J'ai voulu qu'on inaugurât la saison séminale, cette année, sur les tenants de La Jassine, en hommage à la mémoire de mon cousin mort, qui m'a légué son bien, et aussi par bonne amitié pour ces vieux terrains agricoles, qui étaient au repos depuis vingt ou trente ans.

Nous avons choisi un sol de bruyère que la charrue avait largement défoncé et ameubli. Ce terreau riche et noir, composé de débris de végétaux et d'humus friable, retourné par le soc, nous a paru propre à la fermentation.

Ni trop gras ni trop tendre, et déjà naturellement bien fumé.

Nous y avons semé des avoines d'automne, de l'orge, du millet.

C'est moi qui ai voulu jeter le premier grain.

Je me suis avancé tout seul dans le labour. Les quatre Alibert se tenaient derrière moi. J'étais un peu ému ; car en passant du sol intact, qui est resté dur, dans ce terreau si meuble, mon pied s'est enfoncé jusqu'à la cheville, et j'ai failli perdre l'équilibre.

Mais, au lieu de la retirer, j'ai enfoncé mon pied encore davantage, jusqu'à ce que j'aie pu écraser par-dessous assez de terre pour me faire un point d'appui sûr. Alors j'ai repris mon aplomb et j'ai jeté ma première poignée de grains. Puis j'ai avancé dans le sillon, et les deux hommes sont entrés dans le champ, derrière moi, pour l'ensemencer.

8 octobre.

On continue les semailles : épeautre, blé rouge d'automne, miracle, seigle. Tout va bien.

Il y a juste trente jours que Geneviève est partie. Les Alibert qui s'étaient tus pendant un mois, se sont rapprochés. Ils parlent un peu.

On a déjà hersé de grandes étendues. Le temps se maintient au beau.

9 octobre.

Françoise, ce matin, m'a arrêté. Je traversai l'olivette, quand je l'ai aperçue, debout sous les arbres, un panier à la main.

Elle m'a vu venir et n'a pas bougé. Je lui ai dit :

— Que fais-tu là ?

Elle m'a répondu :

— Je vous attendais. Jean a aperçu dans le village, hier soir, votre cousin Barthélémy. Il sortait de la cure.

— Hier soir ?

— Hier soir, juste à la nuit. Le curé l'a accompagné jusqu'à la gare. Voilà. Adieu...

Elle a fait mine de s'éloigner. Je lui ai dit :

— Où vas-tu ? Reste avec moi encore un moment.

Elle a souri un peu, d'un air contraint, triste :

— Il y a de l'ouvrage, monsieur Pascal...

Je l'ai prise par le bras et je l'ai emmenée.

— Viens, une fois n'est pas coutume. Je vais te montrer Vieilleville.

Elle a eu l'air étonné.

— Tu ne connais pas Vieilleville ?

Elle a secoué la tête. Alors je lui ai lâché le bras, mais elle m'a suivi docilement.

Tout en marchant, je la regardais. Nous nous taisions. On ne voyait personne sur les terres. Alibert et son fils travaillaient dans un creux, derrière Les Bornes, et Marthe était restée à la maison.

Il était huit heures, quand nous sommes arrivés à Vieilleville, par la lisière sud.

Les oiseaux se taisaient. Après avoir fait quelques pas sous les arbres, je me suis retourné vers Françoise, et je lui ai demandé un peu rudement :

— Tu aimes ça ?

Elle a paru troublée.

— C'est si calme, m'a-t-elle répondu.

Un ramier s'est mis à chanter, tout seul, non loin de là, sur un peuplier. Nous l'avons écouté pendant un moment, puis nous sommes sortis du bois, pour retourner à notre travail.

10 octobre.

Jean a dû se tromper. Ce n'est pas Barthélémy qu'il a aperçu. Il est tout à fait impossible que Barthélémy soit venu à Puyloubiers sans s'arrêter chez moi, à Théotime. Et cette visite chez l'abbé Janselme? Plus je réfléchis, moins je comprends.

11 octobre.

J'ai revu Françoise. Elle se rapproche de moi, et montre une amitié un peu plus communicative. Quelquefois elle me parle. Elle ne me dit rien que d'ordinaire, mais sa voix devient tout à coup un peu rauque. Il semble qu'elle ne puisse plus parler des riens de notre vie habituelle, sans une émotion sourde, qu'elle contient, et qui cependant monte à sa gorge. Mais son visage reste calme et grave comme toujours.

12 octobre.

Le temps va bientôt changer. Du côté des Alpes, parfois un nuage se lève, lointain, volumineux. Il reste longtemps immobile et chaque jour il grandit un peu, au bord du ciel.

Déjà les troupeaux ont quitté les alpages. La nouvelle en est arrivée hier soir à Théotime. J'ai six cents bêtes, depuis ce printemps, dans les hautes vallées.

Ce matin nous avons préparé les étables pour leur retour. Je suis monté hier à La Font-de-l'Homme. Les bâtiments y sont en très bon état, on a porté du foin dans les soupentes et entassé beaucoup de paille fraîche, en grosses balles bien serrées, jusqu'au toit de la bergerie.

Déjà les feuilles des noyers tombent dans l'auge de la source que Jean a nettoyée avec un grand soin devant moi pour que l'eau y reste limpide. Car les bêtes aiment l'eau pure.

J'irai attendre le troupeau au col de Bormes. Arnaviel, mon berger, prend, dès Canneval, par les « carraires », car c'est un vieux qui n'aime pas les routes ; et si le sentier est plus rude, il est aussi plus court, et encore assez herbeux.

Ce ne sont, il est vrai, qu'herbes dures et sèches : cytises, thyms, aspics, lavandiers et chardons gris, sur ces plateaux pierreux qu'a grillés l'été. Mais Arnaviel, depuis trente ans qu'il conduit les troupeaux vers les Alpes, n'a jamais pris d'autre chemin, à son retour.

Il aime les lieux sauvages, les hauteurs. Il est dans sa nature de hanter volontiers les crêtes des collines. Comme on y rencontre parfois de vieilles cabanes de pierre, il en profite pour s'y abriter, et rester ainsi sur les Hauts le plus longtemps possible, quand il pâture, à la bonne saison, avec toutes ses bêtes, le long des plateaux de Peyreloubes.

Ce sont là des parcours depuis longtemps abandonnés, car on ne trouve plus, au village, de pâtres qui se plaisent à la solitude, et n'était Arnaviel, pourtant déjà vieux, on ne verrait plus un mouton, ni un chien, ni une âme humaine sur ces étendues solitaires où passe le vent.

13 octobre.

Ce matin, en m'éveillant, j'ai senti que la bonne saison allait finir. Aussi ai-je voulu profiter de cette journée pour herboriser encore une fois, avant les premières pluies.

J'ai quitté Théotime au point du jour et je suis arrivée à La Font-de-l'Homme, quand le vallon où s'abrite la bergerie sommeillait encore dans l'ombre. L'air y était resté bleuâtre, et l'humidité de la nuit mouillait les genévriers et les houx épineux.

Le sentier est feutré de rames de pin : je ne faisais pas le moindre bruit...

Une bête buvait dans l'auge de la source. Elle ne m'avait pas entendu venir, et se désaltérait avec confiance. C'était une espèce de cabri au poil roux, tacheté de lunules blanches. Les pattes de devant dressées sur la margelle, le col tendu, d'un museau délicat, elle buvait en humant l'eau pure, cependant que ses grandes oreilles, le pavillon tourné en arrière, écoutaient craintivement.

L'animal ne s'est pas aperçu de ma présence. Après avoir calmé sa soif, il s'est ébroué une fois ou deux, puis il est reparti à petits pas, à travers les cailloux, sur une pente couverte de ronces épaisses, où je l'ai perdu de vue.

C'est la première fois que je rencontre cette sorte de bête gracieuse, et personne, à ma connaissance, n'en a vu de pareille dans nos collines. Il est vrai que les hauts de la montagne sont vastes et mal explorés, même des chasseurs qui préfèrent promener leurs guêtres de cuir, à mi-côte, dans les guérets faciles, où ils tirent le gibier habituel, lapins, perdreaux, à peu de frais, et sans grande fatigue pour leurs jambes.

Cette rencontre m'a ému. J'en ai oublié mes projets d'herborisation, et, charmé par la vision de cette bête matinale, je suis allé m'installer sous un arbre, à quelques mètres de la bergerie. Il y faisait si bon, l'air y était resté si frais que je me suis allongé par terre, à l'abri d'une touffe de genêt. Et aussitôt j'ai attendu...

Je ne sais pas d'où m'est venu ce sentiment d'attente, si violent, et que rien ne m'avait annoncé.

Peut-être y fus-je disposé par la présence de cette touffe de genêt énorme, qui me cachait si bien qu'elle a pu me donner l'envie d'épier...

Quoi qu'il en soit, à peine allongé sur le sol, les coudes dans le thym, la tête dans l'herbe odorante j'ai senti l'esprit de l'affût souffler sur moi. Je me suis mis à surveiller les abords de la bergerie, tout en examinant, avec une légère angoisse, la calme profondeur du petit vallon boisé.

Pendant longtemps rien n'a bougé. J'ai fini par penser que mon attente serait vaine et j'allais sortir de ma cache, lorsque j'ai entendu des pas dans le sentier qui vient de Micolombe et qui monte à Saint-Jean. « Alibert ou son fils », ai-je pensé. Mais ce n'était ni l'un ni l'autre. C'était Françoise.

Elle avait dû marcher très vite, car elle paraissait essoufflée.

Elle s'est arrêtée un moment devant la source pour s'y reposer.

Puis elle s'est levée, mais au lieu de se diriger vers la bergerie, comme je m'y attendais, elle a pris le chemin de l'ermitage.

Je suis sorti de ma cachette et je l'ai suivie de loin.

Je l'ai vue entrer dans la chapelle. Elle connaissait mal les lieux, car, trouvant la porte fermée, elle a fait le tour de la bâtisse. Elle a fini par découvrir la sacristie d'où, en poussant un volet bas, on peut pénétrer dans l'ermitage.

Je m'y suis glissé derrière elle.

D'abord elle s'est arrêtée devant le maître-autel. Comme il faisait assez sombre sous les voûtes, elle a paru un peu désorientée.

Elle est allée du côté de la porte, a regardé les bénitiers et le chemin de croix, curieusement.

Elle n'était jamais venue dans la chapelle, car elle

montrait bien clairement que tout lui paraissait nouveau, extraordinaire.

Soudain son regard s'est fixé sur le mur de l'abside.

Elle s'est arrêtée au milieu de l'église. Je la voyais bien alors, car je me trouvais en face d'elle, et j'ai compris aussitôt qu'elle avait peur.

Elle avait découvert le cœur et la croix.

Sur la pointe des pieds je suis parti, pour redescendre à La Font-de-l'Homme.

Elle y est repassée un quart d'heure plus tard.

Quand elle m'a aperçu devant la bergerie, elle est devenue très pâle.

Je lui ai dit :

— Qu'es-tu allée faire là-haut, Françoise ?

Elle ne m'a pas répondu. Je l'ai prise par la main et je l'ai obligée à s'asseoir sur le banc de la bergerie. Mais toutes mes questions ont été inutiles.

— C'est mon droit de me promener, affirmait-elle faiblement.

A la fin je l'ai laissée partir, puis j'ai herborisé jusqu'au soir, sans ardeur.

14 octobre.

Cette nuit, un orage violent a éclaté. Les nuages ont paru à l'ouest, vers quatre heures de l'après-midi, et se sont étendus sur nous avec une extraordinaire rapidité. Ils étaient lourds, bas.

A la nuit il tonnait sur les combes de Haute-Jasse, à dix kilomètres d'ici, et l'on voyait de longs éclairs balayer les crêtes vers Sylveréal.

La pluie s'est abattue brusquement à onze heures. L'eau drue tombait par colonnes épaisses et le crépitement de ses milliers de doigts durs sur le toit faisait sauter toutes les tuiles qui cliquetaient. Les éclairs illuminaient les abords de Théotime et les aires flamboyaient continuellement. La foudre est tombée sur un peuplier mort, à cent mètres à peine du mas, l'a fendu de haut en bas, d'un seul coup. Il a brûlé.

Ce matin, à cinq heures, il tonnait encore ; mais il ne pleuvait plus.

Malgré la violence de la pluie et les rafales, les terres n'ont pas souffert.

De grandes flaques luisent çà et là dans l'argile trempée, au milieu des champs, et l'eau de la source est boueuse.

Le vent souffle toujours du sud et de nouveaux nuages passent rapidement sur la ligne du ciel orageux.

Ils se hâtent vers les plateaux, tout fumants de vapeurs colossales, où l'on entend gronder, derrière l'œil terrible et noir d'une nuée, un tonnerre qui parle haut, qui se plaint et menace les terres avec une colère majestueuse. Elle se répand et s'enfonce aux échos des ravins, en roulements répercutés de falaise en falaise qui vont se perdre dans la profondeur des combes.

Le facteur, le dos arrondi sous sa pèlerine de laine bleue, vient vers le mas : je le vois par la lucarne du grenier qui marche à grands pas, d'un air inquiet, en regardant vers les collines.

Il doit apporter une lettre de Barthélémy.

15 octobre.

C'était en effet une lettre de Barthélémy.

Il ne m'y parle pas de ce voyage qu'il aurait fait ici, à Puyloubiers. Cependant, j'ai interrogé moi-même Jean Alibert qui reste affirmatif : il a vu Barthélémy de ses yeux.

Jean m'a fait part aussi d'une rumeur qui court dans le village. M. Janselme, le curé, aurait convoqué, ce soir-là, au presbytère, Flavien Pérot, le maçon du pays, et ils auraient conciliabulé. Naturellement on s'est jeté sur Flavien ; mais Flavien a déçu les curieux ; et sa femme elle-même n'en a rien pu tirer, à son grand étonnement.

Dans sa lettre, Barthélémy parle un peu de tout : l'eau a remonté au canal ; il y en a même trop maintenant. C'est naturel. En *post-scriptum* ceci :

« Je sais que tu as bien vendu ton blé et produit un vin solide que tu placeras facilement. Tant mieux. Tu le mérites bien. Et puis ça te fait du disponible. Il y a de bons placements, et il y en a de mauvais, certes. Tu verras toi-même. »

De la part de Barthélémy de tels propos sont tout à fait extraordinaires. J'entends cela pour la première fois. Jamais il n'a soulevé de questions d'argent. Que peut-il bien avoir en tête ?

Je lui ai répondu :

« Viens passer quelques jours à la maison avec Maria et les enfants. Les troupeaux ne sont plus très loin et vous assisterez à la rentrée des Alpes. Chez Clodius on n'a pas épargné sa peine et je crois que tu seras content, quand tu verras notre travail. Certes on n'a pas tout labouré, mais ce qu'on a retourné, à grands coups de soc, finalement n'est pas aussi mauvais qu'on le craignait d'abord. Il y aura du blé, de l'avoine, du seigle. Mais je voudrais planter aussi un verger sur la terre de Clodius. Je crois avoir trouvé un joli coin, à l'abri d'une petite falaise, bien au midi, avec un peu d'eau, dans un grand pesquié. Là, j'ai besoin de tes conseils. Tu es compétent.

« Arrive donc, Barthélémy, Théotime n'est pas aussi agréable que Sancergues, mais vous y verrez tout de même de grands arbres, une bonne source, et je te conduirai chez Genevet, mon voisin, qui aime, comme toi, la pêche, l'abricot, la prune et la poire : vous vous comprendrez. D'ailleurs c'est un homme bon... »

Ce matin, il m'a semblé que le vieil Alibert avait quelque chose à me dire ; cependant il n'a pas parlé. Mais je commence à le connaître un peu, et je comprends quelques-uns de ses silences. Il a plusieurs façons de se taire, qui couvrent toutes des paroles intérieures. Car il est plein de paroles intérieures, et sa vie taciturne est une continuelle méditation dont il ne fait confidence à personne. Mais par ses actes, ou quelques allusions inévitables, on en devine la nature, sinon le contenu profond, qui reste inaccessible.

Il m'a dit simplement.

— Jean Alibert est devenu un grand garçon.

On parlait des travaux qu'on ferait pendant l'hiver. Cette phrase est sortie péniblement de la bouche du vieil Alibert, et sans raison ; car elle n'avait pas de lien avec ce que je venais d'expliquer.

Le ton en était sourd. J'ai bien compris qu'il fallait sous-entendre une arrière-pensée. Mais le vieil Alibert est resté ferme sur sa réticence et je me suis bien gardé de lui poser la moindre question. Je vais attendre.

Octobre.

Barthélémy ne répond pas.

Les troupeaux se trouvaient, hier soir, à huit lieues de Canneval. Demain je monterai au col de

Bormes. J'ai hâte de revoir Arnaviel, les chiens, les bêtes.

Il a encore tonné et plu à verse, cette nuit. Maintenant il vente, tantôt du sud, tantôt de l'ouest, par rafales courtes.

Des trouées de clarté, des bancs de nuages, et un grand mouvement de vents, dans le ciel variable, tourmenté. Çà et là des coups de pluie : une trombe d'eau, puis le soleil. C'est bien l'automne, cette fois.

On raconte au village (Françoise me l'a rapporté), que Flavien Pérot va travailler pour l'abbé Janselme. Mais comme la cure est en bon état, on se demande où le curé va employer Flavien.

Mille suppositions, et rien de sûr. Le secret semble bien gardé, jusqu'à maintenant.

27 octobre. *Voyage au col de Bormes.*

Je suis parti samedi, de très bon matin, tout seul, à pied, pour le col de Bormes. Il faut compter six bonnes heures de chemin.

J'ai visité rapidement les bergeries. Il faisait à peine jour, mais le jeune Alibert travaillait déjà à La Font-de-l'Homme. Il y avait couché.

J'ai pris le raidillon qui, par Saint-Jean, rejoint la « carraire » sur le plateau de Gardioles. Il grimpe dur, mais on gagne du temps.

Près de Saint-Jean, j'ai rencontré Flavien Pérot, le maçon. Il a paru gêné. Je lui ai dit : « Où vas-tu si matin ? » Comme il n'avait pas son fusil, il m'a répondu : « Aux champignons. » C'était plausible, mais je ne l'ai pas cru. J'ai donc fait mine de m'éloigner et je suis allé me poster derrière un rocher, à cinquante mètres de là.

Flavien n'a pas tardé à paraître. Il a examiné avec soin les alentours, car visiblement il tenait à être seul. Comme il ne m'a pas découvert, j'ai pu épier tout à mon aise.

D'abord il a fait le tour de l'ermitage, tâtant les murs, décroûtant un plâtras, sondant une lézarde. Ensuite il est entré dans la chapelle et, au bout d'un moment, il a surgi à la fenêtre du clocher. De là il s'est avancé sur le toit, il s'est baissé, il a touché les tuiles et pris quelques mesures avec son mètre pliant. Après quoi il s'est retiré et je l'ai vu qui s'en allait vers le village.

Maintenant nul doute : c'est à la restauration de Saint-Jean que va l'employer l'abbé Janselme. Mais que vient faire Barthélémy dans cette entreprise pieuse ?

Après l'ermitage, le raidillon part à travers les boqueteaux de myrtes et, par lacets rapides, il escalade le flanc méridional du Puyreloubes. Il est bon de le gravir tôt le matin, car il baigne encore dans l'ombre, et ainsi on n'a pas à souffrir du soleil, encore chaud, en cette saison.

Après la pluie, ces rocailles poreuses, où s'accrochent les plantes courtes, élèvent dans l'air matinal, tout frais de la nuit, une puissante odeur de lavande, de thym et de genièvre. L'évaporation des terrains, où coule un peu d'argile rouge, ne trouble pas la pureté de cet air naturellement limpide et vif.

Juste sous le plateau se dresse une muraille à pic, trouée de vieux nids d'aigles, où s'accrochent, tordus par la brise d'hiver, quelques chênes nains.

Je me suis reposé un moment sous cette falaise roussâtre. De là-haut, on découvre tout le pays.

Au milieu des chênes, plus bas, à trois cents mètres, l'ermitage de Saint-Jean, serré autour de son clocher trapu dont les pierres dorées, le toit rustique, émergent à peine du feuillage sombre. Plus bas encore, et à main gauche, le ravin de La Font-de-L'Homme, où la grande bergerie s'adosse au rocher. Dans une vaste dépression qui creuse la colline, le bois mystérieux de Vieilleville, sur lequel quelques pointes de peupliers commencent à jaunir. Au-delà les guérets, l'olivette plus claire et les champs de labours, grandes pièces rectangulaires étendues sur de petits mamelons bruns et doux. La Jassine invisible sous ses arbres, et Théotime qu'on devine à sa masse bleuâtre, puis la métairie calme, Genevet, Farfaille, la route. Enfin, là-bas, les premières fumées de Puyloubiers, fils légers, fragiles, qui montent tout droit dans l'air paisible du matin, hésitent, puis s'évanouissent très haut. Au-delà la vallée au jour levant qui s'illumine, de proche en proche. Déjà on y brûle des herbes. Il fait doux. Une grive chante, dans le ravin, et des perdreaux traversent sans me voir, en sautillant, une petite clairière entre les myrtes. A l'ouest, posé sur sa butte, on voit le cube blanc de Micolombe, avec son toit à quatre pentes et la pinède où nichent des ramiers et des palombes bleues.

Mon cœur est tranquille. J'écoute. Des chiens aboient dans la campagne, et des coqs se répondent orgueilleusement de loin en loin, dans les fermes solitaires.

Au-dessus de moi, un grand oiseau roux s'est élevé du flanc de la falaise.

Il se laisse glisser plus bas, et, pendant un moment, le cou rentré dans les épaules, ses ailes fauves étendues, il plane. Puis, en décrivant lentement de grands cercles, il descend peu à peu sur l'ermitage encore enseveli dans une ombre bleuâtre, et je le perds de vue.

Tout se tait. Je reprends le chemin du plateau.

J'aime le plateau des Gardioles où l'on rencontre quelquefois des lièvres, quand on arrive tôt le matin et qu'on ne fait pas de bruit.

Des halliers de buis et de houx épineux, entre lesquels s'ouvrent de grands espaces libres, coupent le terrain où s'effritent de petits cailloux secs qui sentent le soufre et la pierre à fusil. Là poussent ces beaux plants d'hysope et de génépi qu'on cueille en été.

Je suis arrivé sur les hauts quand déjà le soleil rasait la grande dalle du plateau désert. Tout vibrait : l'air, les pas sur le sol, les plantes, la lumière jeune.

J'ai marché vers l'est jusqu'aux environs de midi.

Je me suis arrêté sous un cèdre pour déjeuner. Déjà assez haut, le feuillage bleu, et couvert de quenouilles dures. Il a poussé là, isolé ; car les cèdres sont rares sur ce plateau. Beaucoup plus loin, derrière une combe profonde, sur un autre plateau, celui d'Escal, du côté du levant, il y a près d'un demi-siècle, on en a planté tout un bois qui a prospéré. Sans doute le vent d'est a-t-il apporté une graine.

J'ai mangé de bon appétit et me suis reposé jusqu'à deux heures, car il faisait chaud. Après quoi j'ai repris le chemin du col, et j'ai un peu herborisé. Je n'étais pas pressé d'arriver à Bormes. J'avais calculé en effet qu'Arnaviel et ses bêtes, partis au point du jour de Canneval, n'atteindraient pas le col avant cinq heures de l'après-midi.

J'ai erré, en cueillant des plantes, heureux d'être tout seul. Car on n'est vraiment seul qu'en haut. Ce goût de la hauteur semble plus vif chez moi que l'amour de l'abri et du toit familier dans la plaine villageoise.

Pourtant j'aime Théotime ; mais Théotime tient déjà à la montagne, par les racines, par les eaux, par la pierre dont on a bâti ses murailles. Théotime est un poste avancé des collines, et le lieu de rencontre où s'équilibrent à leur sauvagerie l'aménité des premiers jardins et la forme des premiers blés.

Son génie est aussi pastoral qu'agricole ; et s'il a sa grandeur céréale au midi, par contre, vers le nord, ce sont ses bergers et ses bêtes qui, durant six mois de l'année, hantent les plateaux.

Je suis arrivé au col à quatre heures. Là se dresse une hutte de pierre. A l'intérieur un lit de paille fraîche. Une murette circulaire forme un vaste enclos où l'on parque les moutons.

Avant le col, en contrebas, coule une source où l'on a creusé dans le roc un abreuvoir. La source débite peu d'eau, mais elle est extrêmement pure et toute parfumée de lavandain.

Je me suis assis devant la hutte pour attendre le troupeau.

Du col, sur l'autre versant, la « carraire » descend tout droit dans le ravin au milieu des chênes verts. Ils forment une voûte sombre où s'enfonce le sol raboteux du chemin pastoral.

Les troupeaux arrivent dans le fond, par le ravin, et gravissent la pente. On les entend venir de loin. Les bêlements, les lamentations des agneaux, l'aboi injurieux des chiens montent des bas-fonds vers le col, avant qu'on ait vu le troupeau. On entend tinter des clarines de cuivre et de bronze, grelots légers, ou cloches lentes, cependant que le berger parle, on ne sait où, à haute voix, pour appeler les chiens, enivrés par l'air vif et l'odeur sauvage de la montagne. Le piétinement des moutons sur le tapis de feuilles mortes annonce l'approche du troupeau et bientôt une odeur de suint monte dans les nappes d'air chaud que le ravin exhale.

Deux ou trois brebis isolées passent en broutant

entre les chênes ; et un grand bélier, seul, gravit le sentier jusqu'au col où il s'arrête, pour humer le vent.

Comme je l'avais calculé, ils sont arrivés à cinq heures de l'après-midi.

Les chiens m'ont reconnu de loin, et ont aboyé. (Il y en a trois, dont un grand, qu'on appelle Clarimond, et qui est aussi beau et aussi fort qu'un loup.)

Les six cents bêtes dispersées dans le sous-bois occupaient tout un flanc de la montagne. Elles étaient en marche depuis l'aube mais ne paraissaient pas trop fatiguées. Heureuses de brouter à l'ombre, elles erraient dans les cailloux paresseusement. Pourtant, dès qu'elles ont senti, plus haut, la fraîcheur de la source, elles se sont groupées d'elles-mêmes, en bêlant, sur la « carraire », et ont commencé à gravir la pente, cependant qu'Arnaviel apparaissait.

Il est venu vers moi, sans se hâter, deux chiens sur ses talons, son bâton à la main ; et je l'ai salué d'abord, comme l'exige la coutume. Car il se montre pointilleux sur les usages, et il est enseigné chez nous que le maître doit accueillir d'abord, par un mot d'amitié et de bon augure, le berger qui revient, avec tout son troupeau, de la montagne pour passer l'hiver près de lui.

Arnaviel m'a dit :

— Tout va bien, monsieur Pascal. Cette année, l'Alpe est bonne. J'ai quarante agneaux neufs, et trente brebis pleines. Le lait est gras.

Ces paroles m'ont fait plaisir ; j'ai remercié Arnaviel, et nous avons regardé boire les bêtes.

Je lui ai dit :

— En bas, tout est prêt dans les crèches. Nous passerons la nuit ici. Alibert a apporté de la paille. Demain soir nous serons à Théotime. Le temps est beau.

Il m'a demandé :

— Et l'été, monsieur Pascal?

— L'été a été dur, mon bon Arnaviel. Clodius est mort.

Il a hoché la tête. J'ai ajouté, péniblement :

— C'est moi qui ai son bien. Il me l'a laissé...

Arnaviel n'a manifesté aucun étonnement en apprenant cette nouvelle. Il s'est borné à dire avec tranquillité :

— On pourra nourrir cent bêtes de plus.

Et il a soupiré. J'ai compris ce soupir. Au bout d'un moment il a dit :

— Mais malheureusement, je suis bien vieux, pour m'occuper de tant de bêtes. Et il n'y a plus de bergers dans le pays.

Le troupeau s'étant abreuvé, nous l'avons groupé sur la pente, et poussé vers l'enclos où très docilement il s'est parqué. La barrière de bois fermée, nous sommes revenus à la hutte, et nous avons mangé en regardant tomber la nuit.

Arnaviel m'a offert un bon fromage de brebis enveloppé de feuilles fraîches. Nous avons allumé du feu entre deux pierres. J'avais des figues de septembre, un peu sèches déjà, mais sucrées, riches de miel. Le pain rassis sentait le blé ; l'eau de la source était très légère à boire, avec son goût de pierre douce et sa pureté.

Comme il faisait très beau l'air restait calme et la fumée de notre feu montait tranquillement par-dessus le bonnet de la hutte de pierre.

Le jour s'étant éteint, la nuit s'étoilait peu à peu, surtout vers l'orient d'où montent toutes les étoiles. En face de nous, assez loin, sur deux autres plateaux, l'Escal et la Carène, deux autres feux brûlaient.

— Celui d'Escal, me dit Arnaviel, c'est Barut du mas de Saint-Étienne, et l'autre, qui est loin et qui a l'air à peine de brûler, c'est Papin, qui va pâturer pour le compte des Cabassol, dans les salants du Vaccarès, près de la mer. Il a encore un bon bout de voyage...

Une grande paix régnait sur les crêtes.

— Jadis à la Noël, ajouta Arnaviel, on se parlait par feux de troupeau en troupeau, tout le long de notre montagne, avant de descendre à Saint-Jean pour l'offrande de l'agnelet. Maintenant Saint-Jean est bien oublié dans nos villages, monsieur Pascal ; les gens d'en bas ont peur de la neige, car il neige par là au temps de la Noël, et personne n'entretient plus le chemin de Dieu...

Nous restâmes longtemps éveillés, près du feu, devant la hutte.

La nuit d'octobre était si belle que, malgré la fatigue de la route, on ne pouvait pas s'endormir. Parfois du parc un bêlement montait, ou frémissait une clarine ; et on entendait l'eau de la source qui s'égouttait dans l'abreuvoir, au-dessous du sol.

28 octobre. Théotime.

Barthélémy écrit et s'excuse de ne pas avoir encore répondu à mon invitation : Jacques, l'aîné de ses fils, est souffrant. Les soins à donner au jardin l'ont retenu ; et il a dû faire un bref voyage à Marseille.

Sans doute y est-il allé voir Geneviève, mais il ne me parle pas d'elle, non plus que de son passage à Puyloubiers.

Je commence à croire qu'il y est vraiment venu, comme l'affirme Jean ; mais je n'arrive toujours pas à m'expliquer qu'il l'ait fait en secret, à mon insu.

J'en suis assez peiné pour ne pas lui demander cette explication, qu'il devra bien me fournir, un jour ou l'autre. Car nous nous aimons trop pour nous faire des cachotteries.

Il écrit :

« Je ne suis pas mécontent de l'automne. Les pluies ont soulagé les arbres que cet été, si long et si lourd, commençait à fatiguer. Ma vigne a donné peu, mais bon. J'ai une cuvée vive et qui embaume le raisin, tel que je l'aime, pas trop doux, un peu sec, mais qui ne râpe pas, avec sa fine odeur de caillou, de racine, et de feuillage aigrelet : l'odeur même du coteau.

« Nous en boirons!... L'hiver approche. On le comprend à mille petits signes, quoiqu'il fasse parfois bien chaud encore, surtout l'après-midi... Pense à tes oliviers, Pascal. Je crains que ceux de La Jassine n'aient pas reçu les soins qu'ils auraient mérités, du temps de Clodius. Mais toi, tu dois aimer l'olivier et l'olive, tel que je te connais ; et je te sais friand d'huile naturelle.

« A Sancergues, la récolte sera satisfaisante... Bonne huile, bonne année, disaient les Anciens. Et dans un très vieux livre de prières, que j'ai retrouvé par hasard, l'autre jour, au grenier, j'ai lu ceci :

> *Sainte Vierge, donne à l'olive*
> *L'huile que nous consommerons ;*
> *Si ta sagesse nous arrive,*
> *C'est par elle que nous l'avons.*

« Il y a là tout un cantique, bien naïf, qui m'a plu. Il se termine ainsi, écoute bien :

> *L'olivier couronne tes tempes*
> *Lumière, qui ne mens jamais,*
> *L'huile qui brûle dans tes lampes*
> *Éclaire l'éternelle Paix.*

« J'ai mis de côté ce vieux livre, pour te le montrer, quand tu viendras. Il a appartenu, je crois, à cette Madeleine Dérivat, tu te rappelles? qui était dans les ordres. Du moins, on lit au verso de la couverture, sur le carton,

Visitandines de Nazareth.

« Est-ce qu'elle n'est pas morte là-bas, dans un couvent? Tu as encore, à Théotime, cette grande tapisserie qu'elle avait brodée elle-même : un cœur, une croix, des colombes, si j'ai bon souvenir... Eh bien! ce cœur, cette croix, ces colombes, on les trouve dans ce bréviaire, dessinés à la plume, avec cette mention :

Si tu veux retrouver la Parole perdue...

« Le reste est illisible, car le carton est vieux, usé et l'encre très pâle.
« Pourquoi t'ai-je raconté tout cela, Pascal?... J'avais du temps à perdre, sans doute...
« Nous t'embrassons,

« Barthélémy.»

30 octobre.

Depuis que je suis redescendu du col de Bormes, je me sens plus calme.
Si dans ce *Journal*, où pourtant je me parle à moi-même, je n'ai point jusqu'ici fait état de certains mouvements de mon cœur, c'est que, même seul avec moi, je ne puis jamais tout me dire. Le plus vrai de mon âme se tait toujours. Ce que j'en vois (et ce n'est bien souvent qu'une fugitive figure)

répugne à ces confidences verbales qui divisent, dans ce qu'on est, l'être qui se confie de celui qui l'écoute. Or ce dédoublement m'inquiète. Il me semble parfois que je ne suis plus seul et que, tout en pensant ne parler qu'à moi-même, l'auditeur que j'ai mis en moi, et que j'ai cru créer de ma substance, n'est qu'un mystérieux étranger issu de l'ombre, attentif à m'épier.

Il reste incorporel, il est invisible. C'est pour lui donner un corps et par conséquent l'éloigner que j'écris ce que j'ai à lui dire. Car une force obscure et puissante parfois exige que je parle. Mais ainsi bien souvent je ne lui livre qu'un reflet des pays et des êtres lointains que je rencontre dans mon âme. Et s'il ne s'en peut satisfaire, il arrive qu'il me tourmente et demande à voir autre chose. Mais le monde que je lui cache reste inaccessible. On ne peut rien en détacher que la parole sache transporter sur cette rive; et sans doute y est-on déjà trop loin de la terre et trop près d'un mystère ineffable pour sortir du silence. Non que ce soit un signe de sérénité. Le drame y jette ses fureurs et l'âme y subit ses tortures; mais je ne saurais les traduire; et, si je ne dis rien, c'est moins par volonté de ne rien dire que par impuissance à parler des profondeurs.

Mais aujourd'hui, vraiment, je suis plus calme. Je peux me l'avouer.

Ce voyage au col m'a pacifié.

Les nuits sur les plateaux épandent, semble-t-il, de bonnes influences, et l'on vit pur dans les solitudes des hautes terres.

Quand le temps est beau l'âme y connaît des accalmies et la transparence d'un air naturellement limpide la dispose à la pureté.

Il n'est de paix que dans les purs et il n'est sans doute de purs que les solitaires.

C'est pourquoi, moi qui suis couvert de souillures médiocres, j'aspire à mon apaisement par les voies de la solitude, auxquelles hélas! ne m'a prédisposé que ma sauvagerie native et non point une naturelle élévation de l'esprit. Je me connais.

Je ne pourrai jamais goûter, sur les cols de montagne, qu'un repos éphémère et ces plaisirs des haltes courtes pendant lesquelles on peut jeter un regard sur la terre, avant de redescendre aux ténèbres de la vallée. Regard bref, qui suffit pourtant à donner le goût des hauteurs.

Quant à moi je suis né pour habiter les terres basses, dans les quartiers où on laboure, avec les hommes, autour des maisons familiales qui livrent le pain, l'huile et le lait. Je vis pour les horizons clos et l'amitié des bêtes lentes, le verger, le souci du soir, et le feu d'hiver. Là on devient modeste et laborieux. Là on peine de longs jours sur une pensée et l'on pèse, au bout de l'année, le poids des quatre saisons, qui est bien lourd.

On n'atteint à la paix du cœur, si elle est de ce monde, que par le travail inlassable, la déception fréquente, et le sentiment d'une juste humilité.

4 novembre.

Je ne m'étais pas trompé. C'est bien à Saint-Jean que Flavien Pérot travaille. Il y a installé son équipe : un charpentier, trois ou quatre maçons. On consolide tout : les murs, la toiture. On répare les portes, les fenêtres, la sacristie, mais discrètement. Ces travaux sont faits avec goût. L'ermitage sera sauvé, et son aspect restera vieux et vénérable. Pérot travaille bien, consciencieusement.

Je tiens tous ces détails de Françoise et de Jean.

415

Ils sont montés à l'ermitage, hier, tous les deux.

A leurs questions, Pérot a répondu :

— C'est pour le compte de M. Janselme, notre curé.

— On ne savait pas M. Janselme si riche, a remarqué Françoise.

— J'en ai pour douze mille francs, a répondu avec un certain orgueil Flavien. Quelquefois les gens font de jolis dons...

Françoise et Jean ont cru qu'il allait en dire davantage. Mais il s'est repris brusquement, et là se sont bornées ses confidences.

Il s'est contenté d'ajouter :

— J'ai retrouvé la source ; mais elle est obstruée. On va la déboucher. Allez-y voir. C'est un peu au-dessous de la sacristie, entre deux chênes. On aperçoit encore le bassin.

Il existe en effet un petit bassin maçonné contre le roc, mais il disparaît sous le lierre, signe que l'eau doit dormir quelque part, non loin de là, dans une poche.

L'ermitage et le sol qui en dépend (quatre hectares de maquis), n'appartiennent pas à la cure, mais ont échu, en dernier lieu, je ne sais comment, par voie d'héritage, à un certain M. Gifard, propriétaire à Canneval, qui n'y est jamais venu. Ce ne peut être lui qui, pris d'un zèle inexplicable, a ordonné ces travaux de restauration. A-t-il vendu ? Peut-être. Mais qui, dans le pays (j'y connais tout le monde) a pu soudain s'intéresser à ce sanctuaire désert depuis un demi-siècle ? Car, il y a cinquante ans bien sonnés, qu'on n'y est plus venu dire la messe. Et Arnaviel a vu, quand il était encore tout enfant, le dernier pèlerinage. Arnaviel est vieux ; et il en parle volontiers, car c'est là un sujet qui lui tient au cœur :

— A la Noël, m'a-t-il raconté, on allumait le feu

sur l'aire, à vingt mètres au-dessus de la chapelle. C'était notre feu à nous, le feu des bergers. Un beau feu, je vous en réponds. On le voyait à dix lieues à la ronde, et bien au-delà de Sancergues, votre pays, monsieur Pascal, tant il était nourri de broussailles et de bois flambant. Car il flambait! La flamme ronflait dans la bise, et il montait haut vers le ciel, tout craquant d'étincelles, comme un vrai feu de la Saint-Jean. Le bois n'y manquait pas ni la broussaille. On en ramassait tout l'été et tout l'automne, pour la grande fête d'hiver. Le feu brûlait quatre jours pleins. On l'allumait, une heure ou deux avant minuit, la veille de Noël, et il vivait deux jours encore après la fête, pour honorer aussi saint Jean l'Apôtre, celui qui garde l'ermitage, et à qui le bon Dieu a confié sa mère, avant de mourir sur la croix, comme vous le savez...

16 novembre.

Françoise revient. Elle a l'amitié ombrageuse, mais de bonne prise, lente à venir, difficile à se détacher.

Elle se porte peu et comme à regret vers ceux qu'elle aime, non par méfiance sans doute, mais par décence innée. C'est une âme attentive et tendre qui répugne à s'attendrir, par dignité. Car le sang Alibert, si vigoureux, n'a d'élans que secrets, animé qu'il est par un cœur difficile à entendre. Ce cœur peut battre fort (car cela arrive aussi) mais toujours régulièrement, et le bruit en est étouffé par une volonté plus lourde, souveraine du cœur. Ils ont un sentiment très grand de l'honneur du visage ; et, pour eux, n'y laisser rien paraître de l'âme, est un souci si naturel qu'ils en gardent ce pli de gravité par où seulement ils vous livrent le signe de leur vie intérieure.

Malgré sa jeunesse et ce je ne sais quoi de plus charmant qui lui donne (surtout quand elle se contient) une grâce assez tendre, Françoise est bien de sa race sérieuse. Tout en elle annonce le goût du calme : son pas qui prend si bien possession de la terre, ses mains lentes et laborieuses, son regard attentif, et sa parole utile, sensée. Mais la voix reste toujours douce et d'un timbre pur. Prise au cœur, elle tient d'une âme sans impatience cette douceur et cette pureté.

Premier dimanche de l'Avent.

Les jours passent. L'accalmie se prolonge. Par moments on dirait qu'elle atteint à la paix. Mais plus elle s'étend moins je m'en parle ; et c'est par l'échange de leurs silences que celui qui s'éloigne et celui qui s'approche, en moi, se disent un adieu avant de se séparer pour toujours.

Mais est-ce pour toujours ? Et cet apaisement qui tombe de mon âme n'est-il pas un répit qui m'est accordé avant de nouveaux orages ? Ou bien vais-je à pas lents vers des pays de douceur et de patience où, purifié par l'épreuve, je prendrai, des biens de la sérénité, ce que l'on peut prendre sur la terre.

Cependant pourrai-je jamais oublier Geneviève et le temps charmant où je l'eus près de moi à Théotime ? Saurais-je décemment aspirer à l'oubli après tant de souffrances ? Et de ce cœur changeant et fidèle n'ai-je pas connu le meilleur, ici, dans l'austère maison où je vivais seul ?

C'est le premier dimanche de l'Avent. Je suis calme. L'hiver est derrière les crêtes, tout près de nous, car, dit-on, il a déjà un peu neigé, dans la vallée de l'Orve, et sur l'Escal, à six lieues d'ici.

Cependant les journées restent belles encore dans nos quartiers si bien abrités de la bise, au pied des collines. Rien n'y semble changé. Le temps y dure, et les bonnes saisons qui entretiennent, au bas des falaises, tant de petits jardins cultivés ou sauvages, d'olivettes cachées dans des creux ignorés du vent, et de vignes blotties sous d'énormes rochers qui gardent quelquefois jusqu'à l'hiver les dernières chaleurs de l'automne. Longtemps après les gelées de novembre, les nids de la mésange ou du traîne-buisson y tiédissent encore.

Ce matin, Françoise est venue à la source, pour y laver du linge. Elle est arrivée de bonne heure, et je l'ai entendue qui descendait vers l'eau au moment où j'allais partir.

Je l'ai trouvée à genoux, sur le bord d'un petit lavoir. Il est en contrebas de la nappe où se forme l'eau vive de la source. On ne l'utilise jamais, car tous les travaux de lavage se font d'ordinaire à la métairie.

Sur la petite cuve en pierre creusée au ras du sol, elle tendait ses bras et rinçait le linge. Le savon troublait l'eau limpide d'un nuage bleuâtre, puis se dissolvait en volutes légères, à travers ce miroir assombri par le reflet d'un noir feuillage. Car deux chênes verts couvrent le lavoir de leur ombre. Françoise à pleines mains tordait le linge, et sous l'effort, ses bras se durcissaient jusqu'à soulever ses belles épaules. Tout son dos souple et solide travaillait, et tant elle prenait du plaisir de sa force que, par moments, elle dressait cette lourde torsade gonflée d'eau, en l'air, au-dessus de sa tête, pour la regarder ruisseler dans la cuve de pierre. Après quoi la posant dans l'herbe, elle se penchait en avant, restait un moment immobile, et distraitement elle touchait l'eau de ses doigts.

Elle a rougi en me voyant ; car je l'ai surprise, inattentive et désœuvrée, près de son ouvrage.

Je l'ai plaisantée discrètement :

— Tu as un beau miroir, Françoise, ce matin...

Elle a regardé l'eau. Appuyée sur un bras, tout le corps allongé dans l'herbe haute, elle s'abandonnait au plaisir d'être là, et de sentir sa jeunesse et sa force en communion avec les eaux, le sol herbeux, et le grand feuillage des arbres de la source.

Elle ne disait rien. Un peu alanguie, mais tranquille, elle semblait heureuse de céder à quelque abandon.

Je me suis assis près d'elle. Elle a pris une tige d'herbe et l'a mordue.

Nous sommes restés très longtemps à côté l'un de l'autre, sans nous parler.

Le temps était pur et, de la bouche même de la source, les nouvelles eaux de l'automne, invisibles, montaient sans troubler d'une bulle d'air la surface immobile de la nappe limpide.

3 décembre.

En montant au Jas-du-Plateau, où Arnaviel, pendant le jour, mène encore ses bêtes, j'ai vu sur l'Escal les premières neiges. A peine une poudre fragile au bord de la crête, mais tenace pourtant, et qui déjà, en quelques points, touche le haut des pentes.

Elle est apparue silencieusement. Un épais nuage bleuâtre avait pendant deux jours coiffé le plateau. Puis le vent l'a poussé vers l'est, et on a vu la neige, mardi vers neuf heures du matin.

Depuis, le ciel est devenu plus pur, et quand un peu de bise souffle, l'air coupe comme un fil. Les bêtes broutent hors des bergeries, mais ne s'éparpillent plus. Le sentiment obscur de l'hiver les inquiète. Elles se groupent près des chiens ou autour du berger, et flairent le sol peureusement. De temps à autre, Arnaviel leur parle. La bise retrousse le poil des chiens ; et tout le troupeau se déplace instinctivement du sommet vers les terres abritées, en suivant la pente du plateau.

4 décembre.

Ils ont tous l'air de savoir quelque chose, qu'ils me cachent. Passe pour le vieil Alibert, on y est habitué : il sait et ne dit rien. Marthe, un peu plus avenante et d'apparence assez communicative, pourtant ne livre qu'une faible part de ce qu'elle pense. Jean est bon mais silencieux. Quant à Françoise, mon amie, si confiante quelquefois (pour peu qu'on l'aime), elle reste aujourd'hui hésitante, évasive et, sans qu'on ait risqué l'allusion la plus légère, je sens qu'on a parlé de moi et qu'on se tait en me voyant venir.

Les mots simples, dont nous nous servons entre nous, ont pris un poids plus lourd et, derrière leur sens banal, ils laissent deviner tout à coup une significative allusion que je ne puis comprendre.

Je suis retourné à la bergerie. Arnaviel a quitté le plateau que la bise venue d'Escal a refroidi depuis hier soir. Il a groupé ses six cents bêtes à mi-pente du Puyreloubes. Elles circulent dans les plantes aromatiques dont ce versant est parfumé, et l'on entend craquer leurs petites tiges, sous la lente et sourde mastication du troupeau qui broute entre les cailloux, à l'abri du vent.

Je soupçonne Arnaviel d'être, lui aussi, au courant des conversations qu'on me cache ; mais il est muet, là-dessus, autant que tous les Alibert ensemble.

On a parlé du lait et des éclisses, de la tonte, des agnelages.

En redescendant de La Font-de-l'Homme, il faisait presque nuit. J'étais encore dans le ravin, et je hâtais le pas pour en sortir, avant qu'il ne fît trop sombre. Tout à coup d'un hallier à vingt mètres à peine devant moi, a débouché un sanglier. Il était lourd, trapu, et de sa hure noire sortaient deux grands boutoirs. En me voyant il s'est arrêté ; et j'ai vu qu'il était d'humeur sauvage. Devant cette bête solitaire et d'une force peu commune, j'ai hésité à continuer mon chemin. L'animal, le groin bas, a grogné, et soufflé dans les feuilles sèches. Je me suis écarté vers un petit rocher, et j'ai attendu.

Le sanglier m'a observé, un bref moment, puis il a remonté la sente, sans daigner, en passant, me jeter un regard.

Pourtant il paraissait inquiet, et rien qu'à la façon dont il flairait le sol, on devinait qu'il suivait une piste bizarre.

Ce qu'il cherchait dans la rocaille du ravin, ce n'était point des traces d'animal, marcassins égarés ou laie farouche ; ni le parfum des racines nourricières, mais peut-être bien l'odeur même de la terre travaillée par l'hiver précoce.

6 décembre.

La bête l'avait bien flairé : l'hiver est venu. Pendant la nuit, la neige est descendue sur les pentes du Puyreloubes ; et ce matin, en ouvrant la fenêtre, on a vu cette nappe immatérielle posée sur les terrains, depuis le plateau jusqu'au bois de Vieilleville. Seule l'olivette de Clodius, appuyée aux premières falaises encore tièdes, n'a gardé, par endroits, que de petites plaques cristallines qui fondent doucement, sous le rocher. Partout ailleurs, et même dans les hauts-labours, le sol brun est couvert de ce tapis friable, et sensible aux moindres bosselures. La Jassine noire apparaît, à travers son bois dépouillé, comme une lourde bête de l'hiver, accroupie dans la neige. Çà et là un corbeau sautille sur cette blancheur et fait un trou avec son bec.

Le silence est extraordinaire. On entend siffler doucement le sang dans les oreilles. Un ciel bas, ouaté, étouffe les sons. Il ne neige plus ; mais ce n'est qu'un répit, avant le soir.

De la combe, cachée par un épaulement, où s'est blottie La Font-de-l'Homme s'élève un fil de fumée. Arnaviel fait du feu dans la bergerie.

Partout les maisons fument : Genevet, Farfaille, les Alibert. Pas un souffle. Tout est calme. C'est le premier jour de l'hiver, l'aube des neiges.

Vers le soir, j'ai pensé à Geneviève. Son visage était de neige ; elle ne parlait pas et j'entendais. Je l'ai trouvée pourtant moins irréelle qu'au temps où nous jouions dans notre enfance, aux jardins de Sancergues. Son corps léger et son visage m'étaient merveilleusement devenus insaisissables. Il n'en restait qu'une fragile et indéfinissable transparence au fond de laquelle un contour, aussi doux que ce corps évanoui, décelait tous les mouvements de l'âme. Ces seuls mouvements suffisaient à me la faire entendre ; et ils offraient un sens qui me paraissait pur, bien qu'il restât inexprimable. Je voyais s'élever les émotions et passer l'appel du cœur invisible, traîner le regret, surgir le souvenir dans la mémoire, et comme la neige tombait à travers ces figures passionnelles, il n'y avait plus qu'innocence dans l'image d'hiver de Geneviève.

Je me tenais derrière la vitre, à regarder neiger, je ne savais plus où, ni d'ailleurs sous quelle neige ; et je dérivais peu à peu dans une vie imaginaire et allégée. Les maisons y étaient de liège et le paysage précaire.

C'était l'heure où les vieux villages de montagne semblent descendre dans la plaine pour s'y grouper avant la tombée de la nuit, et mieux résister au froid. Les métairies se détachent des hautes terres et suivent les villages. Seules les bergeries gonflées de paille, avec leurs crèches odorantes, leurs étables bien closes, restent blotties contre les collines ; et sous l'ensevelissement de la neige qui tombe, elles conservent leur chaleur et l'intimité de la vie pastorale. Enfouies jusqu'au toit sous la masse tiède des neiges, elles bêlent plaintivement, très tard dans la nuit ; et les bêtes sauvages de la montagne, inquiètes, égarées loin des pistes de chasse, flairent dans le vent l'odeur du lait et de la laine, avant de s'éloigner, à regret, vers les solitudes du plateau où se cachent leurs pauvres terriers.

Cette nuit, je suis seul. La maison et l'hiver s'accordent pour me protéger contre l'absence qui m'appelle, et garder ici cette vie médiocre où m'a maintenu mon destin.

J'ai voulu m'échapper de moi, et m'élever du corps à l'âme même, car ce puissant amour me rendait fou. Mais il n'est pas de corps sans âme, ni probablement d'âme sans corps, du moins sur cette terre ; et je n'ai pu, quoique me déchirant avec sauvagerie, briser l'unité de mon être tenace.

Je suis né pour une double servitude. Il me reste

maintenant à l'accepter. J'y incline ; car je ne cherche plus le bonheur, mais la paix.

Peut-être la paix est-elle plus que le bonheur...

Je ne sais. Et d'ailleurs qu'importe? Ne suis-je pas seul, cette nuit ; et pendant que la neige tombe, n'ai-je pas, devant moi, mon feu d'hiver?

Ce sont là deux signes de force : cette solitude et la flamme de décembre.

Car plus je me vois solitaire, plus j'atteins aux dons invisibles. Je comprends peu à peu le sens inexprimable des objets usuels qui m'entourent ici. Ils gagnent chaque jour du poids et prennent de la forme. Ils sont un peu plus ce qu'ils sont, là où ils le sont. A mesure qu'ils prennent corps, leur signe secret se précise, et c'est dans leur matière même que je commence à apercevoir l'âme modeste qu'ils aident à vivre. Tout me parle, dans la vieille maison de mes pères : la table, et la lampe qui nous éclaire cette nuit.

C'est la dernière lampe de ses maîtres. Ils sont morts, et moi, je vis. Je suis assis devant le feu où ils chauffaient leurs grandes jambes de laboureurs et de bergers.

C'est leur bois qui brûle dans l'âtre ; et voici les mains (moins noueuses mais aussi brunes que les leurs) que je tends vers le feu, pour chauffer tout ce qui reste de leur sang.

Ce sont là de grands dons : le sang, la maison et le feu, Pascal ; ici, surtout où, avant toi, depuis que ce quartier porte sur ses coteaux le froment et l'olive, les tiens ont vécu, ont bâti et ont entretenu le feu domestique.

8 décembre.

Vers la fin de l'après-midi, il avait neigé, et, à la tombée de la nuit, la campagne était blanche.

Marthe venait de s'en aller, après avoir mis le couvert.

Quelqu'un lui a parlé au fond de la cour, puis on a frappé. J'étais déjà installé devant ma soupière fumante ; et j'ai crié :

— Entrez! mais refermez vite la porte. Il fait froid!

C'est Barthélémy qui est entré. Tout d'abord je ne l'ai pas reconnu, tant il était emmitouflé dans son caban. Il en a secoué la neige, puis a tapé du pied deux ou trois fois pour nettoyer ses gros souliers à clous.

Quand il a enlevé son capuchon, je l'ai reconnu, mais sans y croire. Il m'a dit :

— J'arrive à point! Ta soupe embaume, j'ai faim et j'ai froid. Ça va me réchauffer. Mais quel temps!

Je me suis levé avec un air si ébahi qu'il s'est mis à rire :

— Touche-moi, Pascal! Pas de doute! C'est bien Barthélémy!

Il avait raison : c'était bien Barthélémy...

Je suis allé chercher une assiette, un verre, et nous avons mangé, en face l'un de l'autre. Lui, il tournait le dos au feu, et il a parlé tout en mangeant :

— J'ai eu peine à venir, depuis cette maudite gare, car avec ce temps, tu penses bien que je n'ai pas attelé ; la bête aurait pris froid, elle a les poumons sensibles... J'ai fait la route à pied depuis le train... Près de deux lieues et un bon matelas de neige sur la route!... Enfin ça y est, me voilà rendu : ton feu chauffe, il fait bon, et je suis content d'être là, Pascal!... Mais quel hiver!... On n'avait pas vu ça depuis cinquante ans...

— Tu as choisi un bien mauvais jour...

Il a souri :

426

— Non, Pascal ; c'était le meilleur...

— Que veux-tu dire ?

— Avec cette neige, ce froid, je m'imaginais bien que tu restais tout seul devant ton feu, à regarder brûler les bûches. Alors j'ai fait le voyage...

Il a mangé de grand appétit. J'étais heureux, mais inquiet de sa visite : le jour, l'heure, le temps, la rendaient si étrange... Pourtant je ne lui ai pas posé de question ; et il a parlé tout son saoul, des enfants, de sa femme, de son bien, du cheval...

Jamais je ne l'avais vu si communicatif, lui qui déjà l'est tellement.

Tout en parlant, il brisait de gros morceaux de pain ; puis il les portait lentement à sa bouche ; et, de sa main gauche, parfois, il tapotait sur le bois de la table, pour donner plus de ton à son récit.

A la fin il m'a dit ce qu'il avait à me dire :

Geneviève a quitté les Trinitaires de Marseille.

9 *décembre.*

J'ai écrit et lu, une partie de la nuit. Barthélémy est allé se coucher de bonne heure : il était fatigué. La neige, ce matin, ne tombait plus. J'ai ouvert la fenêtre. L'air presque doux semblait ouaté. Il régnait sur toute la campagne un merveilleux silence.

Barthélémy s'est levé tôt ; et je l'ai retrouvé, dans la grand-salle, qui allumait le feu.

Quand je suis descendu il causait avec Marthe. Des broussailles brûlaient en ronflant dans la cheminée.

Le bois sec pétillait, les flammes se ruaient dans le noir ; et l'odeur du café moulu s'épandait entre les murs déjà tièdes.

Nous avons déjeuné de bon appétit. Barthélémy

n'a plus reparlé de Geneviève. Il a loué le pain, tout frais, craquant, le lait crémeux, le miel et le beurre de la métairie.

C'est à neuf heures que l'abbé Janselme est arrivé. Rien ne laissait prévoir sa visite. Je lui ai présenté Barthélémy. Il a souri malicieusement :

— Nous nous connaissons un peu, déjà...

Il a bu un bol de café et nous a annoncé son intention de monter à Saint-Jean.

— Il doit y avoir pas mal de neige, ai-je fait remarquer.

— Les ouvriers ont déblayé, a-t-il répondu aussitôt. Ils y travaillent, depuis hier matin. Les réparations sont finies, et ils savent que je dois monter aujourd'hui, avec vous. Je viens vous rappeler votre promesse...

— Je vous accompagne, a ajouté Barthélémy, en mettant son manteau.

J'ai décroché le mien, et nous sommes partis pour Saint-Jean, tous les trois.

Comme je connais le chemin j'ai pris la tête. L'abbé venait derrière moi, puis Barthélémy. On a passé par Micolombe où la neige était haute. Autour de la terrasse, elle avait formé des talus brillants et friables.

Tout le long du chemin, les bois portaient sur leurs rameaux de grands fardeaux de neige qui les faisaient plier. Par là, ce ne sont que pins et que chênes verts, dont l'hiver n'abat point la feuille noire, vivace. Entre leurs troncs et sous ces frondaisons obscures, les pentes enneigées descendaient jusqu'au fond des ravins, où des houx, chargés de leurs baies rouges, restaient à moitié enfouis dans la blancheur.

Le ciel se tenait bas, tout mouillé, mais brillant de neige suspendue, et l'air, devenu doux, avait le goût de l'eau.

De temps en temps, l'abbé toussotait. Barthélémy ne parlait pas. J'allais, le premier, en avant, heureux de respirer l'odeur des bois humides.

Nous avons marché pendant une bonne heure. Flavien nous attendait devant la porte. Sur le clocher, il avait lié à la croix une branche de houx.

Nous sommes entrés dans la chapelle. L'abbé est allé droit à l'autel et s'est agenouillé.

Barthélémy et moi, nous l'avons attendu près des fonts baptismaux.

En se relevant il a dit :

— L'église est toujours consacrée. On peut y célébrer la messe. Je me suis borné à la remettre en bon état. On n'a rien abîmé de ce qui était vieux, vénérable. Regardez la croix et le cœur : ils sont intacts. On a retrouvé le ciboire, et deux burettes. J'ai fait monter le reste : la patène, le corporal, puis la clochette de l'Élévation. Tenez, la voici... C'est un cadeau...

Une vieille cloche de bronze était posée sur la première marche de l'autel. C'était une cloche pastorale, enlevée du col d'une chèvre ou d'une brebis.

— Le donateur est là, a ajouté l'abbé Janselme, en désignant la porte.

Je me suis retourné, et j'ai vu le vieil Arnaviel. Son lourd manteau gris se dressait sur la neige et le ciel d'hiver. Chapeau bas, le bâton au poing, et le grand Clarimond contre ses jambes, il attendait.

— Entrez! lui a dit Barthélémy. C'est ici votre maison...

Le vieux est entré.

— Et nous y ferons la Noël, a annoncé brusquement l'abbé Janselme. Avec le feu, le feu des bergers, Arnaviel!...

Arnaviel ne bougeait pas, ne disait rien. Il me regardait.

Flavien aussi était entré dans la chapelle ; et, ne sachant que faire, il s'appuyait contre le pilier de la porte.

— Monsieur Pascal, m'a dit l'abbé, la chapelle est à vous : je vous la livre, comme le donateur, qui l'a acquise et réparée de son argent, m'a prié de le faire. La charpente est consolidée de bout en bout ; on a posé des tuiles neuves ; les murs sont renforcés ; la source coule sous la neige, et on a entassé quatre piles de bois sur l'aire, en prévision du feu, qui dure quatre jours, ici, de la Nativité à la Saint-Jean-d'Hiver, patron de l'Ermitage. Venez, regardez, tout est bon, solide, fort. Nous en avons maintenant pour deux siècles. Il ne vous reste donc, monsieur Pascal, qu'un mot à dire, et ce sera votre contribution. Mais un mot est un mot, et celui-ci doit emporter l'âme. Ce mot, c'est : *oui*, pas davantage. Il vous rendra possesseur de l'église, propriétaire de Saint-Jean. L'acte est tout prêt, je l'ai en poche, un bel acte, bien fait, en règle, clair. Il va vous suffire de le signer. Il y a une plume et de l'encre dans la sacristie, et voici deux témoins honorables. Venez...

Barthélémy m'a poussé par l'épaule. J'étais abasourdi. L'abbé a déplié l'acte, l'a posé sur la table, m'a mis la plume dans la main, et j'ai signé.

J'ai signé sans savoir pourquoi. J'ai signé aveuglément. J'ai signé au bas de la feuille d'une écriture, large, ferme : *Pascal Dérivat, propriétaire.*

Et puis j'ai lu :

Moi, Geneviève Métidieu, je donne...

Le reste s'est brouillé dans ma tête. Pourtant j'ai essayé de lire encore, d'aller plus loin ; mais je devais avoir des larmes dans les yeux, car je n'ai rien pu déchiffrer de ce grimoire.

Quand j'ai levé la tête, je me suis retrouvé tout seul, dans la sacristie blanche.

Et alors, je l'avoue, j'ai pleuré sans vergogne, pendant un bon moment.

Puis je suis sorti de l'église et j'ai rejoint l'abbé Janselme et mon cousin Barthélémy, qui m'attendaient à mi-chemin de Micolombe.

Nous avons déjeuné à Théotime et pris ensemble toutes les dispositions pour célébrer la Noël, à Saint-Jean, dans quinze jours.

Barthélémy viendra avec ses enfants et sa femme. Les Alibert ont été avisés. Il y a ici, au mas, de quoi loger tout le monde.

Barthélémy est reparti à cinq heures. Je l'ai accompagné jusqu'à la gare.

Il neige de nouveau ; et un vent très léger, venu de l'est, pousse la neige contre la maison.

10 décembre.

Je n'ai rien appris de plus sur le compte de Geneviève.

Elle a quitté les Trinitaires de Marseille, en compagnie de trois religieuses de cet Ordre qui s'embarquaient pour l'Orient.

Barthélémy n'en sait pas davantage.

Elle est partie, le 24 octobre, il y a près de deux mois.

Barthélémy l'a vue, la veille de son départ. Je l'ai questionné.

— Elle n'a pas l'intention de revenir, a-t-il fini par m'avouer. C'est tout ce que je peux te dire.

Il a fallu me contenter de cette réponse.

Barthélémy ne pense pas qu'elle veuille entrer dans les ordres, mais se mettre à l'écart, se retirer.

— Elle parle souvent du cœur et de la croix et des colombes de Sancergues, m'a-t-il confié, avant de partir. Je crois qu'elle t'aime ; mais il faut dire adieu à tout cela, renoncer, Pascal...

Barthélémy est monté dans le train.

Le train l'a emporté. Je me suis trouvé seul sur le quai de la gare.

Il faisait nuit. A cause de la neige, qui rendait le chemin glissant sous les sabots du cheval, je suis rentré au pas à Théotime ; et tout le temps de mon retour, j'ai pensé à Geneviève. « Où sera-t-elle, me disais-je, pour la Noël, là-bas, en Orient ? » Car je ne savais rien de ce couvent des Visitandines.

Après dîner, je suis monté dans le grenier aux plantes, et j'y ai dormi.

Le sommeil m'a donné la paix.

11 décembre.

Oui, la paix.

Non pas l'oubli, ni l'indifférence. Car tout est là, sous mes yeux, présent : les désirs, les espoirs, les joies, les regrets, les souffrances subies ; et je vois tout, et je tiens tout dans mes mains, comme hier : cette vie médiocre et ce piètre génie, sur lesquels a flambé l'amour...

Cependant cette paix étrange me pénètre. Elle calme les mouvements.

Est-ce l'effet du temps d'hiver si propice au repli, aux calmes retours vers les profondeurs ?

12 décembre.

Ce matin, le vieil Alibert est venu me trouver à Théotime.

Je finissais de déjeuner. Marthe était là. Il m'a dit :

— Je voudrais vous parler, monsieur Pascal.

J'ai remarqué que Marthe avait l'air grave.

Le vieil Alibert s'est assis et a bu le café, posément. J'ai vu qu'il le trouvait bon, mais il a refusé une seconde tasse.

— Marthe le fait bien, ai-je dit.

Il a approuvé, puis il a regardé le feu ; enfin il m'a parlé de son fils :

— Jean veut se marier, monsieur Pascal. Il l'a dit à sa mère. Rien de plus juste naturellement ; mais il faut choisir...

— Et il a sûrement choisi, n'est-ce pas, Marthe ?

Marthe n'a pas répondu à ma question. De la tête, elle m'a montré son mari, qui attendait. Je me suis retourné vers le vieil Alibert.

Le vieil Alibert a repris :

— Vous connaissez Jean. C'est un garçon de confiance. Il a dit la chose à sa mère et l'a chargée de m'en parler, hier soir, après la soupe. J'ai bien réfléchi. Il ne faut rien faire à la légère... Nous avons devant nous trois partis, très honorables. La fille Méritier, Angèle, qui a du bien et qu'on dit sérieuse. Sa mère est morte ; et elle a l'habitude du ménage ; Méritier n'a pas d'autre enfant. Après Angèle Méritier, nous avons pensé à la petite Irène, celle des Cambcroux ; elle est un peu chétive. Les Camberoux ont deux métayers et une grande terre ; mais ils ne veulent pas que leur fille travaille aux champs. Ils disent qu'elle est faible et ils ont peut-être raison. Enfin, il y a la nièce à Genevet, Catherine Clastre. Vous l'avez vue, elle est venue vendanger avec nous en septembre. Ils ne sont pas riches, les Clastre, mais la fille a de la santé. Une chose vaut l'autre. A part ça, je crois que c'est tout.

Il avait parlé un peu brutalement, car il était ému, et il voulait cacher son émotion.

— Et Jean? lui ai-je demandé.

— Jean est d'accord. On l'a mis au courant.

— Et il n'a pas une préférence, un faible?

— Sans doute. Mais il n'en parle pas, comme de juste. Nous sommes ses parents.

— Alors, qui choisira?

Le vieil Alibert s'est levé de sa chaise, et a pris un air désagréable.

— C'est vous, monsieur Pascal. La terre est à vous.

Marthe a ajouté aussitôt :

— On ne peut pas mettre n'importe qui sur votre bien.

Alors j'ai dit :

— Il faut lui donner Catherine Clastre. Elle est presque aussi bonne que Françoise.

— J'y avais pensé, a répliqué le vieil Alibert ; mais je ne voulais rien faire sans vous.

Je me suis levé à mon tour.

— Où est Jean? ai-je demandé.

— Dans la remise. Il répare un timon cassé.

Nous sommes sortis tous les trois. La neige était dure, craquante, mais l'air tranquille, et le temps très doux sur les terres.

— Si la bise se lève, a remarqué le vieil Alibert (et j'y crois), nous aurons un beau ciel pour la Nativité.

Nous sommes entrés dans la remise. Jean s'est dressé, ému, en nous voyant :

— Alors tu épouses Catherine, lui ai-je annoncé, en riant, et je lui ai donné une petite tape sur l'épaule.

Il a regardé sa mère. Françoise là-dessus est arrivée. On lui a annoncé la nouvelle. Elle a rougi, et pendant un moment tout le monde s'est tu.

Les fiançailles se feront, l'avant-veille de la Noël, chez moi.

Cette démarche des Alibert m'a réconforté. Les liens sont renoués d'eux à moi, et de moi à la terre.

Nous sommes les gens de ce lieu, les possesseurs héréditaires du quartier.

Il est à moi, je suis à lui ; le sol et l'homme ne font qu'un, et le sang et la sève.

Ici, nous avons dressé l'acte, signé l'accord et marqué les confins du travail agricole. C'est là que se sont arrêtés nos pères ; juste au pied des collines, sous le roc. Le roc est dur, mais en deçà la terre est meuble, et encore sensible aux soins de l'homme.

Cette terre, nos pères l'ont aimée. Elle les a fait vivre. Ils sont venus de ce village caché derrière le coteau de Puyloubiers ; et comme ils étaient les plus durs, et les plus obstinés à rendre la terre fertile, ils ont poussé leur charrue jusqu'ici, où commencent les bois et les solitudes. Et ils ont aimé les bois et les solitudes, si j'en crois mon sang.

Mais ils n'ont pas cédé aux attraits du sauvage, car c'étaient des paysans sûrs, des laboureurs qualifiés. Ils n'ont pris de ces lieux déserts et redoutables que les émanations, les odeurs forestières, qui cicatrisent si bien les blessures, et durcissent la poitrine.

Ils ont bien rarement regardé plus haut que leur tâche, et levé les yeux défiants au-dessus de l'épi.

Ils ont eu du blé et de l'huile, des fils, des filles et des maisons. Et, tous, ont soutenu avec obstination, pendant des années longues, dures, souvent hostiles, la fécondité de la terre, sans rien voir au-delà du labour, des semailles et de la moisson.

Ils savaient simplement, de père en fils, que ces grands actes agricoles sont réglés par le passage des saisons ; et que les saisons relèvent de Dieu

En respectant leur majesté, ils se sont accordés à la pensée du monde, et ainsi ils ont été justes, religieux.

Ils sont morts. Je suis le dernier.

Et je sais qu'ils sont morts et que je suis le dernier.

Mais savoir ne saurait suffire. On ne détache pas la connaissance de l'amour ni l'amour de l'acte.

J'aime mon sang, celui des miens. Ils sont partis d'un seul, qui a voulu, et qui a fait. Celui-là est mon père.

Ils sont retombés à un seul, moi, le dernier. C'est de moi qu'il faut repartir, car tout est à refaire.

Mais je ne suis privé ni de force, ni d'espérance. Et si j'ai regardé au-dessus de l'épi, c'est qu'ils sont maintenant au-dessus de l'épi. Je les vois et je vais vers eux.

21 décembre.

Depuis trois jours, la bise souffle. Alibert avait vu juste. Le ciel se dégage ; mais le froid pince.

Ce soir, j'irai coucher à La Font-de-l'Homme. Arnaviel y est seul, et peut-être aura-t-il plaisir à me parler des bêtes, de la Noël qui vient, des feux d'hiver.

Il fait chaud dans la bergerie. La petite chambre y est propre, blanchie de neuf ; et la cheminée tire.

On y a installé deux lits, avec de bonnes paillasses dont le maïs est coupé de l'année, tout craquant.

A travers la porte on entend respirer, souffler, et parfois se plaindre, les bêtes qui sommeillent dans les profondeurs des étables, éclairées vaguement par une veilleuse pendue à la maîtresse poutre. L'odeur chaude et lourde des crèches passe dans la chambre, poussée par l'haleine puissante de six cents bêtes endormies.

Dehors, la nuit glacée étincelle d'étoiles. La neige s'est givrée sur les rames de pins, et il fait froid.

Dedans, une tiède vapeur flotte sur le troupeau dans l'ombre de la bergerie, à l'abri de l'hiver.

On devise avec Arnaviel. Il parle, comme tous les vieux, assez volontiers de sa jeunesse, mais il reste toujours modeste dans la louange de ce temps, qui fut le sien.

On se met au lit assez tard, et, pendant un moment, on regarde, au milieu de la braise immobile, monter et descendre la flamme du foyer ; et puis on s'endort un peu, en pensant que le feu durera jusqu'au matin, car ici on brûle du chêne, et c'est un bois très sûr qui tient longtemps.

22 décembre.

C'est en revenant de La Font-de-l'Homme, ce matin, que j'ai rencontré Françoise dans l'olivette.

J'avais descendu prudemment le sentier, qui est rapide, et où, pendant la nuit, la neige avait glacé. On glissait à chaque pas. Mais dans le creux de l'olivette, sous la falaise, il faisait doux. C'est un jardin que le moindre rayon tiédit ; il est bien abrité. Dans le ciel, le temps restait pur et un beau soleil d'hiver éclairait l'olivette.

Françoise, en me voyant, de loin, m'a crié :

— Les olives sont bonnes cette année...

J'ai été content de la voir, car elle est mon amie : et d'ailleurs je l'ai trouvée belle.

Je lui ai dit :

— Il est bien tôt, Françoise, pour venir ici, le matin...

Elle m'a répondu :

— Je vous ai aperçu, quand vous descendiez le

437

sentier. Le temps est clair : on y voit de loin. J'étais à Théotime.

J'ai souri ; elle est devenue un peu rouge, puis elle a ajouté bravement, en relevant la tête :

— Je suis venue à votre rencontre... Il fait si beau !

Elle paraissait heureuse et je lui ai dit :

— C'est demain qu'on fiance Jean. Tu es contente ?

— Mais oui, monsieur Pascal. Ils prendront La Jassine. C'est un bien pour tout le monde.

Le ton de sa voix m'a ému, je ne sais pourquoi.

— Et toi ? lui ai-je demandé.

Elle m'a regardé franchement, mais n'a pas répondu.

J'ai pris ses mains, un peu rudes, mais fraîches. Elle s'est approchée de moi et de nouveau m'a regardé, puis elle a dit naïvement :

— J'ai un ami, monsieur Pascal, n'est-ce pas vrai ?

Elle était si près de mon cœur qu'elle s'est blottie contre moi, tout naturellement, sans penser à mal.

En revenant à Théotime, nous avons marché côte à côte, sans nous regarder une seule fois.

De temps en temps nous échangions pourtant une parole.

— On pourra oliver juste après la Noël, disait Françoise. Le temps est sec.

Elle respirait le bonheur. Et de la voir ainsi je me sentais heureux, parce qu'elle était grande, belle, et qu'elle marchait près de moi, avec confiance, à pas lents, comme une vraie femme de la terre.

DU MÊME AUTEUR

Aux Éditions Gallimard

IRÉNÉE, *roman*.

LE QUARTIER DE SAGESSE, *roman*.

PIERRE LAMPÉDOUZE, *roman*.

LE SANGLIER, *roman*.

LE TRESTOULAS, *roman*.

L'ÂNE CULOTTE, *récit*.

HYACINTHE, *roman*.

LE JARDIN D'HYACINTHE, *roman*.

MALICROIX, *roman*.

SYLVIUS, *récit*.

LE ROSEAU ET LA SOURCE, *poésie*.

DES SABLES À LA MER, *récit*.

SITES ET MIRAGES, *récit*.

ANTONIN, *roman*.

LE MAS THÉOTIME, *roman*.

MONSIEUR CARRE-BENOÎT À LA CAMPAGNE, *roman*.

L'ANTIQUAIRE, *roman*.

LES BALESTA, *roman*.

LE RENARD DANS L'ÎLE, *récit*.

SABINUS, *roman*.

BARBOCHE, *roman*.

BARGABOT suivi de PASCALET, *récit*.

COLLECTION FOLIO

Dernières parutions

Impression Bussière Camedan Imprimeries
à Saint-Amand (Cher),
le 4 décembre 1995.
Dépôt légal : décembre 1995.
1ᵉʳ dépôt légal dans la collection : août 1972.
Numéro d'imprimeur : 1/2814.
ISBN 2-07-036138-3./Imprimé en France.